KB016433

한반도 평화통일 프로세스

한반도 평화통일 프로세스

초판 1쇄 발행 2014년 11월 25일

지은이 ㅣ 권양주
펴낸이 ㅣ 윤관백
펴낸곳 ㅣ 도서출판 선인

등록 ㅣ 제5-77호(1998.11.4)
주소 ㅣ 서울시 마포구 마포대로4다길 4(마포동 324-1) 곳마루 B/D 1층
전화 ㅣ 02)718-6252/6257
팩스 ㅣ 02)718-6253
E-mail ㅣ sunin72@chol.com
Homepage ㅣ www.suninbook.com

정가 26,000원
ISBN 978-89-5933-779-8 93390

· 잘못된 책은 바꾸어 드립니다.

한 반 도
평화통일
프로세스

권 양 주

책머리에

　제2차 세계대전 이후 분단된 국가는 남북한을 포함하여 6개국이었다. 이 중 오스트리아는 1955년, 베트남은 1975년, 독일과 예멘은 1990년에 각각 통일을 해 현재 분단된 상태로 남아 있는 나라는 남북한 그리고 중국과 대만뿐이다. 그러나 중국과 대만은 우리의 분단 현실과는 차원이 다르다고 할 수 있다. 중국이 이미 자본주의경제체제를 수용하고 있고, 대만과의 연간 경제교류 규모가 2000억 달러를 넘어서고 있다. 그리고 경제체제가 같기 때문에 갈등보다는 갈수록 다방면에 걸쳐 인적교류와 무역이 활발하게 이루어져 동반 성장관계로 변모될 가능성이 많다. 반면, 남북한은 제2차 세계대전 후 형성된 냉전 국면이 그대로 유지되고 있다. 분단 전 한반도는 지리적으로나 문화, 종족, 언어, 역사 등 모든 측면에서 세계 어느 곳에서도 그 유례를 찾아보기 힘들 정도로 동질성을 유지하고 있었다. 따라서 한반도에 통일국가가 들어서는 것은 역사적으로나 민족사적으로나 지극히 당연한 일이나 안타깝게도 분단 후 60여 년의 기간 동안에 이질화가 심화되어 골이 깊다.

　문제는 중국과 대만은 현재와 같이 분단된 상태로도 평화를 유지할 수 있으나 남북한은 그렇지도 못한 상황이라는 점이다. 왜냐하면 한반도의 한쪽에 이 세상에서 가장 불량한 비합리적인 행태를 서슴없이 자행하는 정치집단이 존속하고 있기 때문이다. 이와 같은 상태의 남북 분단은 자원과 노력을 낭비시켜 국가경쟁력을 저하시킬 뿐만 아니라 평화로운 삶을 영위하지도 못하게 하고 있다. 박근혜 대통령이 2013년 8월 15일 광복 68주년 축사를 통해 "진정한 의미의 광복과 건국은 한반도 평화를 이루고 남북한이 하나가 되는 통일을 이룰 때 완성된다"고 강조했듯이 통일이 우리 민족의 제1의 가치인 것이다. 통일은 우리가 원하든 원하지 않든지 간에 오늘 이 한반도에 살고 있는 우리에게 내려진 숙명적 과업임을 부인할 수는 없다.

남북한이 통일을 하려는 목적은 하나의 민족으로서 공동체가 되어 번영된 국가를 만들어 가기 위해서다. 따라서 통일과정은 매우 중요하다. 대다수 국민이 남북한 통일은 결국 남한이 북한을 흡수하는 형태가 될 것이라고 보고 있으나, 흡수하는 형태가 남북 간 합의에 의해 이루어질지 아니면 강압적인 방법이 될지는 현재로서는 가늠하기가 어렵다. 통일이 북한의 도발에 의해 무력에 의하거나 북한에서 급변사태가 발생하여 강압적으로 흡수하는 방식으로 된다면 심각한 부작용과 혼란이 발생하고 천문학적인 비용이 들어 갈 것이다. 이는 우리 민족에게 오랜 기간 동안 고통을 주고 세계 2류 국가로 전락하게 할 수도 있다. 우리가 남북한 화해와 협력을 통해 점진적이고 평화적으로 통일을 하려고 하는 이유가 여기에 있다.

한편, 평화적인 통일과 통일 후 한반도의 안정을 위해서는 남북한의 결단이 중요한 요인이기는 하지만 주변국들의 협조 또한 필수적이다. 남북한 통일은 동북아시아의 안정·평화와도 직결되는 핵심 이슈로 주변국들에게 미칠 파급효과가 클 수밖에 없다. 한반도는 일본의 강압적인 36년간의 식민지배에 이어 미국과 소련에 의한 분할, 그리고 소련과 중국의 지원을 받은 김일성의 남침과 정전, 이후 북한 스스로 진화한 한반도 긴장조성 상황이 이어지고 있다. 따라서 남북한 통일은 우리 민족의 사활과 번영에 직결되는 초미의 관심사이지만 주변국들의 이해관계와 밀접히 연관되어 있으므로 영향력 또한 배제할 수 없게 되어 있다. 주변국들은 통일한국이 자국에 미칠 영향을 나름대로 저울질하고 있다. 우리는 이러한 주변국들에게 남북한이 통일되는 경우 각국의 안보비용은 줄어드는 반면 경제적 기회가 확대되어 모두에게 이익이 될 것이라는 점을 강조하고 설득해 나가야 하겠다. 이러한 측면에서 남북통일의 주관자인 우리는 북한의 군사적 위협을 안정적으로 관리하면서 한편으로는 주변국들이 통일지원세력이 될 수 있도록 적극적인 노력을 기울여야 하는 시점에 있다.

통일작업은 한번 시도하여 실패하면 되돌릴 수 있는 것이 아니다. 세부과업 하나하나는 반드시 성공적인 결말로 끝나야 하고 어떠한 경우에도 우리가 어려움에 처하게 되는 상황이 조성되어서는 안 된다. 이러한 측면에서 가장 심혈을 기울여야 하고 남북한의 결단이 우선 필요한 분야는 통일과정에서 안정성을 담보하는 것이다. 특히, 북한이 보통국가가 아닌 군사국가라는 점에서 안정성 확보 문제는 아무리 강조해도 지나침이 없다. 우리는 통일을 논하면서도 통일 진입과정에서 가장 우려되는 이 부분을 빗겨 가고 있는데 통일구상 시 결코 간과해서는 안 될 부분이다. 따라서 통일작업의 시점으로부터 완성되는 순간까지 국가 전반적으로 안정을 확보하는 일은 그 어느 것보다 중요하다 하겠다.

평화통일을 위한 단초는 남북한이 만나서 논의하고 남북한 간 이해의 폭을 넓히는 일이다. 통일이 양 정부 간에 합의를 한다고 해서 이루어질 수 있는 단순한 작업이 아니므로 평화통일을 위해서는 통일 전에 남북한 간에 상당한 교류와 협력이 있어야 한다. 따라서 남북관계의 단절 기간은 그만큼 통일을 위한 시간을 잃어버리는 것과 같다고 할 수 있다. 남북한이 머리를 맞대는 일은 그것이 경제문제든 정치·군사적인 문제든 통일에 직·간접으로 기여하게 될 것이다. 그러나 아쉽게도 지난 기간 남북한 간에는 진정한 의미의 교류는 없었고 협력은 이산가족 상봉과 경제 부문에 국한되어 있었다. 그동안 남북한은 평화통일에 대한 희망을 피력하면서도 그 동력은 상당히 약한 편이었다. 김일성 체제하에서 북한은 '조국통일은 더는 미룰 수 없는 민족 최대의 절박한 과제'라고 강조하기도 했으나 김정일은 반통일주의자로 낙인찍힐 만큼 통일에는 관심을 보이지 않았고 심지어 논의조차 금기시 했던 것으로 나타나고 있다. 어찌됐든 남한이 보다 더 통일을 위한 노력을 적극적으로 해야 한다는 결론에 이른다.

따라서 우리는 이러한 숙명적 과업을 어떻게 수행해야 할지에 대해 골몰해야 하나 그렇지도 못하고 또한 준비도 매우 미흡한 편이다. 이러한 저변에는 남북한 통일이 언젠가는 이루어지겠지만, 정확하게 언제, 어떠한 상황에서 이루어질지에 대해서 현재로서는 전망하기가 어렵고 손에 잡히지 않기 때문이라고 할 수 있다. 통일 준비가 미흡한 것은 언제 닥쳐올지를 모르는 일에 관심을 두기보다는 당장 손에 잡히는 일부터 하게 되어 있는 인간의 속성 때문이기도 하다. 그러나 북한이 국제사회의 일원으로서의 기본 룰조차 준수하지 않는 불량국가로서 현재와 같이 벼랑 끝 전술을 지속하려 하는 한 외부로부터 지원은 단절되고 경제난과 식량난으로 정권유지가 어려워질 가능성을 배제할 수 없다. 한마디로 갑자기 붕괴될 수도 있는 상황에 있는 것이다. 우리가 왜 통일 준비를 서둘러야 하고, 통일 준비 필요성에 대한 강조를 아무리해도 지나치지 않는지 그 이유가 여기에 있다.

평화적인 통일을 추진한다고 해도 이를 위해 우리가 어떠한 과정을 거쳐야 하는지에 대해서도 공감대를 형성하지 못하고 있다. 북한이 통일문제를 대내외 전략 차원에서 이용해 왔다고 해도 통일의 주체가 될 우리마저 준비를 게을리 하는 것은 온당치 못하다. 평화적인 통일을 위해서는 먼저 우리 내부의 공감대가 형성되어야 하고 이를 바탕으로 일관된 정책이 수립되어야 할 것이다. 그러나 아쉽게도 공감대 형성을 위한 가이드라인이 될 수 있는 제대로 된 참고서가 없는 것 또한 현실이다. 따라서 본서는 이러한 관점에서 출발했다. 아무쪼록 이 책이 평화적인 남북통일에 대한 이해를 증진하고 공감대를 형성하여 통일 준비를 내실 있게 하는 계기가 되고 공헌할 수 있기를 기대한다.

홍릉 연구원에서
2014년 10월
권 양 주

차 례

표·그림 차례

제1장

들어가며

한반도 평화통일 프로세스

제1절 남북한 평화통일의 당위성과 필요성

한반도에 통일국가가 수립되는 상황은 동북아의 정세지형을 이전과는 완전히 다른 모습으로 바꾸어 놓을 수 있는 만큼 매우 중대한 변화를 의미한다. 따라서 남북한 통일은 우리 민족의 숙원을 해결한다는 데에 중요한 의미가 있지만 동북아의 안정과 평화, 발전과도 직결되는 문제이므로 남북한이 어떠한 과정을 거쳐서 통일을 할지에 대해서는 초미의 관심 사안이 아닐 수 없다. 우리는 통일을 통해 한 단계 발전하기를 기대하고 있고, 주변국들은 적어도 남북통일로 인해 자국의 이익이 침해당하지 않기를 바라고 있다. 이를 충족하기 위해서는 주변국들이 긴장관계보다는 상호 협조 분위기 속에 있어야 하고 그러한 가운데 남북통일이 평화적으로 이루어져야 할 것이다.

통일이란 정치적·법적인 차원에서 볼 때, 하나의 민족국가로 복원된 상태를 의미한다. 즉, 통일은 하나의 민족국가가 복원된 상태에서 국가 구성요소인 주권과 영토를 보존하고 역사를 발전시키고 문화를 창달하는 행위이다. 남북한이 평화적으로 통일을 하기 위해서는 남북한 각각의 정책이 그러한 방향으로 지향되고 이를 집약하는 통일방안이 정교하게 마련되어야 한다. 무엇보다 중요한 것은 남북한이 평화통일에 대한 강한 의지를 가지고 남북한 상호 간 정책을 이에 맞춰 나가야 한다. 아울러 평화공존과 상호 신뢰할 수 있는 터전이 구축되어야 하는데 이를 위해서는 먼저 상호 적대시 정책을 철회하고 도발적 행위를 중단해야 한다. 합의에 의해 평화적으로 통일한다고 하고 통일작업에 나선다고해도 결코 만만치 않은 과정을 거쳐야 할 것이다.

남북한은 전쟁이 일단락되었음에도 지난 60여 년 동안 극한 대치상태에 있었다. 이의 주요인 중 하나는 서로 자기 체제로의 통일을 목표로 군사·경제적으로 우월한 쪽이 다른 쪽을 밀어붙이는 식으로 압박을 해왔기 때문이기도 하다. 남한은 자유민주주의 체제를 기본으로 하는 평화통일을 원하고 있는 반면 북한은 김일성 가계의 독재를 보장하는 사회주의 체제로의 통일을 지향하고 있다. 남북한은 자기 체제를 상대방에게 요구하면서 평행선을 달리고 있는 형국이다. 북한 당국은 평화적인 통일은 남한에 의한 흡수통일이 될 것이라며 이를 위한 논의에는 나서지 않고, 이 순간에도 적화통일을 위한 노력만을 지속하고 있다.

북한은 대내외 정책 목표를 전 한반도의 사회주의 체제 통일에 두고 평화적·비평화적 방안을 동시에 추구해 오고 있다. 비평화적 방안은 무력사용을 지칭하는데 이를 위해 평시 우리보다 우위의 군사력을 유지하고 통일여건을 구비하는 데 최우선을 두고 있다. 김일성은 통일여건 구비를 위해 3대 혁명역량 강화를 제기했다. 그리고 대남 우위의 군사력 유지를 위해 4대 군사노선을 채택했는데, 이는 김정일의 선군정치 그리고 김정은 시대 장거리 미사일과 핵무장으로 이어져 내려오고 있다. 70년대 중반까지만 해도 북한의 경제력과 군사력이 남한의 그것을 훨씬 능가했고 이를 기반으로 수많은 무력도발을 자행했다. 한반도는 1980년대 말 냉전체제가 해체될 때까지는 소련과 중국을 중심으로 한 사회주의권의 집단안보체제와 미국을 중심으로 한 서방 안보체제가 격돌하는 첨단지역이 되었는데 이것도 북한이 무력도발을 서슴없이 하게 하는 한 요인으로 작용했다.

북한은 80년대 말부터 남한과의 경제적 격차가 커짐에 따라 재래식 전력증강을 통한 대남 우위의 군사력 유지는 어려울 것으로 보고, 국제적으로 제재가 이루어지고 있는데도 불구하고 비용 대 효과가 큰 대량살상무기(WMD) 개발에 박차를 가해 왔다. 그 결과 현재 전 한반도를 사정권으로 하는 핵능력을 갖추게 된 것이다. 핵무기 등 WMD가 재래식 무기와는 견줄 수 없는 절대 무기라는 점에서 북한은 현재도 우리보다 우위의 전력을 보유하고 있다고 보아야 할 것이다. 통일여건 구비의 핵심 요체는 한·미동맹체제 해체와 주한 미군 철수로 요약된다. 북한은 주한 미군을 철수시키기 위해 북·미 평화협정 체결, 한·미동맹해체 등을 지속적으로 주장하고 있다. 김정은은 연평도 피격사건을 '정전 이후 가장 통쾌한 싸움'이라고 말한 바 있는데 북한 정권의 승전에 대한 갈망이 얼마나 큰지를 짐작할 수 있게 하는 대목이다. 남재준 국가정보원장은 2013년 9월 8일 국회정보위원회에서 '김정은이 3년 내 무력통일을 하겠다고 수시로 공언하고 있다'고 보고했다. 김정은이 이런 호언장담을 하는 것을 보면 군사력 측면에서 남한보다 우위를 유지하고 있고, 전시 작전통제권 전환으로 주한 미군의 역할이 작전을 주도하는 입장에서 지원자로 바뀌고 무력침공 여건이 좋아지게 되면 무력침공 시 목표를 달성할 수도 있다고 판단하고 있을 가능성이 있다.[1]

아울러 북한은 한반도의 적화를 위해 무력통일방안과 더불어 평화

---

[1] 전시작전통제권 전환 시기는 2015년 12월 1일부로 되어 있었으나 북한이 핵실험과 장거리 미사일 시험을 지속하는 등 북한의 위협이 점증하고 있어 한·미 정상은 2014년 4월 25일 재연기 문제를 검토할 수 있다는 데 합의를 했고, 김관진 국방장관과 척 헤이글 미 국방장관이 2014년 5월 31일에 만나 2014년 10월에 개최될 한미안보협의회(SCM)에서 그 조건과 시기를 결정하기로 합의했다.

적 방안을 강구하고 있는데, 평화적 방안은 인민민주주의 혁명전략[2]
과 이를 뒷받침하는 연방제 통일방안을 완성하는 것이다. 김일성이
1980년『고려민주연방공화국 창립방안』을 제안한 이후 북한은 이 틀
내에서 통일방안을 큰 수정 없이 시대 상황에 따라 유연하게 대처하
며 오늘에 이르고 있다. 김일성의 통일에 대한 집념은 매우 강한 것으
로 평가되고 있는데, 이는 상대적으로 우월적 위치에 있었던 기간의
자신감에서 연유된 것으로 보인다. 그러나 김일성은 1980년대 말부터
경제난에 처하게 되자 체제와 정권을 유지하는 노력 또한 병행하지
않을 수 없게 되었다. 이러한 가운데 1990년대 들어 후계자 김정일에
게 최고사령관과 국방위원장 직을 이양하면서 내치권은 김정일의 수
중에 완전히 들어갔고, 김일성은 외교문제를 중심으로 한 업무만 관
장하게 되었다고 한다. 사실상 이원 집정체제가 형성되어 많은 권한
을 뺏긴 상황에서 김일성은 자신의 통치기반을 다시 공고히 할 수 있
는 계기를 잡고자 했다. 이때에 북한 핵문제가 국제 이슈화되었고, 이
를 계기로 남북한 간에 최초로 1994년 7월 25일부터 3일간 평양에서
정상회담을 갖기로 했다. 본인 중심의 권력기반을 마련할 좋은 기회
라 생각한 김일성은 본격적으로 회담준비에 들어갔으나 회담을 보름
여 앞둔 7월 8일 급사함으로써 성사되지는 못했다. 김영삼 대통령과
정상회담이 추진되었더라면 한반도에는 어떠한 정세변화가 전개되었
을지 모를 일이었다.

　이후 남북 관계는 김일성 조문단 파견문제로 다시 냉각되었다. 후

---

[2] 인민민주주의 혁명전략은 1970년 조선로동당 제5차 대회에서 채택된 것으로 공
　산당 이외의 여타 세력과 연합전선을 펴는 통일 전선 전술을 기본으로 한다. 주
　한 미군을 철수시킨 다음 남한 내 용공세력과 반정부세력을 규합하여 폭동을 일
　으켜 반공정부를 타도하고 용공정부를 수립한 후 연정을 통해 한반도를 공산화
　통일하려는 전략이다.

계자 김정일은 집권 초기 더욱 심화된 경제난과 식량난으로 통일문제
에 쏟을 여력이 없었고 또한 의지도 없었던 것으로 나타나고 있다. 어
떻게 하면 본인 중심의 정권과 체제를 강화하고 유지할 것인지에 대
해서만 골몰했고, 김일성과는 다르게 통일에는 무관심했다. 그의 집
권기간에 김일성은 단 한 번도 갖지 못한 두 번의 정상회담이 있었지
만 통일에 대한 무관심과 의도적인 회피로 진정한 통일 논의는 없었
다. 김정일은 집권기간 통일에 대한 언급을 자제해 왔고 남북한 통일
문제 그 자체를 언급하지 못하도록 한 것으로 알려지고 있다.

　6·15남북공동선언에 나타난 낮은 단계의 연방제는 그 기원을 1991
년 김일성의 신년사에 두고 있지만 이 또한 전술적 변화에 불과했다.
그는 반통일주의자로 낙인이 찍혀 있는데 이는 북한의 경제난과도 무
관하지 않다. 김정일이 집권하자마자 3년간의 고난의 행군이 시작되
어 수백만 명이 아사했다. 이러한 상황에서 통일 논의는 곧 남한에 의
한 흡수통일을 의미하게 되었으므로 김정일은 자연적으로 위기의식
을 느낄 수밖에 없었다. 따라서 김정일 체제하의 대남정책은 김일성
시대와는 달리 주도적 자세를 견지할 수 없게 되었고 수세적으로 변
모되었다. 그리고 김정일은 정권유지를 위해서는 외부로부터 지원을
받아 북한을 안정화시키는 합리적인 방안을 추구하는 것보다는 핵무
기 보유정책이 더 낫다고 판단했던 것으로 나타나고 있다. 김정일은
그의 집권기간 내내 군사력을 사용하여 강압하려고 하는 전통적인 행
태를 조금도 누그러뜨리지 않았다. 헌법에 통일을 최대의 과업으로
명기하고 있으면서도 이에 대한 진정성은 없었다.

　이를 이어 받은 김정은 정권의 행보는 현재 어디로 방향을 잡을지,
통일 논의를 위한 장이 언제나 마련될 수 있을지 그 누구도 예측하기
어려운 상황이다. 김정일 사망 시 권력기반이 약했던 김정은은 우선

정권을 공고화하는 데 집중할 수밖에 없었고, 이를 위한 가장 좋은 방안은 김정일의 유훈과 유지를 받드는 것이었다. 김정은이 유훈과 유지를 받든다는 데에 북한체제의 특성상 반기를 들 수 있는 사람은 없었기 때문이다. 이에 따라 제3차 핵실험과 장거리 미사일 시험을 강행했으나 반대급부로 국제적인 제재는 더욱 강화되어 경제적 타격이 더해지고 있다. 북한은 현재 핵으로는 체제와 정권을 유지할 수 없는데도 핵을 끌어안고 굶주린 배를 움켜쥐고 지탱하려고 하고 있다. 따라서 김정은이 김정일의 유훈의 틀에서 벗어나지 못하는 한 개혁·개방이나 비핵화 정책은 기대하기 어려운 상태이다.

북한이 경제를 회생하기 위해서는 비핵화와 더불어 과감한 제도개혁이 필요함에도 잘못된 길로 들어섰다. 제도개혁이 되지 않으면 불확실성과 비효율성, 기타 비용으로 경제난 극복을 위해 필요한 경제교류와 외국 자본의 도입이 활성화될 수 없을 것이다. 북한이 제도를 개혁하는 것은 아래로부터의 자생적인 방법이 아니라 북한 위정자들의 정책 결정에 따라 위로부터 이루어져야 한다는 점에서 김정은 정권의 결단이 필요하다. 북한이 현재와 같은 고난의 행군을 지속하면서 언제까지 현 체제와 정권을 지탱할 수 있을지 의문시된다.

우리는 북한에서 급변사태가 일어나 급진적으로 통일이 되는 상황을 바라지 않고 있다. 이는 북한을 어떻게든 안정적으로 관리하면서 평화적이고 점진적으로 통일을 할 수 있는 방안을 모색해야 한다는 의미이기도 하다. 남북한은 그동안 7·4남북공동성명을 통해 통일 3원칙에 합의를 했고, 이에 근거해 남북한 각각 평화통일을 위한 방안을 내놓았다. 1991년 합의한 남북 기본합의서를 통해 통일을 위한 기본 합의를 이루었다. 그리고 그 이후 김일성과 김정일의 사망, 사회주의권의 붕괴 등 대·소규모 일들이 있었지만 남북한은 여전히 긴장상태를 유지하며 통일정책에서는 여전히 평행선을 달리고 있다. 그럼에도 한 가지 분명한 것은 북한이 급변사태 등으로 붕괴되는 것을 남북한 모두 바라지 않고 있다는 점이다. 따라서 통일을 지향하면서도 북한은 붕괴되지 않은 길을 모색해야 하고, 우리는 북한이 붕괴되지 않도록 해야 한다.

박근혜 정부는 '남북한 평화통일기반 구축'을 국정기조의 하나로 설정하고 남북관계를 개선시키고자 하고 있다. 한·미 정상회담을 위해 미국을 방문한 박근혜 대통령은 2013년 5월 8일 미 의회 상하양원 합동연설을 통해 '한반도 평화와 통일기반 구축'을 포함한 '한미동맹 3대 원칙'을 제시했다. 그리고 대북정책 기조를 '한반도 신뢰프로세스'로 설정하고 일관되게 추진해 나가고 있다. 2013년 6월 27일에 있었던 한·중 정상회담에서도 이에 대해 설명하고 이해와 지원을 촉구했다. 중국의 시진핑 주석은 중국의 한반도 관련 2대 목표는 '한반도의 비핵화와 평화통일'이라고 밝힘으로써 중국도 한반도의 통일을 지지하고 있음을 분명히 했다.[3] 미국이나 러시아도 이와 같은 입장에서 크게 벗어나 있지는 않다.

남북한 통일과 통일 시 주변국들과의 관계는 통일과정에서 이들 국가들이 어떠한 지원과 협력을 했느냐에 따라 달라질 수밖에 없을 것이다. 통일한국의 잠재 적대국가가 되기보다는 우호국가가 되는 것이 그들의 국가이익과도 합치될 것이라는 점에서 통일이라는 큰 물줄기를 단독으로 거스르려하지는 않을 것이다. 물론 주변국들의 속내를 통찰할 수는 없지만 주변국들의 공통된 관심사는 동북아의 안정과 번

---

[3] 중국의 시진핑 주석은 한·중 정상회담을 통해 "중국은 남북한이 관계를 개선하고 화해 협력을 실현해 궁극적으로 자주적 평화통일을 실현하는 것을 지지한다"고 밝혔다. 『조선일보』, 2013년 7월 1일.

영이라는 점에서 그 진정성이 어느 정도 깃들어 있다고 봐야 할 것이다. 주변국들의 한반도 문제 전문가들도 자국의 이익을 저해하지 않는 한 한반도 통일을 반대할 이유는 없다는 견해를 피력하고 있다. 한반도 통일은 이 지역의 번영과 발전, 안녕을 위해서도 필요하다는 것이다.

이와 같이 주변국들은 공통적으로 남북한 통일을 반대하지는 않으나 통일과정에서 동북아에 불안정한 사태가 발생하는 것을 크게 우려하고 있다. 이는 남북한 통일이 평화적이고 점진적인 과정을 거쳐 이루어져야 함을 우리에게 요구하고 있는 것이다.

그런데 북한도 평화통일을 원하고 있는지에 대해서는 그렇지 않다고 보는 것이 타당할 것이다. 북한의 평화통일에 대한 의지는 그리 강하지 않은 것으로 나타나고 있다. 북한은 1980년 통일방안을 제시하면서 통일이 되더라도 두 개의 체제를 공존하자고 주장했다. 그리고 그 후에는 남한 정부와 정권이 통일방안들을 제시했지만 남북분단을 고착화하는 방안들이라고 몰아세우면서도 이렇다할만한 통일정책을 내놓지 않고 있다. 북한은 평화통일은 남한주도로 이루어질 것이고 이렇게 되면 흡수되는 수밖에 없을 것이며 이 과정에서 많은 위정자들이 고통을 당할 것이라고 보고 있는 것 같다.

북한은 1980년 대 말부터 흡수통일이라는 위기 속에서 근근이 지탱해 오면서 일방적이고 강압적인 흡수통일에 대한 두려움이 팽배해 있었다. 반면 우리 국민의 대다수는 결국 북한이 붕괴되어 강압적으로 흡수통일할 수밖에 없을 것이라고 보고 있으나 강압적인 흡수통일이 유일한 대안은 아니라고 본다. 북한이 체제를 전환하고 남한과 같은 수준의 국가체제가 정착되면 합의에 의해 대등한 입장에서 통일도 가능할 것이다. 북한 당국이 체제를 전환하고 주민의 생활수준을 높이는 방향으로 나간다면 불가능한 일도 아닐 것이다. 그러나 북한이 이러한 방향으로 나갈 가능성은 현재로서는 그리 높지 않을 것으로 전망되고 있다. 이는 북한이 통일에 대한 두려움을 가지고 소극적으로 임하고 있으므로 우리가 통일 노력을 조금 더 주도적으로 해야 함을 뜻한다.

남북한 통일은 단순히 분단의 이전상태로 돌리는 데 그칠 수 없는 근본적인 문제가 있다. 그것은 남북한에 매우 상이한 두 체제가 존속하고 있고 북한이 통일 후에도 두 체제를 유지하자고 주장을 하고 있기 때문이다. 예멘 통일과정은 합의에 의해서 통일을 했지만 자본주의와 사회주의 체제를 제대로 통합하지 못한 결과가 어떠했는지를 여실히 보여 주었다. 진정한 통일은 체제가 하나로 통합되어야 함을 일깨워주었다. 한편, 자본주의와 사회주의의 대결에서는 이미 사회주의가 완패했다.[4] 세계적으로 자본주의 체제의 폐해에 대해 일부 비판이 가해지고 있기는 하지만 통일한국은 기본적으로 자본주의 체제로 통일이 되어야 한다는 데에는 대부분이 공감하고 있다. 따라서 남북한 통일은 이질화된 두 체제를 하나로 통합하여 하나의 공동체로 만들어야 하는 매우 어려운 과정을 거쳐야 한다. 분단의 상태를 원상 복귀하는 것이 아니라 재창조를 해야 함을 뜻한다.[5]

그리고 통일국가들의 예에서 보듯이 통일과 통합과정에서는 많은 갈등이 표출될 것이고 이를 슬기롭게 극복해야 하는 난제가 도사리고

---

[4] 자본주의와 사회주의 체제 대결은 결판이 났다고 해도 사회주의 체제하의 주민들은 사회주의 체제 자체에 대해서는 긍정적으로 생각하는 사람들도 상당한 것으로 나타나고 있다. 대다수 탈북자들은 사회주의는 좋은 이념인데 실천하기 어렵다고 보고 있다. 그리고 독일 통일 후 동독 주민의 상당수 과거 동독시절에 대한 향수를 보인 바 있었다. 서재진·김창근, 「김정일 정권의 체제유지 전략: 사회부문」, 『통일연구논총』 제5권 2호(1996), 40쪽.

[5] 통일부 통일교육원, 『통일문제 이해』(2007), 13쪽.

있다. 더구나 남북한과 같이 극한 대립 관계에 있었던 국가에서는 갈등과 불만사항이 더 많이 나타나게 될 것이다. 따라서 남북한 통일은 독일을 포함한 여타 국가들의 통일보다 훨씬 더 어려울 것으로 보고 대비를 해야 할 것이다. 특히, 대규모의 북한군을 관리해야 한다는 측면에서 독일 통일과는 판이하게 다르다고 할 수 있다. 동서독은 북대서양조약기구(NATO)와 바르샤바조약기구(WTO)라는 큰 안보집단 속의 일원으로서 대치하고 있었으나 남북한은 씻을 수 없는 전쟁의 상흔을 간직하고 있고 양국 정부 간 불신의 골이 깊다. 그리고 통일 전 동서독 주민들 간에는 상호 연락과 여행이 이루어졌으나 남북한은 현재까지 완전히 단절되어 있다. 이러한 연유로 인해 우리가 통일작업에 들어간다고 해도 갈등이 깊어지고 격화되면 무력충돌 가능성까지 배제할 수 없는 상황이다. 남북한 통일은 비정상적인 군사국가와 정상국가 간의 결합을 의미하므로 통일과정에서 안정성 확보는 매우 중요하며 그 중심에 군이 자리하고 있다. 따라서 군사부문의 통합은 그 자체의 어려움도 있지만 무엇보다 중요한 것은 대규모의 북한군과 군사에 기반한 북한체제를 관리하여 국가통합을 안정적으로 뒷받침하는 데에 있다. 미국 하버드대 교수이자 유럽통합연구센터장을 지낸 스탠리 호프만(Stanley Hoffmann)은 '군사통합이 제대로 이루어지지 않으면, 제반 분야의 기능적 통합은 어려움에 봉착하게 되고, 나아가 전체적 통합 또는 통일 자체가 수포로 돌아갈 위험이 크다'고 경고한 바 있다. 군사부문의 통합은 그 자체로서도 중요하지만 국가통합과 통일이 안정적으로 이루어질 것인지와 직결되는 과업임을 응축하는 말이다.

　남북한 통일 시에도 군사부문의 성공적 관리 여부는 자체로서 어려움도 있지만 안정적 통일에 결정적 요인이 될 것이다. 평화적으로 통일이 된다고 하더라도 그 추진과정에서는 수많은 우여곡절과 갈등 현상이 나타날 것이다. 남북한이 통일과정에서 어떠한 어려움에 처하든지 간에 결국 통일작업이 평화적으로 이루어지기 위해서는 대규모의 북한군을 어떻게 안정적으로 관리하느냐에 달려 있다고 해도 과언이 아니다. 북한이 붕괴되거나 급변사태가 발생하여 북한군의 지휘체계가 무너지고 각급 부대들이 중·소규모로 무력집단화되면 우리가 전혀 예상치 못한 끔찍한 결과를 초래할 수도 있다. 따라서 평화적으로 통일을 하든 북한정권이 붕괴되어 강제적으로 흡수통일을 해야 하든 북한군을 안정적으로 관리하는 문제는 핵심 사안이다. 우리의 통일이 다른 나라들의 통일과정과 비교하여 더 어려울 것이란 점이 여기에 연유된다.

이러한 측면에서 예멘의 통일과정은 우리에게 매우 중요한 점을 시사해 주고 있다. 예멘은 군사문제를 제대로 처리하지 않은 상태에서 통일을 서둘렀고 이는 결국 전쟁을 피할 수 없게 만든 주요인이 되었다. 통일과정에서 군은 정치적으로 중립상태에 있어야 하나 남북 예멘군은 그러지 못하고 각각 기존의 남북예멘 정부와 정치지도자로부터 지휘를 받는 이원화 체제를 유지하게 되었다. 여기에 예멘의 각 부족들도 독자적으로 무장 세력을 유지하도록 허용되었다. 군의 충성대상이 각각 달랐던 것이다. 따라서 남북한이 평화적으로 통일을 하기 위해서는 갈등요인을 최대한 제거하고 갈등이 빚어질 경우에 이것이 무력충돌로 이어지지 않도록 지휘체제가 일원화되어야 한다. 남북한 간에 진정한 신뢰구축과 군사문제가 선결되지 않고 통일과정에 진입하는 것은 기름을 안고 불속에 뛰어드는 것과 다름이 없다고 할 수 있겠다.

우리의 숙명적 과제인 통일은 평화적으로 이루어져야 하고, 이 과정에서 나타날 많은 갈등을 잘 극복해야 하는 난제가 우리에게 부여되어 있는 것이다. 우리는 평화통일을 바라고 있으나 북한은 이에 대한 두려움이 있다. 그리고 남북한 간 평화통일에 대한 의도와 목표가 완전히 다르기 때문에 우리가 의도하는 통일이 이루어지도록 하기 위해서는 북한으로 하여금 정책 전환을 할 수 있는 모멘텀을 제시하고 이러한 방향으로 노력을 집중해야 하겠다. 북한의 위정자들과 주민들이 통일이 왜 평화적으로 이루어져야 하는지를 충분히 인식하고 우리의 진정성을 이해하도록 하는 한편, 충격을 최소화할 수 있는 각종 대책과 방안을 강구해 나가야 할 것이다. 현실적으로 남북한 통일은 북한이 체제를 전환하고 남한과 같은 수준의 각종 제도를 구비하지 않는 한 우리 주도로 이루어질 수밖에 없을 것이다. 갈수록 경제력의 차이가 벌어지면서 이에 기반한 각종 제도가 뒤떨어지고 있어 남북한이 평화적으로 통일을 하게 된다고 하더라도 결국 남한이 북한을 흡수하는 형태로 이루어질 수밖에 없을 것이라는 결론에 이르게 한다. 남한 주도로 흡수통일을 하는 경우에도 불안정한 상황이 조성되지 않도록 큰 충격이나 급변적인 사태 발생을 방지할 수 있는 방안이 마련되어야 할 것이다. 우리가 통일을 주도해야 하는 것은 물론, 북한의 도발적인 행태를 안정적으로 관리하면서 평화적으로 통일을 해야 하는 매우 중요한 임무가 우리 모두에게 부여되어 있는 것이다.

이를 위해서는 흡수통일의 경우에도 북한 전 주민의 고통이 최소화되는 방향으로 이루어질 것임을 북한 주민들이 인식할 수 있도록 하여 순응할 수 있는 상황을 조성해 나가야 한다. 또한 우리도 이러한 방향으로 통일에 대한 진정성을 보일 수 있도록 전향적인 사고를 할 필요가 있다. 남북한 통일이 합의에 의해 대등한 입장에서 하든 아니면 흡수하는 형태로 이루어지든 북한 당국자들과 주민들이 보다 더 나은 삶을 영위할 수 있을 것이라는 생각을 갖도록 하는 것이 첫 번째

해야 할 중요한 과제다. 이를 위한 첫 걸음은 상호 신뢰를 쌓고 평화통일의 모습과 과정을 정교하게 만들어 공감대를 형성하는 일이 급선무다.

본서는 이러한 측면에서 남북한 통일방안이 현재 어떠하며 그것이 실현 가능성이 있는지, 실현 가능성이 높지 않다면 우리는 통일작업을 안정적으로 이루기 위해 통일 전 사전 작업과 어떠한 단계 설정과 보완이 필요한지에 대해 제시하고자 한다.

제2절 장·절 편성

　현재 남북한 관계를 보면 남북한이 평화적이고 점진적으로 통일을 할 가능성은 낮다고 할 수 있다. 이러한 상황에서 평화적으로 통일을 하기 위해서는 통일에 소극적인 북한보다는 우리가 더 주도적으로 임해야 할 것이다. 그럼에도 우리 내부적으로는 평화통일에 대비한 준비와 노력이 매우 미흡한 편이다. 그러면 우리는 평화통일 준비를 어떻게, 어떠한 방향으로 해 나가야 하는지에 대해 다음과 같은 질문들이 제기될 수 있다.

　첫째, 국가형태에는 어떠한 것들이 있으며 통일한국은 어떠한 형태를 채택해야 하는가?

　둘째, 통일국가가 두 개의 다른 제도를 유지할 수 있으며 기 통일국가들의 시사점은 무엇인가?

　셋째, 통일과정에서 안정성은 어떻게 확보할 것이며 안정성 확보의 관건은 무엇인가?

　넷째, 남북한 평화통일을 위한 기본적인 대내외 조건은 무엇인가?

　다섯째, 남북한은 어떠한 통일방안을 제기하고 있고 평화통일을 위해 바람직한가?

　여섯째, 평화통일을 위한 단계들을 어떻게 설정하는 것이 바람직한가?

일곱째, 통일단계별로 핵심 추진 과제들은 무엇인가?

　이러한 물음들에 답하기 위해 본서는 총 6장으로 구성되었다. 제1장 서론에 이어 제2장에서는 국가형태에 대해 개관하고 남북통일에 주는 시사점에 대해 살펴보았다. 이 부분에서는 바람직한 통일한국의 국가 체제와 형태는 무엇이며 평화적인 통일을 위해 중간 단계를 거칠 필요가 있으며 그러한 방안들은 어떠한 것들이 고려될 수 있는지에 대해 논했다. 제3장에서는 남북 간 평화통일을 위한 방식과 조건들에 대해서 살펴보았다. 주요한 내용은 바람직한 남북한 통일방식은 무엇이며, 대규모의 군을 유지하고 있는 한반도의 특수상황을 고려하여 통일 초기 안정을 확보하기 위한 조건은 무엇인지에 대해 논했다. 제4장에서는 현재 남북한이 제시하고 있는 통일방안을 개관하고 문제점을 제시했다. 제5장에서는 앞에서 논의된 것들을 바탕으로 남북한 통일 논의의 장애는 무엇이며 어떠한 단계를 거치는 것이 실현가능하고 바람직한 것인지, 그리고 각 단계에서 추진해야 할 핵심 과제와 이의 추진방향을 제시했다. 그리고 제6장 맺음말로 구성되었다.

제1절 국가체제와 형태

남북한이 통일 시 통일한국의 국가체제와 형태가 어떠해야 하느냐는 통일의 방향을 가늠하는 기본적인 문제이다. 따라서 통일을 논하기 위해서는 국가체제와 형태에 대한 이해가 선결되어야 한다. 국가체제는 민주주의냐 민족주의냐 등등의 국가 이념과 목표, 국가권력이 집중되어 있느냐 아니면 분권되어 있느냐, 국가적인 의사를 형성하는 원리, 세계관 등을 총괄하는 국가 차원의 체제를 말한다.[6] 한 국가의 정치·경제·사회·문화적 제 질서와 제 제도를 총괄하는 개념이라 할 수 있다. 국가형태는 주로 정치적 공동체의 객관적인 조직과 실현 형태를 지칭하는 것으로 국가구조, 정치제도, 통치형식에 따라 분류된다. 국가형태론은 시대에 따라 약간씩 변천되어 왔다. 몽테스키의 계몽주의에 이르기까지 고전적인 국가형태론은 '군주정', '귀족정' 및 '민주정'으로 삼분되어 있었다. 그러던 것이 이후에는 '군주정', '전제정', '공화정' 등으로 나뉘어 졌다. 이는 '주권자, 정부, 인민'의 삼위(三位)가 일인에 의해서 지배되는지, 아니면 다수에 의해 지배되는지에 따른 분류이다. 군주정은 평생 동안 위탁된 독재정치와 동일시되는데, 군주중심제와 내각중심인 입헌군주제로 나누어 볼 수 있다. 전제

---

6) 권영성, 「남북통합과 국가형태·국가체제 문제」, 『공법연구』 제21집(서울: 한국공법학회, 1993), 23쪽.

정은 지배자가 국가의 모든 권력을 장악하고 아무런 제한이나 구속을 받지 않고 권력을 마음대로 행사하는 형태로 민주나 공화에는 반대되는 개념이다. 공화정은 최고의 권력이 합의체에서 발현되는 정치 체제다. 공화정은 국민에게 주권이 있고, 주권을 가진 국민이 직접 또는 간접 선거에 의하여 정해진 임기의 국가원수를 선출하는 국가형태다. 공화제는 대통령중심제와 의원내각제인 입헌공화제로 구분된다. 참고로 귀족정은 제한된 계급에 특권이 부여되는 국가질서로 이해된다.[7]

통일한국은 주권이 국민에게 있어야 하고 국민이 선출한 자가 대표가 되어 통치를 하고 통치결과에 대해 국민이 심판을 하는 체제여야 한다는 데에는 이견이 없다. 민주주의 체제에서는 위정자가 되고자 하는 사람들은 당을 결성하거나 독자적인 정치행위를 통해 국민으로부터 지지를 받는 과정을 거치게 된다. 자연스럽게 여러 당이 존재하게 되고 당 간에 경쟁이 불가피하게 된다. 국가형태의 정의에 의하면 북한은 군주제를 택하고 있다. 북한은 세습을 통해 절대 권한을 이양하고 있고, 국가를 지배하는 헌법 명칭도 김일성 헌법을 거쳐 현재는 김일성-김정일 헌법이라고 명명되고 있다.[8] 북한체제에서 더욱 문제되는 것은 일당에 의한 국가지배 체제를 갖추고 있다는 점이다. 북한은 조선로동당이라는 특정 정당에 의한 국가지배를 헌법에 명시하고 있는데, 북한의 체제는 통일한국에서는 결코 수용할 수 없는 체제이

---

7) 막스 임보덴, 홍성방 옮김, 『국가형태』(서울: 유로서적, 2011), 18~31쪽.

8) 북한은 김일성 사후인 1998년 9월 5일 개정한 헌법 전문에서 "조선민주주의인민공화국 사회주의 헌법은 위대한 수령 김일성동지의 주체적인 국가건설사상과 국가건설업적을 법화한 김일성헌법이다"라고 했고, 김정일이 사망한 이후인 2012년 4월 13일 개정한 헌법에서는 "조선민주주의인민공화국 사회주의 헌법은 위대한 수령 김일성동지와 위대한 령도자 김정일동지의 주체적인 국가건설사상과 국가건설업적을 법화한 김일성-김정일헌법이다"라고 명시하고 있다.

다. 또한, 북한의 현재와 같은 군주적 국가형태는 주권이 국민에게 있
는 형태로 바뀌어져야 한다. 즉, 통일한국의 국가형태는 공화정이어
야 한다. 우리나라 국호 '대한민국'은 영어로 'The Republic of Korea'로
표현되는데 우리나라의 국가형태가 공화정이라는 의미를 담고 있다.
결론적으로 남북한이 통일되는 경우 북한의 일당독재나 군주제는 수
용할 수 없고 공화제가 채택되어야 한다.

공화정하에서 국가형태는 단방(단일)국가와 연방국가로 나누어진
다. 남북한이 통일될 경우 통일 초기 국가형태가 단방이냐 아니면 연
방이어야 하는 문제는 남북한이 어떠한 상태에서 통일되느냐에 따라
크게 영향을 받을 것이다. 그리고 남북한이 평화적인 통일 과정을 밟
게 된다면 통일국가가 되기까지 국가는 아니지만 지역공동체나 국가
연합과 같은 과정을 거칠 가능성도 있다. 우리 정부가 남북연합을 거
쳐 통일을 이루는 방안을 내세우고 있는 것도 이의 일환이다. 따라서
최종 통일국가의 형태가 될 연방국가와 단방국가 체제를 포함해 남북
한 통일과정에서 거칠 수도 있는 지역공동체나 연합국가 형태에 대해
서 살펴보고자 한다.

1. 지역공동체

지역공동체는 근접해 있으면서 정치·경제·문화적 동질성을 가진
국가들이 공동의 목표를 추구하기 위해 형성한 국가 간 결합체이다.[9]

---

9) 이서행 외,『통일시대 남북공동체-기본 구상과 실천방안』(서울: 백산서당, 2008),
   107쪽.

지역공동체에 참가한 국가들은 각각 주권국가로서 지위를 유지하게
된다. 참가 국가들을 조정·통제하는 별도의 중앙기구는 두지 않으며,
필요에 따라 실무협의와 연락을 위한 소규모의 기구만 구성하여 유지
한다. 그리고 동맹과 다른 점은 동맹이 안보·군사적 목적을 위해서
결성되는 반면 지역공동체는 통상 비군사적 목표를 추구하게 된다.
과거 유럽을 살펴보면 안보·군사적 목적을 위해 조직된 NATO와 지
역공동체인 유럽공동체가 공존해 있었다. 유럽공동체는 발전하여 현
재는 유럽연합으로 되어 있으며 장차 유럽연방국이 될 것이라고 보는
학자나 전문가들도 다수 있다.[10]

이와 같이 지역공동체는 특정 영역에서만 유대를 형성할 수 있고
여러 영역에서 협력할 수도 있다. 지역공동체는 종내에는 유럽에서와
같이 국가연합으로 발전할 수도 있다. 이에 비추어 보면 한반도를 중
심으로 한 지역공동체가 결성될 수도 있을 것이다. 그 방안은 남북한
간 공동체나 동북아공동체를 상정해 볼 수 있다. 남북한 간에 공동체
가 형성되어 유대가 강화된다면 남북국가연합으로 발전되고 통일국
가로 가는 시발점이 될 수 있다. 또 다른 방안인 남북한이 참여하는
가칭 '동북아공동체'가 구성되고 이 공동체가 상호 교류와 협력을 촉
진한다면 남북한 간의 벽도 얇어지거나 무너져 평화적인 통일의 기틀
을 마련할 수도 있을 것이다. 아무튼 동북아에 남북한이 포함된 지역
공동체가 형성된다면 교류와 협력이 더 증대될 것이고 남북통일에는
긍정적으로 작용할 것이다.

---

10) 앙겔라 메르켈 독일 총리는 2012년 11월 7일 유럽의회 연설에서 "EU 집행위원회는
언젠가는 정부가 될 것"이라고 해 EU가 장기적으로는 연방제로 나아갈 것임을
피력했다. 『연합뉴스』, 2012년 11월 8일.

2. 연합국가와 연방국가

국가연합은 국가 간 결합체인 동맹이나 지역공동체보다는 결합 정도가 강하나 연방국가보다는 약한 국가 간 결합체이다. 국가연합은 2개 이상의 국가가 조약을 맺어 하나의 국가형태를 만드는 것이기는 하나 그 자체는 국제법상 국가로서 인정되지는 않고, 국가연합을 구성하는 각 국가들은 국제법의 적용을 받는다. 국가연합의 각 구성 국가들은 국제법상으로 동등하다. 따라서 연합에 위임된 권한을 제외하고는 독립국가로서 독자적인 권한을 행사하게 되므로 국가 간 느슨한 연합체라고 할 수 있다. 각 구성 국가들은 국가연합 조약에 규정된 범위 내에서는 공동행동을 취하지만 이것을 제외하면 조약을 체결하거나 외교사절을 교환하는 등 일체의 외교관계는 독자적으로 처리한다.

과거 국가연합의 사례는 미합중국(1778~1787), 스위스(1815~1848), 독일(1815~1868), 네덜란드(1750~1795) 등을 들 수 있다. 통상 국가연합은 국가 간의 결합 정도가 약하기 때문에 결성 당시의 목적이 달성되거나 실패할 때는 해체된다. 반면, 결합 정도가 강화되면 연방국가로 발전하기도 한다. 따라서 국가연합은 통상 오랫동안 지속되지는 않는다.[11] 국가연합은 연합국들을 지원할 기구를 만들게 되는데 이점에서 단순한 지역공동체나 동맹관계와는 구별된다.

연방국가는 최소 2개 이상의 국가가 하나의 국가로 결합하여 국제법상 하나의 국가를 만드는 것이다. 연방제는 중앙정부와 지방정부의 권력관계가 대등성의 원칙 위에서 수립된다. 새로 구성된 연방정부가

---

[11] 스위스와 미국의 국가연합은 연방으로 발전된 반면, 19세기 초 게르만국가연합, 1960년대 아랍공화국연합, 그리고 말레이시아와 싱가포르연합은 해체되었다. 이서행 외, 『통일시대 남북공동체』, 110쪽.

대외적인 주권을 행사하게 되므로 지방정부는 주권을 보유하지 않는다.12) 그렇다고 해서 연방정부가 지방정부를 완전히 지배하는 것은 아니다. 연방제하에서 국가 권력은 중앙정부(general government)와 지방정부(regional government)에 나눠지게 되는데 각기 부여받은 권한의 범위 내에서는 독립성을 유지한다. 연방국가 내에서 중앙정부와 지방정부가 각각 어떠한 권한을 보유하도록 할 것인지는 연방국가 형성 시 합의에 따라 결정된다. 독립국가들이 연방국가를 형성 시에는 통상 협의를 통해 구성되는데, 이러한 배경으로 연방을 구성하는 국가들은 종속적인 관계가 아닌 대등한 입장에서 결합을 하게 된다.

그리고 연방국가를 구성 시 각국은 자국 법에 따른 절차를 거쳐 중앙정부에 주권의 상당 부분을 이양하게 된다. 이에 따라 중앙정부는 하나의 국가로서 대외 활동을 하며, 국가를 대표하는 권한을 포함하여 기타 합의된 권한들을 행사하게 된다. 따라서 연방국가가 구성되면 원 국가들은 국가로서 지위를 상실하게 되고 하나의 지방정부가 되어 중앙정부에게 이양되지 않은 권한을 보유하게 된다. 연방국가는 국제법적으로 국가지위를 얻게 되는 반면, 연방국가 형성 이전의 국가들은 국가로서의 지위를 잃게 된다. 그리고 독립국가들이 연방국가를 만드는 경우 중앙정부는 협의해서 새로 구성하게 되고, 지방정부는 기존 국가들의 정부를 축소하는 형태로 구성된다.

복수의 주권국이 중앙의 연방정부 아래 결합하는 연방국가 형태는 통치방식에 따라 여러 가지가 있다. 이는 연방정부와 지방정부의 권한과 관계를 어떻게 설정하느냐에 따라 달라진다. 연방국가는 미국과 같은 대통령중심제적 연방국가, 인도와 같은 의원내각제적 연방국가,

---

12) 허문영 · 이정우, 『통일한국의 정치체제』(서울: 통일연구원, 2010), 19쪽.

호주·캐나다와 같은 입헌왕국체제의 연방국가 등으로 나누어진다. 이들 외에도 연방제를 채택 중인 국가들은 러시아, 독일, 나이지리아, 네팔, 말레이시아, 멕시코, 미얀마, 베네수엘라, 벨기에, 보스니아 헤르체고비나, 브라질, 세인트키츠 네비스, 수단, 스위스, 아랍에미리트, 아르헨티나, 에티오피아, 오스트리아, 이라크, 코모로, 파키스탄, 미크로네시아 연방 등이 있다.

연방국가를 지배하는 골간은 성문헌법이다. 연방국가들이 연방헌법을 채택하는 가장 중요한 이유는 중앙정부와 지방정부 간의 권력배분에 관한 협의 결과가 고스란히 이 헌법에 담겨지게 되고, 이에 따라 국가권력이 조직되기 때문이다. 따라서 연방헌법은 중앙정부와 지방정부의 관계를 정의하게 되며, 연방국가 내의 어떠한 법보다 우선한다. 연방헌법이 만들어지면 지방정부는 기존 헌법을 연방헌법에 위배되지 않도록 개정하여 지방을 통치하게 된다. 연방제는 중앙정부의 통치와 지방정부의 자치를 공존시키는 정치제도로 권력분점을 전제로 하고 있다.

연방제하에서 중앙정부와 지방정부 간의 권력배분을 보면, 일반적으로 외교권, 군사권과 같은 대외 주권은 연방정부가 행사하게 된다. 따라서 연방국가 체제하에서 지방정부는 외국과의 조약 혹은 외교 관계를 맺을 수 있는 권한을 아예 갖지 못하거나 중앙정부보다는 훨씬 작은 권한만을 행사하게 된다. 결국 외국과의 조약 체결문제는 연방헌법에서 연방정부와 지방정부의 권한을 어떻게 규정하느냐에 달려 있다. 연방국가들 중에는 외국과 조약을 체결할 수 있는 권한을 지방정부에 부여하고 있는 나라들도 있다. 독일이 통일되기 이전 서독의 각 지방정부는 지방정부가 갖는 입법권한 내에서 연방정부의 동의를 얻어 외국과 조약을 체결할 수 있도록 되어 있었다. 구 소연방은 지방정부에 외교권을 비교적 광범하게 인정했다. 소연방은 1944년 2월 헌법을 개정해 각 구성 공화국에게도 외국과 조약을 체결하고, 외교사절 및 영사를 교환할 수 있는 권리를 부여하였다. 그리고 현재 미국은 각 주(州)가 연방의회의 승인을 얻어 외국과 조약을 체결할 수 있도록 되어 있고, 스위스 연방은 연방이나 다른 주(州)의 권리를 침해하지 않는 범위 내에서 각 주가 일정한 사항에 대하여 외국과 조약을 체결할 수 있게 되어 있다.

이상에서 살펴본 바와 같이 국가연합과 연방국가는 국가 간 결합체라는 측면에서는 공통점이 있으나 다음과 같은 차이점들이 있다.[13] 첫째, 국가연합은 국제법적으로 국가로서 인정되지 않으나, 연방국가는 하나의 인격을 지닌 국가이다. 따라서 연방국가를 형성하기 전의 국가들은 연방국가를 형성하는 순간 국가로서의 지위를 상실하게 된다. 국가연합은 여러 국가들로 구성된 정치적 조직의 한 형태인 반면, 연방국가에는 다양한 정부들만이 존재하게 될 뿐이다. 연방국가의 국민들은 기존 국가에서 가졌던 주권을 상실하고 새로운 주권을 부여받게 되는 반면, 국가연합은 기존의 국가들이 독립된 국가의 지위를 유지하게 되므로 기존 주권에는 변동이 없다.

둘째, 연방국가는 국가공동체의 구성원으로서 국제법상 주체가 되나, 국가연합은 그 자체가 국제법의 주체가 아니기 때문에 국가공동체의 일원이 될 수 없다. 연방국가는 국제적 인격(international personality)을 갖게 되나, 국가연합은 그러지 못한다. 국제적 인격은 국가연합이 갖는 것이 아니라 국가연합의 각 구성국이 갖는다.

---

13) 공용득,『북한연방제 연구』(서울: 청목출판사, 2004), 37~41쪽; 이서행 외,『통일시대 남북공동체』, 108~115쪽; 천상덕,『유럽연합의 이론과 연방 건설』(서울: 동국대학교출판부, 2005), 84~90쪽.

셋째, 국가연합은 성문헌법을 보유하지 않으나, 연방국가는 연방헌법을 제정하고 지방정부도 연방헌법의 테두리 내에서 자체 헌법을 유지한다. 연방국가의 결합근거는 '연방헌법'이며, 국가연합은 구성국들 간에 체결된 조약이다. 따라서 연방헌법은 국가연합과 연방제를 구분하는 잣대가 된다. 연방국가는 연방헌법에 의해 중앙정부와 지방정부들의 권한이 규정된다. 지방헌법은 연방헌법이 제정된 이후에 만들어지게 되는데, 이것이 연방헌법에 적합한지를 판단할 수 있는 연방대법원이나 헌법재판소와 같은 헌법 해석기관들을 구성하여 운영하게 된다. 만약 지방헌법이 연방헌법에 반하는 조문이 있다면 이를 개정하여 합치되도록 해야 한다. 그렇지 않는 경우에는 지방정부가 연방국가를 유지할 것이냐에 대한 근본적인 문제를 제기하는 것으로 간주된다. 어느 지방정부가 연방을 탈퇴하려고 하면 연방정부는 이를 반란 행위로 여겨 군사력을 동원하는 등의 강제적 조치를 당하게 된다.

넷째, 국가연합은 군사와 외교권을 각 구성 국가들이 보유하게 되나 연방국가에서는 이러한 권한을 연방정부가 보유한다. 다만 연방국가 체제하에서 조약에 관한 일부 권한은 지방정부에 이양할 수도 있는데 이러한 경우에도 지방정부의 독자적인 외교활동 권한은 제한적일 수밖에 없다. 지방정부가 어떠한 외교권을 행사할 수 있도록 할 것이냐는 연방을 구성할 당시에 결정되어야 할 문제이다. 연방국가체제에서 연방정부와 지방정부의 주권 배분도 연방국가를 구성 시 이를 어떻게 결정하느냐에 달려 있다. 통상 연방정부는 앞에서 논한 바와 같이 외교, 국방을 포함해 시민권과 국적에 관한 업무, 화폐발행과 통제, 교통, 통신, 통상, 계약보호 등에 관한 주권을 행사하고, 지방정부는 교육, 민·형사법의 집행, 경찰권 행사, 공공질서 유지 등의 업무를 주관한다. 연방정부는 독자적인 군사력을 보유하게 되며 연방 전체의

방위와 더불어 지방정부의 질서 유지 능력을 초과하는 경우에 이를
지원하는 역할을 수행한다.

다섯째, 국가연합하에서 주민들은 원 국가의 국적을 보유하게 되나,
연방국가의 모든 주민은 단일 국적을 가지게 된다. 따라서 연방국가
체제하에서 연방정부는 주민들에 대해 직접 통치권을 행사하게 되고,
지방정부는 연방정부가 위임한 일부 생활영역에 대해서만 통치권을
독립적으로 행사할 수 있다. 주민의 입장에서 보면 생활영역도 연방
정부의 통제를 받는 부분과 지방정부의 통제를 받는 부분으로 나누어
지게 된다.

여섯째, 연방국가는 영구적 결합이기 때문에 안정되어 있지만, 국
가연합은 각 구성국들의 국가 이익과 정책에 따라 조약을 파기할 가
능성이 있어 불안정성을 내재하고 있다. 따라서 국가연합은 절대적
구속력이 약하며 구성국들의 정책에 따라 해체되거나 통일국가로 가
는 과정에서 일시적으로 형성되는 것이 보통이다. 과거 국가연합을
한 사례들을 보아도 연합체제가 그리 오래가지는 못했음을 보여주고
있다.

일곱째, 무력충돌 시 전쟁의 성격과 대처 면에서 차이가 있다. 연방
국가가 다른 나라와 전쟁을 하게 되면 전쟁의 주체는 연방정부가 되
지만, 국가연합은 구성국 자체가 주체가 된다. 국가연합체제하에서
연합국들은 조약에 따라 연합국가의 전쟁을 지원하거나 중립을 지키
고 전쟁에 참여하지 않을 수 있다. 그리고 연합국가들은 각각 독립국
이므로 이들 간의 무력충돌은 곧 전쟁이 된다. 그렇지만 연방국가는
하나의 국가이므로 연방 내에서 이해관계가 충돌하여 연방의 어떤 지
방이나 지방들이 연합하여 무력을 동원하게 되면 내란으로 취급된다.

3. 연방제와 단방(단일)국가

앞에서 살펴본 바와 같이 국가형태는 '군주정', '전제정', '공화정' 등
으로 대별되는데, 남북한 통일 시 주권재민을 기본으로 해야 한다는
측면에서 군주정이나 전제정에 대한 논의는 예외로 한다. 따라서 본
서는 공화정을 중심으로 살펴보고자 한다. 공화정은 민주적 공화국과
전제적 공화국, 그리고 연방국가와 단일국가, 대통령중심제와 의원내
각제인 입헌공화제 등으로 분류된다. 이 장에서는 남북한 통일방안과
남북한 합의나 공동선언에서 논란이 되어 왔던 연방국가와 단일국가
에 대해 집중적으로 살펴보도록 하겠다.

연방제(聯邦制)는 지방(支邦)정부의 자치를 보장하는 가운데 통합
을 추구하는 제도로 중앙정부와 지방정부의 통치영역이 확연하게 구
분된다. 연방제는 국가권력을 다수의 지방정부에 합법적으로 배분하
고 이에 따라 지방정부가 자치를 할 수 있도록 하고 있는 제도이다.
연방제는 연방정부와 최소한 두 개의 지방정부를 구성해야 성립된다.
연방정부와 지방정부의 통치영역과 권한배분을 규정하는 것은 연방
헌법이다. 연방헌법은 지방정부와 권력의 배분을 명확히 규정하는데,
이를 조정해야 할 경우에는 일정한 절차를 거쳐 헌법을 개정해야만
가능하도록 되어 있다. 따라서 연방헌법은 그것이 어떠한 시기에 어
떠한 상황에서 어떻게 만들어졌든지 간에 통상 지방정부의 동의 없이
는 임의로 수정할 수 없도록 되어 있다.

연방국가는 주권배분 형태에 따라 연방우선형, 지방정부우선형 및
균형형으로 구분할 수 있다.14) 연방우선형은 연방헌법을 제정 시 지

---

14) 연방제는 이 외에도 학자에 따라 다양하게 구분하고 있는데, Preston King은 중앙

방정부가 행사할 일부 권한만을 명시하고 이외 일체의 권한을 연방정
부가 보유하도록 하는 형태로 캐나다, 호주 등이 이에 속한다. 지방정
부우선형은 연방우선형과는 반대로 연방정부의 권한을 명시하고 그
외 권한은 지방정부의 권한으로 귀속시키는 형태로 미국, 독일, 스위
스 등이 해당된다. 그리고 균형 형태는 연방정부와 지방정부의 권한
을 명시하고 이 외의 권한은 어느 곳에도 속하지 않도록 하는 형태인
데 인도가 이를 채택하고 있다. 그런데 전통적인 연방국가들도 복지
를 확대하고 이를 중앙에서 통제해야 할 필요성이 점증하고 있어 중
앙집권화 경향이 나타나고 있다.

　반면, 단일국가는 권력이 중앙정부에 집중된 국가형태로 지방정부
는 중앙정부의 하위 행정기구들에 지나지 않고, 중앙정부의 편의에
따라 존재한다. 주권을 행사하는 국민들은 권력을 중앙정부에 부여하
고 중앙정부가 이 중 일부를 지방(地方)정부에 위임하여 행사하게 되
는 형태이다. 단일국가는 중앙정부의 권력배분 정도에 따라 중앙집권
과 지방분권으로 구분된다. 중앙집권은 모든 권한이 중앙정부에 집중
되어 있는 것을 말하고, 지방분권은 중앙정부의 상당한 권한이 지방
정부에 위임되어 위임된 권한 내에서 자주적으로 자치를 할 수 있음
을 의미한다. 즉, 지방분권은 중앙정부에게 정부의 모든 권력을 부여
하고, 중앙정부가 지방정부에게 위임한 권한 내에서 자율권을 행사할
수 있는 것이다.

　그러나 단일국가 형태가 중앙집권제냐 지방분권이냐를 구분하는
잣대는 규정하기 쉽지 않다. 절대적인 구분 기준이 있는 것이 아니라

집권적 연방, 지방분권적 연방, 균형배분적 연방으로, William H. Riker는 중앙집
권적 연방과 분권적 연방으로, Daniel J. Elazar는 중앙집권적 연방, 비중앙집권형
연방으로 각각 구분했다. 공용득, 『북한연방제 연구』, 50쪽.

상대적으로 권력이 집중되어 있느냐 분산되어 있느냐에 따라 나누어
진다. 단일국가에서 지방분권을 하느냐 그러지 않느냐는 전적으로 중
앙정부의 의지에 달려 있다고 해도 과언이 아니다. 단일국가의 헌법
은 지방정부의 반대가 있음에도 불구하고 중앙정부의 의지에 따라 개
정이 가능하다는 점에서 연방제와 다르다고 할 수 있다. 연방제는 지
방정부와 권력배분을 전제로 성립되지만, 단일국가는 중앙정부에 권
력을 집중시키는 형태이다. 단일국가 체제하에서 중앙정부가 권력배
분을 어떻게 할 것이냐에 따라 지방정부의 권한은 종속된다. 지방정
부가 위임받은 권한은 중앙정부의 결정에 의해 언제든지 회수될 수
있는 조건부적 권한 이양인 것이다. 단일국가 체제하에서 중앙정부는
지방정부에 부여한 권한을 언제든지 회수할 수 있으나 연방체제하에
서는 그러하지 못하게 되어 있다.

이러한 측면에서 비록 연방제하의 지방정부의 권한이 단일국가 체
제하에서 지방분권화에 따른 지방정부의 권한과 같다고 하더라도 성
격은 다르다. 통상 연방제하에서 지방정부의 권한은 단일국가 체제하
에서 분권에 따른 지방정부의 권한보다는 비중이 크다. 그 비중이 비
록 동일하더라도 지속 가능성 면에서는 차원이 다르다. 단일국가 체
제하에서 지방정부에 이양된 권한은 중앙정부의 결정에 의해 일방적
으로 철회될 수 있는 반면, 연방제하에서 지방정부의 권한은 중앙정
부가 좌지우지할 수 있는 것이 아니다. 연방제하에서 지방정부의 권
한을 축소 조정하기 위해서는 헌법 개정이 필요하고 이 과정에서는
재분단의 위기 상황이 초래될 수도 있다.

연방제 국가는 그 나라가 처한 환경에 따라 각기 다른 형태를 채택
하게 되는데, 자본주의 국가와 사회주의 국가들 간에도 차이가 나타
나고 있다. 일반적으로 연방제는 중앙정부와 지방정부 간에 권력배분

을 통해 권력분립의 효과를 증대시키게 되는데 이는 통상 자본주의 국가의 경우였다. 자본주의 국가 중 연방제를 채택한 나라는 중앙과 지방정부, 지방과 지방정부들 간에 상호 견제하면서 균형을 이루어가게 된다. 반면, 사회주의 국가 중 연방제를 채택하는 경우는 주로 민족문제를 해결하기 위한 하나의 방편으로 이용되었다.

　과거 사회주의 체제하에서 연방제를 채택했던 국가들을 보면, 연방제를 채택하더라도 국가는 특정 당이 지배를 하게 되고, 이 당이 지배하는 중앙정부에 권력이 집중되어 있었다. 따라서 사회주의 국가의 경우 연방제는 체제유지라는 명분이 강하기 때문에 연방정부에 비해 지방정부의 권한이 약하고, 지방정부 상호 간의 관계도 긴밀하지 못했다. 중앙정부에 힘이 과다하게 실려 있어 연방제 본연의 지방정부로서의 역할은 제한되어 견제를 통한 균형은 어렵게 되어 있었다. 예를 들면 구 소연방은 사회주의 국가 중에서 연방제를 채택한 대표적인 국가라고 할 수 있는데, 실질적으로는 중앙의 강력한 통제하에 운영되는 중앙집권적 연방국가였다. 연방정부와 헌법상 독립성이 보장된 15개의 연방공화국들로 구성되어 있었지만 지방정부는 극히 한정된 자치권만을 행사하는 행정조직을 유지하고 있었다.

　사회주의 국가에서 연방제는 중앙정부에 권한이 집중됨에 따라 지방정부는 고유의 권한을 행사할 수 없는 불안정한 상태에 있었다. 소연방과 유고연방이 결국 해체되어 여러 개의 독립국으로 재탄생하는 과정을 밟게 된 것도 독립적인 권한을 행사하고자 하는 지방정부와 주민의 열망에 기인한 바 크다.

　남북한은 통일의 완성단계에 대해서 극명한 차이를 보이고 있고 좀처럼 합일점을 찾지 못하고 있다. 남한은 한국, 일본 등과 같은 단일국가(Unitary state)를 통일의 완성으로 보고 있는 반면, 북한은 '북한식 연방국가(Federation)'를 통일의 완성 형태로 보고 있다.[15] 북한이 주장하는 연방국가가 여타 연방제를 선택하고 있는 연방국가 체제와 다른 것은 이들 국가와는 다르게 한 국가에 2개의 체제를 존속시키고자 한다는 점이다. 이렇게 통일한국의 국가형태에 대해 큰 이견을 보이고 있으나, 양측 모두 최종 국가형태에 이르기 위한 중간 단계를 설정하고 있다. 남한은 남북연합을 중간 단계로 설정하고 있고, 연방제를 낮은 단계와 높은 단계로 구분하여 낮은 단계의 연방제를 높은 단계로 가기 위한 중간 단계로 설정했다. 2000년 6·15 남북 공동선언에서 그 점진적 단계인 남한의 남북연합 창설 방안과 북한의 낮은 단계의 고려연방 창설 방안에 공통점이 있다면서 이 방향으로 통일을 추진하기로 합의한 바 있다.

----

15) 통일한국의 국가형태를 남한은 Unitary state Korea(통일된 단일국가)로, 북한은 Federation Korea(연방국가)로 표기하고 있다.

제2절 국가형태가 남북통일에 주는 시사점

1. 통일한국의 바람직한 국가체제와 형태

분단국이란 원래 하나였던 국가가 분할되어 있는 국가로 대부분이 지역적으로 나누어져 있을 뿐만 아니라 이질적인 정치, 경제, 사회체제를 유지하고 있다. 따라서 분단국이 통일을 하기 위해서는 두 가지의 과제를 풀어야 한다.[16] 하나는 외부세력들의 경쟁적 간섭요인을 조정하여 분단 해소를 위한 국제적 환경을 조성하는 일이다. 다른 하나는 분단국 내부의 문제로 내부적 갈등과 대립관계를 청산하여 동질적인 정치체제로 통합하는 것이다. 남북한이 통일을 하고 완전한 국가통합을 이루기 위해서는 상당한 기간이 필요하고 또한 여러 단계를 거치게 될 것이다. 저자가 독일을 방문 시 통일 후 국가통합을 연구하고 있던 한 연구소의 연구원이 말하기를 분단되었던 국가들이 하나의 국가로 통합을 완성하려면 분단된 기간만큼의 시간이 필요할 것 같다고 말한 바 있다. 국가통합은 그만큼 어렵고 장기간이 필요하다는 점을 지적하고 있는 것이다.

통일한국의 이념은 자유민주주의 원리에 따라 다음과 같아야 한

---

16) 강광식, 『통일한국의 체제 구상』(서울: 백산서당, 2008), 88쪽.

다.[17] 첫째, 국민의 의사를 대변하여 합법적인 입헌 정부를 구성해야 한다. 둘째, 국민의 자유와 개인의 권리가 보장되어야 한다. 셋째, 특정계층이나 지역민이 소외되지 않도록 제도적인 분권화와 견제 및 균형체제를 갖추어야 한다. 넷째, 전 지역에서 민주투표제가 실시되어야 한다. 다섯째, 정당들은 민주제도하에서 경쟁하고 정치적으로 다원주의가 실현되어야 한다. 여섯째, 북한지역에도 시장원리에 따라 조직화된 민간경제가 활성화되어 자유민주주의가 정착될 수 있는 경제적 토대가 구축되어야 한다.

이러한 이념을 구현할 수 있는 국가형태는 한정적이나 실제 통일한국의 국가형태가 어떤 것이어야 하느냐는 간단하게 결정할 수 있는 문제는 아니다. 통일을 이룩한 국가들의 국가형태와 체제를 간단히 살펴보면 다음과 같다. 독일은 합의에 의한 흡수통일방식을 따랐기 때문에 기존 서독의 형태와 체제를 유지했다. 베트남은 북베트남에 의해 무력으로 흡수통일이 되었으므로 북베트남의 것들이 그대로 적용되었다. 반면 예멘은 많은 논란이 있었고 결국 통일을 주도한 북예멘의 뜻대로 이루어졌다. 북예멘은 이슬람에 기초한 체제로 통일을 원했으나 남예멘은 마르크스주의에 입각한 사회주의 체제로의 통일을 바랐다. 논란 끝에 예멘은 단일국가인 민주공화국으로 통일되었고, 국가이념으로 이슬람주의를 채택하고 사유권을 보장했다. 남예멘이 원했던 사회주의 이념은 통일국가에서 사유권을 인정한 자본주의 체제를 기본으로 통일되었으나 완전하게 삭제되지는 않았다. 남예멘 주민들을 의식해 사회주의적인 관계를 설정함으로써 사회주의 요소를 완전히 제거하지는 않았다.

----

17) 허문영·이정우, 『통일한국의 정치체제』, 84~85쪽.

중국은 통일에 따른 후유증을 해소하기 위해 1국 양제(一國兩制, one country two system)를 내걸고 있다. 중화인민공화국 내에 사회주의와 자본주의를 병존시키는 개념으로 편입된 홍콩과 통일 시 대만은 자본주의 체제를 그대로 유지하도록 한다는 것이다. 이는 사회주의 체제를 기본으로 하되, 일부 지역에서 자본주의를 허용하여 자연스럽게 통합을 이루려는 것이다. 큰 충격 없이 홍콩과 대만을 편입시키려는 정치적 결단이라고 할 수 있다. 그리고 중국이 사회주의 체제를 유지하면서도 시장경제체제를 받아들이고 있으므로 일부 지역에서 자본주의 체제를 유지한다고 해도 큰 문제는 없을 것이라는 판단에 따른 것이다. 어떻든 중국이 이러한 양제를 채택한 것은 중국 자체가 연방제를 채택한 것이 아니라 단일국가로서 특별행정구를 두어 관리하는 개념이다. 따라서 문제는 지방정부의 중앙정부에 대한 신뢰가 관건인데, 왜냐하면 단일국가의 특성상 중앙정부의 의지에 따라 체제는 쉽게 바꾸어질 수 있기 때문이다. 이러한 이유 때문에 중국이 대만을 끌어안기 위해서는 연방제를 채택해야 한다는 의견도 대두되고 있다.

통일한국이 연방국가 형태를 택할지 또는 통치권이 중앙의 단일정부에 집중되는 단방(단일)국가를 만들 것인지는 남북한이 어떠한 절차와 합의를 거쳐 결정하느냐에 달려 있다. 통일된 한국이 어떠한 국가형태를 채택할 것인지는 국가형태별로 장단점이 있고, 남한만 보더라도 정치상황이 매우 유동적이기 때문에 현 단계에서 어느 형태가 바람직하며 어떻게 결정될지 단언하기가 쉽지 않은 상황이다. 연방제 국가는 보통 면적이 크고 종족 구성이 다양한 지역에서 지역적 특성을 살려 통치를 하는 데 적합한 것으로 알려져 있다.

그러나 분단되었던 국가로서 통일된 독일의 경우를 보면 꼭 그렇지만도 않다. 독일(독일연방공화국, Federal Republic of Germany)은 현재

구동독지역 5개 주를 포함하여 16개 주로 구성된 연방제를 실시하고 있다. 면적은 35.7만㎢로 한반도 면적 22.1㎢의 1.6배에 달하며 인구는 8천백만여 명으로 남북한 현재 인구 약 7천5백만여 명보다 약간 많은 편이다. 통일 전 서독지역은 24.9만㎢로 11개 주로 구성되어 있었다. 독일은 연방제를 채택하고 있던 서독이 동독을 흡수하는 방식으로 통일되면서 자연스럽게 연방제를 채택하게 되었다.

이를 보면 통일한국이 연방제를 채택한다고 해도 면적이나 인구 측면에서는 크게 문제가 되지는 않을 것이다. 따라서 남북으로 오랫동안 분단된 지역을 어떻게 관리하는 것이 더 바람직할 것인지가 관건이 될 것이다. 다만, 연방제이건 단방제이건 간에 북한이 주장하는 연방제 통일방안은 통일의 과정에서 필요한 것이지 통일된 한국이 채택할 형태로서 적합하지 않다는 점이다. 왜냐하면 연방국가는 통상 여러 개의 주를 갖게 되는데 북한이 주장하는 연방제는 현 북한을 1개 주, 남한을 1개 주로 하는 형태를 구상하고 있어 1:1대립의 기존 체제를 그대로 유지하겠다는 의지가 깃들어 있기 때문이다. 더욱 문제가 되는 것은 북한지역에는 현재와 같이 사회주의 체제를, 남한지역에는 자유민주주의 자본주의 체제를 유지하자는 주장인데 이것 또한 합리적이지 못하다. 이 방안은 연방형태 중 '지방정부우선형'의 범주에 속하는 것이나, 이것보다 지방정부의 권한이 훨씬 강화된 독특한 '지방정부우선형'을 지향하고 있다. 연방정부의 기능을 최소화한 가운데 북한체제를 그대로 존속시켜 기득권을 유지하고 언론 출판, 활동의 자유가 보장된 남한을 분열시켜 언젠가는 사회주의 체제로 통일하려는 전략이 내포되어 있다.

중국이 사회주의 체제를 유지한 가운데 홍콩이 자본주의를 유지하고 있는 것처럼 가능하지 않겠느냐고 주장하는 사람들도 있으나, 홍

콩은 중국의 중앙정부에 정치적 영향을 거의 미칠 수 없는 조그마한
한 지역에 불과하다. 그리고 중국이 비록 외형상으로는 사회주의 체
제를 유지하고 있다고 해도 그 본질은 이미 자본주의를 실행하고 있
다. 따라서 통일한국이 현재 중국과 홍콩의 관계를 빗대어 통일한국
도 2개의 체제가 유지되어도 되지 않겠느냐는 주장은 합리적이지 못
하고 통일 전 중국과 홍콩의 관계가 현재 남북한이 처한 상황과는 현
격하게 차이가 난다는 측면에서도 바람직스럽지 못하다.

한편, 요즘 자본주의의 단점들이 부각되면서 자본주의 체제를 일부
수정해야 한다는 주장과 움직임들이 힘을 받고 있다. 자본주의 국가
들이 서민들의 생활을 안정화시키고 복지를 강화하는 노력을 하는 등
일부 사회주의적 장점을 받아들이고 있다. 그리고 사회주의 국가들도
자본주의의 전유물로 여겨졌던 사유화 인정, 시장과 같은 제도를 받
아들이고 있다. 이와 같이 자본주의와 사회주의는 서로 상대방의 성
장과 조직형태에 영향을 미치고 있다. 자본주의 체제하에서 폐해는
사회주의의 대응을 야기하고, 사회주의적 조직은 자본주의에게 시장
통합을 확장시키고 테크놀로지를 혁신시키며, 정치적 개혁을 하도록
자극하고 있는 것이다.[18] 이러한 관점에서 현시점에서 자본주의가 최
상이라고 말할 수는 없겠으나 그렇다고 통일한국이 사회주의를 받아
들여도 된다는 뜻은 아니다. 통일과 통합을 이루어야 하는 한반도에
지역별로 사회주의와 자본주의를 유지한다는 것은 통합을 저해하는
큰 장벽을 스스로 만든 격이 될 것이다.

남북통일도 기 통일을 한 국가들의 경우와 같이 어느 한 쪽이 주도

---

18) Terry Boswell · Christopher Chase-Dunn 지음, 이수훈 · 이광근 옮김, 『자본주의와
  사회주의의 나선형-전 지구적 민주주의를 위하여』(서울: 도서출판 한울, 2004),
  202쪽.

할 수밖에 없을 것이다. 남북한 통일 시 통일한국의 체제, 국제사회에서의 위상 등을 종합해 보면 남한의 주도하에 통일작업이 이루어질 가능성이 상대적으로 높다고 할 수 있다. 그리고 통일은 긴 시간을 두고 충분한 협의를 통해 이루어질 수도 있으나 통상은 매우 짧은 시간에 이루어졌다. 비록 남북한이 평화적으로 통일을 한다고 해도 남북한이 처한 현 상황을 보면 통일과업을 수행하는 데 그리 충분한 시간이 주어지지는 않을 가능성이 많다. 따라서 통일 초기 국가형태는 통일 당시 남한의 국가형태가 될 것이라는 결론에 이르게 된다. 통일한국의 최종적인 국가형태는 통일 후 안정된 이후에 국가형태를 연방제로 할 것인지 아니면 단방제, 즉 단일국가로 할 것인지의 문제는 그때 정치 상황에 따라 다시 결정할 수도 있을 것이다. 단방제를 채택하고 있는 남한이 북한을 흡수통일하는 방식으로 통일된다면 통일한국의 초기 국가형태는 남한의 정치제도와 문화를 그대로 수용하여 단방제를 유지할 가능성이 높다.

2. 통일과정에서 중간 단계 설정 필요성과 방안

남북한이 통일한국을 완성할 때까지는 많은 난관이 있을 것으로 예상된다. 통일한국의 국가형태가 단방제든 연방제든 최종 형태에 이르기 위해서는 남북한이 전혀 다른 정치체제를 유지하고 있고, 경제력 격차, 문화·사회적으로 이질화된 요소들이 너무나 많다는 점에서 이를 하나의 공동체 의식과 제도로 만들어 가는 과도적 과정이 필요한 상황이다. 남북한이 첨예하게 대립하고 있고 체제가 판이하게 다르다는 점 등을 고려하면 남북한이 분단된 채로 있다가 갑자기 완전한 통일국가가 되기는 어려워 보인다. 이러한 경우는 북한이 붕괴되거나 전쟁을 도발하여 패배하는 상황에서나 가능할 것이다. 따라서 통일국가를 위한 수많은 과제들을 해결하기 위해서는 어떠한 형태로든지 과도 단계가 필요할 것이다. 그럼에도 남북한이 과도 단계들을 거쳐서 통일이 될지 아니면 통일국가로 바로 진입할지는 통일 당시의 남북한 관계와 상황에 따라 달라질 것이다.

남한의 통일방안은 과도 단계를 거치도록 되어 있으나 분단국가형태에서 완전한 통일국가로 바로 진입하는 방안으로 하나의 통일국가가 된 상태에서의 중간 단계는 거치지 않도록 되어 있다. 북한은 이러한 과도 단계마저도 없이 바로 연방제에 의한 통일방안을 주장하고 있어 실현 가능성은 상대적으로 더 낮고 통일에 대한 진정성과 신뢰성을 떨어뜨리고 있다. 그러면 남북한이 통일과정에서 어떠한 형태의 과도 단계를 거쳐야 하느냐 하는 문제에 직면하게 된다. 과도 단계들은 완전한 통일국가로 가기 위한 것이므로 최종 국가형태와 연계하여 고려되어야 한다.

남북한이 완전한 통일국가로 가는 과정에서 거칠 수 있는 국가형태는 국가연합이나 연방제, 또는 단일국가의 특정행정구를 북한지역에 설치하는 방안들이 고려된다. 이러한 형태들은 이를 합의 시 북한지역을 통치하는 지역정부의 권한을 어떻게 규정하느냐에 따라 확연히 다른 모습이 될 것이다. 국가형태 측면에서 보면 분단국가가 평화적이고 단계적으로 통일을 하기 위해서는 지역공동체 → 국가연합 → (연방국가/단방국가의 특별행정구) → 단방국가의 순서를 밟아가는 것을 상정해 볼 수 있다. 그러나 지역공동체나 국가연합은 국가가 아닌 정치적 결합체이고 연방국가나 단방국가가 형성되어야 비로소 통일된 국가가 되었다고 할 수 있다.

　이러한 과정의 첫 단계로서 가장 약한 정치적 결합체인 지역공동체를 형성하기 위해서는 국가 간에 정치 · 경제 · 문화적으로 동질성이 있어야 하고 교류와 협력이 전제되어야 한다. 그런데 문제는 남북한이 같은 민족이라는 점을 제외하면 정치 · 경제적으로 다른 체제를 유지하고 있고, 북한이 교류와 협력 자체를 거부하고 있어서 지역공동체를 만들어 이를 활성화시켜 나가기는 어려워 보인다. 이를 확대해 남북한이 동시에 참여할 수 있는 '동북아공동체'와 같은 지역공동체를 만드는 것도 쉽지 않은 상황이다. 남북한, 중국과 일본을 중심으로 한 지역공동체를 만들기 위해서는 기본적으로 화해와 협력분위기가 형성되어 있어야 하는데 정치 · 군사적으로 대립한 가운데 긴장이 풀리지 않고 있기 때문이다. 그리고 이 지역에서 영향력을 강하게 행사하고 있는 미국의 입장도 고려해야 하는 문제도 있다. 미국을 포함한 지역공동체 형성이 쉽지 않은 이유는 세계에서 군비경쟁이 가장 치열한 역내 국가들이 이 틀을 벗어나 협력하는 체제로 변환되어야 하는 더 큰 문제가 선결되어야 하기 때문이다. 이와 같은 상황을 고려하면 남북한이 참가한 지역공동체를 만들어 점진적으로 통일을 추진하는 방안은 가능성이 높지 않아 보인다. 따라서 남북통일 과업은 지역의 힘을 빌려 이루기보다는 우리가 주도적으로 하는 것이 더 효율적이고 효과를 낼 수 있을 것이다.

　다음 단계로 고려해 볼 수 있는 국가연합은 연합의 중앙조직 권한이 점차 강화되면 연방형태로 발전하게 된다. 국가연합의 단계를 거쳐 연방제로 발전한 나라들은 미국(1781~1789), 독일(1815~1848), 스위스(1815~1848) 등이 있다. 이러한 나라들을 보면 남북한이 통일과정에서 국가연합적 성격의 단계를 형성한다는 것은 곧 통일된 국가를 만들어 가기 위한 하나의 과정으로서 일시적으로 결합을 하는 것으로 보아야 할 것이다. 국가연합 단계에서는 남북한이 독립 국가로서 국제적 인격과 지위를 유지하게 되지만, 연방국가를 형성하게 되면 이는 남북한이 통일된 하나의 국가가 되었다는 것을 의미한다.

다음 과도 단계로서 단일국가의 지방분권과 연방제를 고려해 볼 수 있다. 단일국가의 지방분권은 중앙정부의 권한 집중 면에서 볼 때 연방국가 형태보다는 진일보한 것이라고 할 수 있다. 왜냐하면 단일국가의 지방분권은 중앙의 의지에 따라 그 권한이 좌지우지될 수 있기 때문이다. 따라서 흡수통일을 두려워하고 있는 북한으로서는 이 형태를 받아들이려고 하지 않을 것이나 혹시 받아들이는 경우에는 중앙정부의 권한을 어느 정도 제약할 수 있는 제도적 뒷받침과 조치를 요구할 것이다. 따라서 북한으로서는 어느 정도 자율성이 보장된 연방제를 선호할 것이고 거부감도 덜 할 것으로 보인다.

남북한이 연방제를 채택하는 경우에 지방정부의 존재는 중앙정부에 의해 만들어지는 것이 아니고 독립국가형태인 남북한으로 유지되다가 합의에 의해 각각 지방정부가 된다. 그리고 중앙정부와 지방정부의 권한이 연방헌법에 명시가 되기 때문에 연방헌법이 제정된 이후에는 연방헌법을 개정하지 않고서는 지방정부의 권한을 축소하거나 조정할 수 없게 된다. 따라서 남북한이 만약 과도 단계로 연방국가를 채택하게 된다면 연방정부와 지방정부의 권한배분을 놓고도 상당한 진통이 따를 것으로 보인다. 우리 국민이 연방제에 대해 거부감을 갖는 이유와 우려가 바로 여기에 있다. 남북한의 현 체제를 고착화시키는 연방제가 될 것이라고 보고 있는 것이다.

그리고 북한을 몇 개의 지방으로 분할할 것인지에 대해서도 이견이 첨예하게 대립할 가능성이 있다. 현 북한정권은 통일 후 연방을 실시

할 경우에는 북한지역 전체를 하나의 지방으로 하는 연방제를 주장하
려 할 것이다. 그러나 통일을 지향하는 과정에서 연방제를 채택하게
된다면 북한지역을 수개의 지방으로 분할해 중앙정부에서 집중 관리
할 필요가 있다. 아울러 남한지역이 현재 연방제를 실시하지 않고 있
기 때문에 통일과도기간에 남한지역의 국가형태는 어떤 것이어야 하
는 또 다른 문제가 발생하게 된다.

　이를 종합해보면 하나의 국가체제인 연방제나 단일국가의 특별행
정구역을 북한에 설치하는 방안 중에서 후자는 큰 문제가 없으나 전
자는 남한지역 국가형태와 연계하여 고려되어야 하겠다. 과도 단계를
거치는 방안을 고려 시 과도 단계들은 완전한 통일국가로 가기 위한
것임이 명확하게 규정되어야 할 것이다. 과도 단계로 연방제를 택하
는 경우에 한반도를 몇 개의 지방으로 어떻게 구획을 져야 하는지에
대해 심도 있는 연구가 필요하다. 이는 과도 단계로 연방을 택할 시
만약 통일국가형태를 단일국가형태로 정하고 있다면 지방에 부여된
권한을 회수하는 과정에서 지방정부의 반발과 또 다른 문제들이 야기
될 수 있다.

제3장

남북 평화통일 방식과 조건

한반도 평화통일 프로세스

제1절 바람직한 남북한 통일방식

1. 남한 내 통일 논의의 문제점과 통일 방식

통일과업은 매우 복잡하고도 어렵기 때문에 우리 내부에서 합심 노력이 필요하다. 합심을 하기 위해서는 통일에 대한 논의와 이해의 공감대가 형성되어 있어야 한다. 이러한 측면에서 통일 논의의 첫 단추라 할 수 있는 통일방식에 대한 이해가 올바로 되어야 지향점을 같이할 수 있을 것이다. 그런데 남북한 통일방안이나 통일에 대해 논의를할 때, 통일방식에 대한 용어를 잘못 사용하거나 이해를 함으로써 오해를 하거나 알레르기 반응을 불러일으키고 있다. 남북한 통일방식을흡수형이냐, 아니면 합의형이냐로만 대별하고, 합의통일을 주장하면북한의 입장을 두둔하는 것처럼 생각하고, 흡수통일을 이야기하면 극우로 치부해버리는 현상이 나타나고 있는 것이다. 좌우 대립이 심화되면 될수록 통일방식에 대한 합의점은 그만큼 찾기가 쉽지 않을 것이므로 통일의 공감대를 형성하기 위해서는 먼저 통일방식에 대한 이해가 올바로 되어야 한다.[19]

------

19) 권양주, 「통일 논의와 바람직한 남북한 통일방식」, 『주간국방논단』 제1357호(서울: 한국국방연구원, 2011), 3~4쪽.

통일방안과 통일방식은 용어를 사용함에 있어서 애매한 측면이 없지 않다. 필자는 남북한이 제의해 놓고 있는 각각의 통일대안은 통일방안으로 보고, 통일방식은 통일을 이루는 형식으로 구분하고자 한다. 통일방식은 통일 대상국들이 통일을 하는 데 있어서 합의 여부와 통일형식에 따라 구분이 가능하다. 통일형식은 한 국가가 상대국에 의해 흡수되느냐, 아니면 대등한 입장에서 통일이 이루어지느냐를 의미한다. 통일방식을 합의 여부와 통일형식에 따라 조합해보면 다음과 같이 3가지 방식으로 구분이 가능하다.[20] 첫 번째는 양국이 대등한 입장에서 합의를 통해 통일을 이루어나가는 방식이다. 두 번째는 합의통일을 하기로 하는 경우이나 어느 일국의 주도하에 흡수되는 식으로 통일을 하는 방식이다. 세 번째는 합의를 하지 못한 상황에서 어느 일국이 상대국을 강제적으로 병합하는 방식이다. 이는 어느 일국이 전쟁에서 패한 경우나 급변사태 등 내부 붕괴로 인해 합의 주체가 사라지거나 합의를 볼 상황이 되지 못해 타방에 의해 일방적으로 이루어지는 방식이다.

위에서 구분한 각각의 통일방식을 첫 번째는 '합의적 대등통일', 두 번째는 '합의적 흡수통일', 그리고 세 번째는 '강제적 흡수통일'로 규정하고자 한다.[21] 이상의 통일방식들은 다음의 〈표 1〉과 같이 요약된다.

---

[20] 권양주, 「남북한 합의통일 시 군사통합 적정시기 및 절차에 관한 연구」, 『국방정책연구』 제24권 제2호(2008), 123쪽.
[21] 이창욱은 군사통합 형태를 '합의적 흡수통합', '강제적 흡수통합', '대등적 합병통합'으로 구분하고 있는데, 이러한 구분 개념을 준용하였음. 이창욱, 『남북한 군사통합과 통일국군의 역할』(세종연구소, 1998), 12쪽.

표 1. 통일방식 구분

구 분		통일 형식	
		대등	흡수
합의 여부	합의	합의적 대등통일	합의적 흡수통일
	강제(미합의)		강제적 흡수통일

〈표 1〉에서 보는 바와 같이 양국이 합의에 의해 통일을 하기로 한다고 해도 그 세부 방식은 합의 결과에 따라 대등한 입장에서 이루어질 수도 있고, 어느 일국의 주도하에 흡수되는 방식으로 이루어질 수도 있다. 그리고 흡수통일형식도 합의하에 이루어질 수도 있고, 어느 일방에 의해 강제적으로 이루어질 수도 있다. 따라서 합의에 의한 통일이 곧 합의에 의해 대등한 입장에서의 통일만을 지칭하는 것으로 받아들이는 것은 옳지 못하다. 또한 흡수형도 어느 일방에 의해 강제적으로 이루어지는 방식으로만 이해되는 것도 잘못된 것이다.

각각의 통일방식은 기 통일국가들의 사례에서 잘 나타나고 있는데, 예멘의 제1차 통일은 '합의적 대등통일'로 볼 수 있고, 독일의 통일은 '합의적 흡수통일'로, 그리고 베트남과 예멘의 2차 통일은 '강제적 흡수통일'로 대별해도 큰 무리는 없을 것이다.

2. 남북한 통일방식의 방향

남북한이 통일을 이루는 방식은 위에서 열거한 방식 중에서 현재로서는 어느 것이든지 가능하다고 할 수 있다. 통일이 실제 어떠한 방식으로 이루어질지는 통일 당시의 상황과 여건에 따라 결정될 것이다.

남북한 통일에는 여러 요인들이 복합적으로 영향을 미칠 것으로 보이나, 한반도 내부적으로만 보면 북한의 체제전환여부와 남북한이 어떠한 통일과정을 거치게 될 것인지가 주요한 요인이 될 것이다.[22]

먼저 북한의 체제전환여부다. 남북한이 상이한 이념과 체제를 유지하면서 대립하고 적대시하다가 합의하여 통일을 이룬다는 것은 곧 적대적인 관계가 일시에 사라지게 된다는 것을 의미하는데 이는 현실성이 결여된다.[23] 남북한이 현재와 같이 남한에는 자본주의, 북한에는 사회주의의 상이한 체제를 유지하고 있다가 통일을 하게 되면, 통일 후에 하나의 체제로 단일화하기 위해서는 심각한 후유증과 고통이 따르게 될 것이다. 따라서 체제가 단일화되지 않은 상태에서의 통일은 바람직스럽지가 않으므로 원활한 통일을 위해서는 통일 이전에 하나의 체제로 통일되어 있어야 할 것이다. 기존의 통일국가들이 모두 하나의 체제로 통일되었다는 점을 고려해 볼 때, 분단국가가 통일된다는 것은 지역적으로 합쳐진다는 데에 의미가 있는 것이 아니라, 체제가 하나로 통일되는 것이 핵심 요소라 할 수 있다. 따라서 남북한이 통일되었음에도 불구하고 북한지역에는 사회주의 체제를, 남한지역에는 자본주의 체제를 각각 유지하게 된다면 진정한 통일국가가 되었다고 할 수는 없을 것이다.

그렇다면 통일한국은 어떠한 체제로 통일되어야 하는가? 통일한국은 한마디로 자유민주주의(liberal democracy)의 자본주의 체제를 기본으로 해야 한다는 데에는 이론의 여지가 없다.[24] 자유민주주의는 자

---

[22] 권양주, 『남북한 군사통합 구상(증보판)』(서울: KIDA Press, 2014), 110~114쪽.
[23] 노병만, 「남북한의 통일방법모델과 통일방안의 재검토」, 『한국동북아논총』 제25집(2002), 6쪽.
[24] 김용욱, 『한민족 통일과 분단국 통합론』(서울: 전예원, 2007), 277쪽.

유주의와 민주주의가 결합된 것으로 개인의 자유와 권리를 보장하고, 민주적 절차에 따라 다수에 의해 선출된 대표자들이 국가의 중요한 정책 결정을 하게 된다. 자유민주주의는 자유주의가 추구하는 개인주의와 민주주의 체제가 선택하는 다수의 집단주의의 타협으로도 볼 수 있다.[25] 과거 냉전체제하에서 자유민주주의 체제는 개인의 자율과 창의를 바탕으로 지속적인 발전을 해왔던 반면, 사회주의는 이데올로기에 의한 정치적 통제로 자율과 창의성을 제약함으로써 경쟁력을 상실해 결국 체제경쟁에서 밀려나고 말았다.

자유민주주의 체제는 정치적으로는 의회민주주의, 법치주의, 삼권분립 제도를 택하고 있고, 경제적으로는 자본주의를 기본으로 하고 있다.[26] 사상, 언론, 출판, 결사의 자유가 보장되며 국민의 여론을 수렴하고 대변할 수 있는 복수의 정당들이 선거라는 경쟁을 통해 승리한 정당이 정권을 장악하는 체제인 것이다. 따라서 국민이 주권을 가지고 최종적인 국정방향을 결정하고 국가를 지배하는 체제다. 그리고 경제적 측면에서는 생산수단의 사적 소유를 전제로 노동 생산물들이 시장에서 경쟁을 통해 거래되며 이윤의 극대화를 추구하는 사회다.

통일한국이 지향해야 할 체제는 북한의 사회주의 계획경제체제[27]가 아닌 남한이 시행하고 있는 자본주의 시장경제체제여야 하는 것이

----

25) 허문영·이정우, 『통일한국의 정치체제』, 81쪽.

26) 주봉호, 『남북관계와 한반도 통일』(부산: 세종출판사, 2009), 303~305쪽.

27) 북한의 『경제사전』에 의하면, 사회주의경제는 생산수단에 대한 사회적 소유에 의해 규정된다고 하고 사회주의경제는 계획경제라고 정의하고 있다. 사회주의경제의 조화로운 발전은 그 계획성, 균형성에 의해 담보된다고 덧붙이고 있다. 그리고 헌법에는 생산수단은 국가와 사회협동단체만이 소유할 수 있도록 하고 있다. 여기에서 사회단체는 노동당이나 직업동맹 등을 지칭하며, 협동농장은 협동단체에 속한다. 『경제사전 1』(평양: 사회과학출판사, 1985), 695쪽; 『조선민주주의인민공화국 사회주의 헌법』(2012), 제20조.

다. 소련을 중심으로 한 동구 사회주의권의 계획경제 실패, 그리고 아
직도 사회주의 계획경제를 고수하고 있는 쿠바, 북한과 같은 나라들
이 처하고 있는 심각한 경제난 등을 보면 이미 체제경쟁은 끝이 났다.
사회주의 계획경제체제의 고질적인 병폐는 만성적인 물자부족이다.
공급 측면에서는 동기가 결여됨에 따른 근로의욕 상실, 생산성 저하,
과잉고용에 따른 인건비 부담 등으로 효율성이 낮아질 수밖에 없는
구조다. 그리고 수요 측면에서는 가격통제로 인해 과잉수요가 일어나
고 있는 것이다.[28] 이러한 연유로 세계의 일반적 흐름이 공산·사회
주의보다는 자본주의 시장경제체제로 전환되어 가고 있고, 현재 남한
의 국력과 미래 발전 가능성 등을 고려 시 통일한국은 사회주의의 계
획경제체제와 맞지 않다. 자유민주주의의 토대인 시장은 무자비한 이
기주의와 탐욕으로 인한 폐단과 부작용이 없지 않지만 그래도 빈곤
퇴치와 국부 증대를 위한 가장 강력한 제도로 여겨지고 있다. 그 이유
는 인류가 경제문제를 해결하기 위해 실제 적용할 수 있는 가장 효과
적인 방법이기 때문이다.[29]

이를 종합하면 북한의 체제와 각종 제도는 효율성이 입증된 남한과
같은 방향으로 전환되어야 한다. 물론 시장경제체제의 폐단도 없는
것은 아니다. 효율성을 강조하다보니 형평성에는 다소 문제가 있다.
선진국가들이 복지예산을 증액해 가고 있는 것은 이러한 문제점을 해
소하기 위한 하나의 방편이다. 따라서 통일한국은 시장경제체제를 골
간으로 서민들의 삶을 보살피는 방향으로 정책이 추진되어야 할 것이
다. 한반도 통일은 무엇보다 자유민주주의와 시장경제의 기본 질서에
바탕을 두고 인권 등 인류 보편적 가치가 존중받는 사회가 될 수 있도

28) 이서행 외, 『통일시대 남북공동체』, 198쪽.
29) 이서행 외, 『통일시대 남북공동체』, 264쪽.

록 해야 한다.[30] 이러한 체제로 통일을 원활하게 이루기 위해서는 통일 이전에 북한의 체제 전환이 이루어져야 한다. 결론적으로 남북한 통일형식은 북한이 체제를 전환할 것인지와 그것도 얼마나 빨리 전환할 것인지에 따라 큰 영향을 받게 될 것이다.

북한 체제에 근본적인 변화가 있게 되면 합의에 의한 통일 가능성은 상대적으로 높아지게 될 것이다.[31] 북한이 체제를 자유민주주의에 기초한 자본주의 체제로 전환하게 되면 남북한 간에는 유사점이 많아지게 되고 교류도 활성화될 것이며 통일 논의도 자연스럽게 이루어질 것이다. 우리를 포함해 대외로부터 대북 지원이 이루어지고 협력이 증대되면서 남북한 간에 신뢰가 쌓이게 될 것이다. 남북한 사이에 상호 협력과 이해, 공감대가 확대되면 공존의 기본 바탕이 이루어지게 될 것이다. 남북한이 내부적으로 충분한 협의와 협력을 바탕으로 통일과정을 밟게 되면 주변국들의 영향력과 압력은 상대적으로 낮아질 것이다. 따라서 이 경우 주변국들은 남북한 통일을 자연스럽게 받아들일 수밖에 없을 것인바, 통일 후 통일한국과의 관계를 고려해 통일을 지원하는 협력국으로 변모하게 될 것이다. 반면, 북한이 현 체제를 계속 고수하게 되고 개혁·개방으로 나아가지 않는다면 통일 논의의 접점을 찾기는 쉽지 않을 것이다. 자생력을 상실한 북한 내 상황은 더욱 악화될 것이고 종내에는 남한 주도하에 일방적으로 흡수하는 통일이 될 수밖에 없을 것이다.

북한이 체제를 전환하는 경우는 대략 두 가지를 상정해 볼 수 있다. 첫 번째 경우는 기존의 사회주의 국가들과 같이 국가발전과 정권의

---

30) 엄종식 통일부 차관이 '민족통일중앙협의회 영등포구협의회 정기총회'에서 한 강연 내용, 『연합뉴스』, 2011. 3. 22.

31) 김계동 외, 『한반도의 평화와 통일』(서울: 백산서당, 2005), 186쪽.

안정을 위해 스스로 자본주의 체제로 전환하는 것이다. 그동안 많은 사회주의 국가 중 아예 사회주의 체제를 버리고 자본주의 체제로 전환한 국가도 있고, 중국과 같이 사회주의 국가를 유지하면서 자본주의 시스템을 받아들인 국가도 있다. 두 번째는 북한이 위기에 봉착하여 불가피한 선택으로 체제를 전환하는 경우이다. 북한이 체제위기에 봉착하는 경우 위기를 벗어나기 위해 군사도발과 같은 선택을 하거나 붕괴될 수도 있고, 전환을 할 수도 있을 것이다.

실제 체제 전환과 정권붕괴의 상관관계는 네 가지 경우로 나누어 볼 수 있다. 첫째는 정권의 존속을 위해 체제를 전환할 수도 있고, 둘째는 체제 전환과 함께 정권이 붕괴될 수도 있으며, 셋째는 체제위기가 오면 정권은 붕괴되고 체제는 존속할 수도 있다. 이 경우는 쿠데타 형식으로 구정권을 축출하고 신정권이 들어서 체제위기를 극복하는 것이다. 그리고 넷째는 정권이 체제를 전환하면서 위기를 극복하고 존속하는 것이다. 급변사태가 일어나는 경우에는 정권이 붕괴되면서 체제도 무너질 가능성이 높다. 반면, 정권의 장악력은 탄탄하나 안정을 위해 체제 전환이 필요하다고 생각되면 정권 스스로 체제 전환을 모색할 수도 있을 것이다. 북한이 현 체제를 고수하면서 지탱하려고 한다면 위기상황이 도래하는 경우에 체제와 더불어 정권이 붕괴될 가능성이 높다고 하겠다. 이는 남북한 평화통일을 위해 가장 우려되는 상황이다. 우리는 북한에 체제위기가 닥치기 전에 김정은 정권이 체제 전환의 필요성을 인식하여 안정된 가운데 점진적으로 체제를 전환하기를 기대하고 있다.

한반도 통일에 영향을 미치는 두 번째 주된 요인은 통일과정의 문제이다. 이는 남북한 통일이 어떠한 절차와 단계를 거쳐 어떠한 속도로 이루어질 것인지를 뜻하는데, 남북한이 과연 통일에 합의를 할 수 있을 것인지와 연관되어 있다. 즉, 남북한이 통일을 협의를 거쳐 점진적으로 하느냐, 아니면 통일이 북한 내 급격한 상황변화로 인해 급진적으로 이루어질 것이냐에 따라 달라질 것이다. 통일이 양국이 시간을 두고 충분한 협의와 절차를 거쳐서 단계적이고 점진적으로 이루어지는 경우에는 합의에 의해 이루어질 가능성이 높다. 반면, 통일 논의가 충분히 이루어지지 못한 상황에서 북한이 갑자기 붕괴되어 통일이 급진적으로 추진되는 경우에는 합의에 이르지 못하고 일방적이고 강제적인 방식으로 이루어질 가능성이 높다.

남북한 통일에 가장 큰 영향을 미치게 될 북한의 체제전환 여부와 통일의 과정, 즉 절차와 속도를 종합해보면 상황에 따라 〈그림 1〉과 같은 통일방식들이 상정된다.[32]

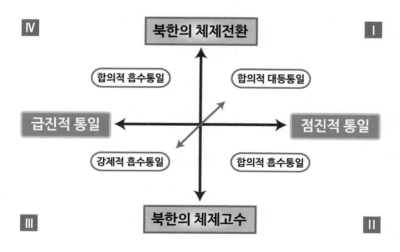

그림 1. 남북한 통일여건과 통일방식 상관 개념도

32) 군사통합 여건과 통합유형 상관 개념을 준용, 권양주, 『남북한 군사통합 구상(증보판)』, 112~114쪽.

　방안 Ⅰ과 같이 북한이 스스로 체제 전환도 하고 남북한 간에 시간을 갖고 통일 협의를 긴밀하게 해나가는 과정에서 점진적으로 통일과정을 밟게 되는 경우에는 상호 대등한 입장에서의 통일 즉, 「합의적 대등통일」도 가능할 것이다. 그러나 북한이 체제를 전환하였다 하더라도 제반 상황이 남한의 수준에 이르지 못하게 되면 통일은 남한 주도 즉, 합의에 의한 흡수통일로 이루어지게 될 것이다. 반면, 방안 Ⅲ에서 보는 바와 같이 북한이 현 체제를 계속 고수하다가 한국과 사전에 통일논의도 없는 가운데 통일이 급진적으로 이루어지게 된다면, 통일은 「강제적 흡수통일」 방식을 따르게 될 가능성이 높다. 북한이 체제를 전환하지 않은 상태에서 통일이 급작스럽게 이루어진다면 남북한이 합의에 의해 대등한 입장에서 통일을 할 가능성은 현실적으로 낮다고 보아야 할 것이다.

　한편, 방안 Ⅱ나 방안 Ⅳ의 경우에는 「합의적 흡수통일」 방식으로 이루어질 가능성이 상대적으로 높다. 방안 Ⅱ와 같이 북한이 체제를 전환하지 않은 상태에서 단계를 밟아서 점진적으로 협의를 통해 통일과정을 밟게 되는 경우에는 「합의적 대등통일」이나 「합의적 흡수통일」 방식으로 통일될 가능성이 많다. 그러나 통일한국은 자유민주주의와 자본주의 체제로 통일이 되어야 하고, 통일이 남북한이 협의를 통해 점진적으로 이루어지게 되는 상황임을 감안하면 대등한 입장에서의 통일보다는 남한의 주도하에 통일될 가능성이 더 높을 것이다.

　그리고 방안 Ⅳ의 경우는 북한이 체제를 전환한 상태에서 통일이 급진적으로 이루어지는 상황인데, 북한의 체제전환에도 불구하고 관리가 제대로 되지 않아서 통제력을 잃고 갑자기 붕괴되는 경우를 상정해 볼 수 있겠다. 이 경우에는 「강제적 흡수통일」이나 「합의적 흡수통일」 방식이 우선 고려된다. 북한 정권이 더 이상 지탱할 수 없는 상황에 이르게 된 경우이므로 통일은 남한 주도로 이루어질 수밖에 없을 것이다. 다만, 통일이 강제적으로 이루어질 것인지 아니면 합의에 의해 이루어질 것인지가 관건이 될 것이다. 그런데 이 경우는 일단 북한이 체제를 전환하고 남북한 간에는 교류와 협력이 진행되고 있는 상황이므로 북한의 통수기능은 미약하지만 어느 정도는 작동되고 있을 가능성이 더 많을 것으로 전망된다. 따라서 시간의 제약은 받겠지만, 강제적인 통일보다는 남북한 정부가 협의를 하되 남한 주도하에 통일이 될 가능성이 더 많다고 보아야 할 것이다.

따라서 다음 〈그림 2〉에서 보는 바와 같이 우리는 북한이 체제를 전환하고 남북한이 협의를 통해 평화적이고 점진적으로 통일할 수 있는 여건을 만들어 가도록 해야 한다.

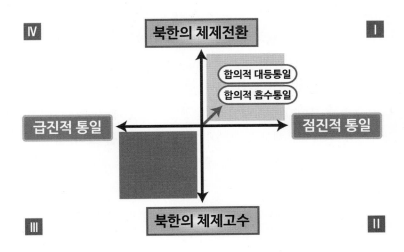

그림 2. 바람직한 통일여건과 현실

이 경우 통일방안은 합의에 의한 대등통일이나 흡수통일방안이 고려된다. 그러나 북한의 작금의 대내외 정책 행태를 보면 북한이 스스로 체제를 전환할 가능성이 낮고, 경제난 등으로 주도권을 상실한 북한이 통일에 적극 나설 가능성 또한 낮다. 결국 북한의 내부 붕괴 등으로 통일과업이 급진적으로 추진될 가능성이 높은 편이다. 우리가 합의에 의한 평화통일 노력을 경주해야 하면서도 이에 못지않게 북한의 급변사태로 인한 급작스런 통일 준비도 서둘러야 함을 시사하고 있다.[33]

각종 여론조사를 보면 우리 국민은 통일과정에서 불안정한 정세가 조성되거나 경제적으로 어려운 상황에 직면하게 되지나 않을지에 대한 우려를 가장 많이 하고 있는 것으로 나타나고 있다. 이러한 이유 등으로 청년층의 15% 이상은 통일을 원하지 않고 있다는 통계도 있다.[34] 강제적인 방식으로 흡수통일을 하는 경우에 우리 국민이 안게 될 짐이 너무 무거울 것이라는 점은 명약관화하다. 따라서 우리 정부는 남북한이 교류와 협력을 통해 신뢰를 쌓고, 협의와 합의를 통해 점진적이고 평화적으로 통일을 이루어나가려 하고 있다. 북한에서 급변사태가 일어나 북한이 붕괴되는 상황은 바람직스럽지 않고, 또한 우리는 그러한 사태가 벌어지는 것을 결코 바라지 않고 있다. 이러한 배경하에서 '민족공동체통일방안'이 제기되었고 이를 보다 더 현실적으로 접근하기 위해 '3대 공동체 통일구상'이 나온 것이다.

---

33) 조선일보와 고려대학교 일민국제관계연구원이 2014년 4월부터 약 한 달에 걸쳐 북한 및 외교·안보분야 전문가 135명을 대상으로 실시한 설문조사에 의하면, 10년 이내에 통일이 된다면 '북한의 붕괴에 의한 통일' 가능성이 80% 이상이라고 했다. 한편, 전문가들은 북한붕괴에 의한 통일 가능성을 높게 보면서도 바람직한 통일방식으로는 합의통일을 꼽았다. 『조선닷컴』, 2014년 5월 22일.
34) 민주평화통일자문회의, 「청년층 통일의식 조사결과」(2009).

남북한 통일은 하나의 체제로 통일되어야 하고, 현재 남북한 상황을 감안해 볼 때, 남북한 간의 체제 경쟁은 이미 끝이 났다. 이는 통일한국은 자유민주주의와 자본주의 체제를 기본으로 하여 통일이 되어야 함을 의미한다. 따라서 남북한 통일이 연착륙을 하기 위해서는 북한이 체제를 전환하고 남북한이 협의를 통해 점진적으로 통일과정을 밟아 가야 한다. 〈그림 1〉방안 Ⅰ의 상황을 만들어가야 하며, 이 경우 통일방식은 「합의적 대등통일」이나 「합의적 흡수통일」이 될 것이다. 이 중에서 통일이 어떠한 방식으로 이루어질지는 북한이 체제를 전환한 이후에 통일시점에서 북한의 정치, 경제, 주민의식 등이 남한과 비교하여 어떠한 수준에 있게 될 것이냐에 따라 달라질 것이다. 남북한이 통일로 인한 후유증을 최소화하기 위해서는 북한의 체제전환이 조기에 이루어져야 하고, 개혁·개방을 통해 남한과의 교류가 활성화되어 격차를 줄여 가는 노력이 우선 과제라 할 수 있다.

제2절 남북한 통일과정에서 안정성 확보 문제
: 북한 군사도발 가능성과 군 관리의 중요성

1. 국가 지배체제와 군사도발의 상관관계

분단된 두 국가가 평화적으로 통일을 하기 위해서 무엇보다 중요한 것은 통일 추진 과정에서 안정을 확보하는 일이다. 두 국가 사이에 안정을 유지한다는 의미는 힘의 균형이 이루어져 일방이 타방을 일방적으로 공격하여 힘의 균형을 무너뜨릴 수 없는 상태가 되거나,[35] 비록 힘의 균형이 이루어지지 못하더라도 상호 지배의 의사가 없는 경우에 성립된다고 볼 수 있다. 어떤 국가가 상대국에 대해 힘을 사용할지 안할지는 국제정세와 국가지배체제에 상당한 영향을 받는 것으로 나타나고 있다. 어떤 국가가 전쟁에 개입하지 않으려 해도 주변 강대국들의 의지에 따라 어쩔 수 없이 전쟁의 소용돌이에 휘말리는 경우가 종종 있었다. 특히 미·소 냉전체제하에서 소국은 이들의 대리인으로서 전쟁을 하게 되는 경우가 있었다. 그러나 현재는 세계 강대국들 중에서 전쟁을 도모하려고 하는 국가는 없어 보인다. 미국, 러시아, 중국

---

35) 문정인 외, 『남북한 정치 갈등과 통일』(서울: 도서출판 오름, 2002), 132~133쪽.

등 대부분의 군사 강대국들은 안정 속에서 발전을 원하고 있어 세계 대전의 발발 가능성은 크게 낮아진 것으로 평가된다.

그러나 민족, 종교, 자원 등을 두고 소규모 전쟁은 지금 이 시간에도 지속되고 있다. 소규모 전쟁은 타국과의 정치관계에서도 기인하지만 국내문제를 풀기 위한 하나의 방편으로 이용되기도 한다. 이러한 형태의 전쟁도발은 그 국가의 지배체제에 따라 영향을 받는 것으로 분석되고 있다. 민주주의 체제에서 주권은 주민에게 있고 이를 통해 정부정책을 모니터하고 이를 어느 정도 통제할 수 있기 때문에 정부는 주민들의 의사를 받아들일 수밖에 없다. 따라서 주민들의 의사에 반하는 전쟁을 일으킬 가능성은 그만큼 줄어든다고 할 수 있다. 반면 독재체제하에서는 독재자를 제어할 기재가 마련되어 있지 않으므로 모든 정책이 독단적으로 흐를 가능성이 높다. 럼멜(Rudolph J. Rummel)은 1976년부터 1980년까지 4년여에 걸친 외교행태를 분석한 결과 민주주의 국가들보다는 전체주의나 권위주의 국가들이 훨씬 공격적이고 과격적이었다는 결론을 도출한 바 있다.[36]

독재체제가 민주주의 체제보다는 전쟁도발도 비교적 쉽게 일으킬 수 있게 되어 있다. 독재자가 전권을 가지고 있고 오직 그의 판단에 따라 전쟁도발 여부도 구애받지 않고 결정할 수 있기 때문이다. 그럼에도 정치체제 그 자체가 전쟁유발의 직접적인 동인이 되는 것은 아니다. 아무리 독재국가라고 하더라도 맹목적으로 전쟁을 도발하는 국가는 거의 없으므로 전쟁도발에는 확실한 이유가 있기 마련이다. 다만 동일한 상황과 경우에도 민주주의 국가보다는 전체주의나 권위주의 국가체제가 전쟁도발 결정을 보다 쉽게 할 수 있는 촉매 역할을 한

---

36) Rudolph J. Rummel, "*Libertarianism and International Violence*", Journal of Conflict Resolution, Vol.27, No. 1(1983), pp. 27~71.

다고는 할 수 있다.[37] 정치체제 그 자체가 전쟁을 직접 촉발하는 것은 아니지만, 전체주의 체제일수록 전쟁준비와 전쟁선포를 쉽게 할 수 있다는 뜻이다.

그리고 전쟁을 도발하는 경우 경제적 문제보다는 정치적 변수 더 크게 작용하는 것으로 나타나고 있다. 권위주의 체제하의 정치지도자들은 내부적으로 풀기 어려운 난제에 봉착했을 때, 이를 풀기 위해 외부적 위협을 만들고 부각시켜 주민들로 하여금 전쟁의 불가피함을 인식하도록 한다는 것이다. 이는 단적으로 정권의 안정을 위해 국가안보를 속죄양으로 삼는 것이라고 할 수 있다. 그동안 일어난 전쟁의 상당 부분이 국내정치의 불안정을 타파하기 위한 수단으로 이용되었다.

아르헨티나의 포클랜드 공격이나 이라크의 쿠웨이트 침공 등이 대표적인 예라고 할 수 있다. 포클랜드 전쟁을 일으킨 아르헨티나의 갈티에리 정권에게 1982년은 최악의 해였다. 경제가 거의 파탄상태가 되어 정부의 부정부패와 무능에 항거하여 시위가 연일 계속되었고, 결국 진압과정에서 군경의 발포에 의해 6명이 부상당하는 등 사회가 극도로 혼란에 빠졌다. 어려움에 처한 갈티에리 정부는 돌파구가 필요했고, 1982년 4월 2일 영국령 포클랜드 섬을 전격 기습 공격하기에 이르렀다. 포클랜드는 막대한 원유가 매장되어 있을 뿐만 아니라 남극 대륙의 전진기지로서 영국에게는 매우 중요한 전략적 요충지였다. 피침 후 영국 내에서는 영국으로부터 8,000마일이나 떨어진 지역을 대상으로 전쟁을 하는 것은 무모하다는 의견들이 있었다. 그러나 당시 대처 수상은 전쟁을 선언하였고 재탈환에 성공했다.[38] 아르헨티나는 그렇지 않아도 경제여건이 좋지 않았는데 막대한 전쟁비용까지 충

---

[37] 문정인 외, 『남북한 정치 갈등과 통일』, 135쪽.
[38] 권양주, 『정치와 전쟁』(서울: 21세기군사연구소, 1995), 312~321쪽.

당해야 했으므로 경제적으로 파탄에 이르렀다. 결국 갈티에리는 포클랜드 침공 약 2개월이 지난 6월 18일 사임하고 말았다.

이라크는 이란과 8년에 걸친 전쟁(1980~1988)으로 1980년대 말에는 부채가 쌓여 역시 경제가 파탄지경에 이르렀다. 이라크 사담 후세인(Saddam Hussein) 대통령은 국내안정을 위해 국민자유권을 제한한 14개 특별법령을 폐지하고 국회의원 선거를 실시하는 등 자구책을 강구했다. 그렇지만 경제 부문은 부채와 국제원유 가격의 하락으로 좀처럼 출구가 보이지 않았다. 따라서 쿠웨이트와 사우디아라비아 등에 부채 탕감을 요청했으나 이들 국가는 그동안 이라크와 국경지대 유전과 관련해 분쟁을 하고 있었던 상황이었으므로 요구를 단호하게 거절했다. 이라크는 유전분쟁 관련 사우디아라비아의 중재를 거부하고 1990년 8월 2일 쿠웨이트를 전격 침공했다. 1991년 1월 7일 미국을 중심으로 한 다국적군이 이라크군을 공격하면서 소위 걸프전쟁이 시작되었다. 수세에 몰린 이라크는 결국 1991년 4월 3일 대량살상무기 폐기 및 무기 수입금지, 이라크의 배상, 이라크와 쿠웨이트 간 국경감시체제 수용, 국제연합 평화유지군 주둔 등을 골자로 하는 국제연합안전보장이사회결의 687호를 수락하면서 4월 11일부로 정전이 발효되었다. 결국 이라크의 쿠웨이트 침공도 국내 안정을 위한 차원에서 이루어진 자구책이었지만 실패하고 말았다.

아르헨티나의 갈티에리나 이라크의 사담 후세인 모두 권위주의적인 지도자로서 전쟁을 독단적으로 감행했다. 이들은 내부적 합의를 거쳐 전쟁도발 시 국제사회의 반응, 전승 가능성 등을 종합해 합리적 판단에 근거하여 전쟁에 돌입한 것이 아니었다. 오직 독재자의 국내 정치적 목적을 위해 독단으로 도발한 전쟁이었기 때문에 실패할 가능성이 많았고 결국 패하고 말았다. 전쟁의 결과는 쓰디썼다. 독재자 본인들은 정치생명에 큰 타격을 입었을 뿐만 아니라 국민들의 고통은 가중되었다.

2. 북한의 지배체제가 통일에 미치는 영향

김일성이나 김정일은 유일지배체제를 향유하다가 떠났으나 김정은은 집권 당시 권력기반이 미약하여 현재 본인 중심의 지배체제를 만들어 가고 있다. 김일성은 그의 재임기간 50여 년 중 거의 절반을 유일지배체제를 구축하는 데 진력했다. 6·25전쟁기간 동안에는 박헌영, 무정 등 정적을 축출했고, 1956년 8월에는 종파사건을 만들어 연안파와 친소련파를 대거 제거했다. 이 시기에 소련에서는 스탈린의 뒤를 이은 후르시쵸프가 1956년 2월 전당대회에서 스탈린 독재체제하의 죄상을 낱낱이 고발하면서 격하운동을 펼쳤다. 이에 자극을 받아 북한 내에서도 김일성의 유일지배체제를 집단지도체제로 바꾸어야 한다고 생각하는 사람들이 있었다. 그러나 이러한 의도를 실행에 옮기기 전에 발각되어 최창익, 서휘, 박창옥 등 주동자들이 심한 고초를 겪었고 결국 북한 정치일선에서 사라져 갔다. 또한 김일성은 1967년 항일 운동 당시 자신의 전우였던 갑산파까지 제거함으로써 유일지배체제를 견고히 했다. 김정일은 이렇게 김일성이 쌓아 놓은 굳건한 토대 위에서 유일지배체제를 유지하면서 일생을 평안하게 보냈다. 김정일은 오직 정권과 체제유지를 위해 진력한 것으로 평가되고 있다.

그렇다면 북한에서 3대 세습이 가능했던 이유는 무엇일까? 김일성이나 김정일은 집권기간 중 가장 어려운 시기에 사망했으나, 각 후계자들은 주민들의 애도를 잘 이용하고 유훈통치의 이름을 빌려 세습을 이루었다. 김일성은 말기에 사회주의 국가들이 붕괴되고 사회주의 국가 간 우호무역체제가 와해되는 상황에서 경제적으로 매우 어려운 시기에 사망함으로써 주민들의 애도 속에서 김정일의 유훈 통치를 가능하게 했다. 약 3년여에 걸친 고난의 행군기를 겪으면서도 정권 자체에 위기는 없었던 것으로 보인다. 김정일 정권은 북한 주민들의 김일성에 대한 애도를 한껏 이용했던 것이다. 그리고 김정일이 실권을 완벽하게 행사하고 있었으므로 김일성의 사망으로 인한 권력공백은 없었고, 감히 이에 대항할 세력이 나타날 여지도 없었다.

김정일은 말기에 제2차 핵실험과 장거리 미사일 시험으로 국제적인 제재조치가 가해지고 남북관계가 단절되는 등으로 외부로부터 경제적 지원이 뚝 끊기는 상황이 되었다. 경제적으로는 매우 어려웠지만 중국과는 불편한 가운데도 전통적인 밀월관계는 유지할 수 있었다. 이러한 상황에서 사망한 것이다. 그러나 김정은은 돌파구가 만만치 않다. 본인 중심의 권력 체제를 확립하기 위해서는 김정일의 유지와 유훈을 받들지 않을 수 없었고 이는 국제사회가 그렇게 반대해 왔던 제3차 핵실험을 단행하기에 이르렀다. 이러한 과정에서 3대 세습은 이루었지만 아직도 권력기반이 약하고 경제난으로 인해 늘 위기 상황에 놓여 있다.

김정은 정권은 철권통치를 통해 주민들을 강압적으로 통제하고 있으나, 북한의 경제상황은 주체사상이나 선군이념을 작동할 수 없게 만들고 있고 현재와 같은 정책노선을 통해서는 도저히 자생할 수 없는 지경에 이르렀다. 북한 경제는 1990년 이후 계속 마이너스 성장을 해 왔는데, 이 어려운 시기에 군 규모를 1950년대 중반 약 30만 명이던 것을 100만 명으로 급격히 팽창시켰다. 이는 북한 재정을 어렵게 하는 주요인이 되었는데, 여기에다 원유가 상승, 외부지원 감축 및 단절 등으로 경제 3고에 처하게 되었다.

표 2. 남북한 1인당 국민총소득(GNI) 비교

■ 1960~1995년   (단위: 달러)

구 분	1960	1966	1972	1995
남 한	94	125	318	1만
북 한	137	192		1천

■ 2010~2012년   (단위: 만 원)

구 분	2010	2011	2012
남 한	2,378	2,492	2,559
북 한	124	133	137

* 출처: 민족통일연구원, 「남북한 국력추세비교연구」(서울: 민족통일연구원, 1992), 233쪽;
  한국은행, 「남북한의 주요경제지표 비교」(검색일: 2014년 6월 10일) 등.

김일성이나 김정일은 사망으로 이러한 어려움을 모면할 수 있으나 김정은은 돌파구가 보이지 않는다는 것이 큰 문제이다. 소위 혈맹이라고 여겼던 중국과의 관계마저 3차 핵실험 후부터는 냉랭해졌다. 더 이상 북한을 두둔하거나 지원에 나설 나라는 없고 국제관계상 또 그렇게 할 수도 없게 되어 있다.[39] 이러한 위기에 직면한 김정은 정권이 위기를 극복할 방안이 있고 또 그러한 지도력을 발휘할 수 있느냐 하

---

39) 브루나이에서 개최된 제20차 아세안지역안보포럼(ARF)은 2013년 7월 2일 의장성명을 통해 북한에게 '유엔 안전보장이사회 결의와 9·19 공동성명을 완전히 준수하라'고 했다. 이는 한중 정상 회담과 때를 같이해 중국이 북한에 등을 돌리자 이 포럼 참가 27개국 중 북한을 제외한 모든 나라가 북한에 강력한 메시지를 전달한 것으로 해석되고 있다. 이 포럼에서 북한 측 입장은 전혀 언급되지 않았는데 그동안 북한에 동정적이었던 국가들도 모두 외면한 결과였다. 『조선일보』, 2013년 7월 3일.

는 것이 문제인데 북한이 현재와 같은 정책을 지속하는 한 뾰족한 길은 보이지 않는다. 그 길은 오직 핵무기를 폐기하고 개혁·개방에 나서는 것뿐이다.

이러한 상황에서도 김정은 정권을 타도하기 위해 조직적으로 저항할 가능성은 낮다. 그렇지만 김정은 정권이 지도력을 발휘하지 못하고 위기 대처능력이 떨어지게 되면 주민들이 봉기하거나 소요사태가 일어날 가능성을 배제할 수는 없다고 보아야 한다. 이 경우 북한 지도부가 김정은의 지도력에 대해 회의를 할 수 있고, 어려운 생활을 하고 있는 군부나 당의 중간 계층의 간부들이 재스민 혁명에서 나타난 바와 같이 주민 봉기를 좌시하거나 지원할 가능성이 아예 없는 것은 아니다. 주민들은 이제 먹고사는 문제에 관한 한 더 이상 물러서지 않고 있음을 입증하는 현상들이 종종 일어나고 있다.

과거와 다르게 주민 봉기나 소요사태가 전국적으로 일어날 수 있고, 이 경우 김정은 정권이 손을 쓸 수 없거나 진압과정에서 많은 인명이 살상될 수도 있다. 이렇게 되면 체제와 정권이 동시에 무너질 수 있고, 김정은만 축출될 수도 있을 것이다. 이러한 상황이 만들어지는 것은 우리 입장에서도 바람직스럽지 않으므로 김정은 정권이 대내외 정세를 올바로 판단하여 사전에 대비책을 강구하기를 바랄 뿐이다.

김일성이나 김정일은 유일지배체제를 확립하고 있었지만 본인의 절대 권력을 사용하는 형태는 달랐던 것으로 분석된다. 김정일은 그가 사망할 때까지 대남 우위의 군사력을 바탕으로 강압에 의한 사회주의 통일을 도모했다. 그러나 김일성이 통일 노력을 했던 것과는 다르게 김정일은 통일 논의 자체를 지양하고 배격했다. 그의 집권기간 동안 통일에 대한 언급은 남한과의 대화를 위한 립 서비스 차원에 그쳤다. 한편, 김정일은 김일성보다 훨씬 격화된 대남도발을 서슴치 않았다. 천안함 폭침이나 연평도 포격 등 차마 상상할 수 없는 수준의 군사도발과 핵실험과 장거리 미사일 발사시험을 강행했다. 절대 권력자였던 김정일은 김일성의 후계자로 된 지 37년, 김일성 사후 17년간의 통치를 2011년 12월 17일 사망함으로써 종지부를 찍게 되었다.

김정일이 철권통치를 해왔기 때문에 그의 급작사로 인한 공백은 클 수밖에 없었다. 위기 상황이 초래되자 북한의 위정자들은 공동운명체가 되어 김정은 중심의 정권을 창출하는 데 집중했다. 이러한 맥락에서 김정은 정권이 창출되었으나 북한에 김일성이나 김정일과 같은 유일지배체제가 만들어질지 아니면 집단지도체제가 들어설지는 조금 더 두고 봐야하며 초미의 관심사가 되고 있다. 김정은은 현재 김정일의 유훈을 구실삼아 유일지배체제를 만들어 가려 하고 있다. 김정일 유훈의 골자는 다름 아닌 '핵무장을 하라'는 것이었고, 유일지배체제를 구축해야 하는 김정은이나 김정은의 눈치를 보아야 하는 측근 모두 김정일 유훈의 틀을 벗어날 수 없는 처지에 놓이게 되었다.

김정은의 유일지배체제가 구축된다면 제반 정책 결정은 독단적으로 이루어질 가능성이 높다. 이 경우 비핵화, 남북관계 개선, 동북아 평화에 대한 전망은 암울할 가능성이 많다. 북한에 또다시 유일지배체제가 확립되어 다양한 의견을 취합해 합리적인 의사결정을 할 수 없는 체제가 유지된다면 한반도에는 긴장상태가 지속되고 군사적 충돌의 가능성은 상대적으로 높아질 것이다. 따라서 세습에 의한 유일지배체제보다는 여타 사회주의 국가와 같이 집단지도체제를 세워 북한이 세계정세를 직시한 올바른 판단을 하도록 할 필요가 있다. 북한 내에서 비교적 자유스럽게 의견을 개진하고 토의할 수 있는 집단의사결정체제가 만들어진다면 보다 더 합리적인 결정들이 나오게 될 것이고 동북아 정세는 한층 평온해질 것이다. 그리고 합의에 의한 통일 가능성도 높아지게 될 것으로 전망된다. 반면, 유일지배체제가 작동하게 되면 김정은 정권은 현 체제 유지를 최우선으로 하는 정책을 고수하려 할 것이다.

통일과업을 합의에 의해 평화적이고 점진적으로 추진하기 위해서는 수많은 정책 결정이 필요하고 정책 결정 하나하나는 매우 신중하게 이루어져야 한다. 북한 당국은 정권의 생존을 최우선 과제로 삼고 내부적으로 주민들에게 끊임없는 인내를 강요하고 있다. 이런 상황이 지속된다면 통일을 추진하는 과정에서도 주민들의 정권에 대한 견제 역할은 기대할 수 없게 된다. 그저 권력자가 주민들의 삶을 보살피는 정책으로 나아가기만을 고대할 뿐이다. 따라서 통일추진 당시 북한이 제반 정책을 합리적으로 결정하고 이행할 수 있는 의사결정체제가 만들어져 있느냐, 아니냐는 중요한 의미를 갖게 된다. 북한에 김정은 일인독재체제가 만들어져 정착되면 견제와 균형 역할을 할 수 있는 기능이 없기 때문에 제반 정책은 독단적인 결정에 의해 이루어질 가능성이 높고, 전쟁도발 가능성마저 배제할 수 없을 것이다. 통일 관련 정책 결정들이 위정자의 독단에 의해 결정된다면 실무 협상은 난항에 부딪히고 최종 합의는 어렵거나 비효율적인 방향으로 이루어질 가능성이 높다.

남북한이 통일된다는 것은 민주주의 체제로 통일되는 것을 뜻하므로 주권은 국민들에게 있게 된다. 따라서 북한의 현 실세들이 통일 초기에 최고위직에 있게 된다고 하더라도 주민을 위하는 정책을 펴지 않고 통일 이전의 행태를 지속하려 한다면 장기 집권은 쉽지 않을 것이다. 이는 김정은을 중심으로 한 위정자들이 자신들의 기득권을 잃게 되는 것을 의미한다. 이러한 점을 고려할 때 부득이한 상황이 아니라면 통일과업을 적극적으로 추진하려고 하지는 않을 것이라는 예측을 가능하게 한다. 통일 시까지 김정은 정권이 존속하고 있을지 아니면 다른 지도자나 지도체제가 세워져 있을지는 현재로서는 전망하기가 어렵다. 만약 김정은 정권이 집권하고 있게 된다면 그들은 정권을 유지하는 데 우선을 둘 것이므로 통일 후에도 자신의 정권이 지속될 수 있다는 확신이 없는 한 통일을 지향하기보다는 오히려 통일을 반대하려 할 것이다. 김정은 정권 자체가 통일의 최대 저항세력이 될 수 있다는 의미를 내포하고 있다.

분명한 것은 유일지배체제냐 아니면 집단지도체제냐에 따라 평화통일 과업의 동력과 방향은 크게 달라질 것이라는 점이다. 김정은이 매우 젊은 나이라는 점을 고려해 볼 때, 급변적인 붕괴상황이 도래하지 않는 한 김정은 정권은 상당 기간 존속할 가능성이 많다. 따라서 남북한 간 평화통일 논의가 김정은 정권하에서 이루어질 가능성이 많은데 과연 이 시기에 북한에 어떤 의사결정체제가 작동하고 있을 것인지가 통일 논의 진전 여부의 관건이 될 것이다.

어느 나라의 정권이든지 기본 목표는 국가안보를 보장하고 국민이 행복한 삶을 영위하도록 하는 데 두게 된다. 민주주의 국가와 독재 국가가 다른 점은 국민이 정권을 창출하고 교체할 수 있는 주권을 행사할 수 있느냐의 여부다. 독재 국가라 하더라도 정권이 통치력을 발휘해서 국민들이 행복하게 살아 갈 수 있다면 정권에 대한 국민의 지지는 높게 나타날 것이다. 그러나 독재체제하에서의 문제점은 독재자가 국민을 억압하면서 정권의 유지에만 집착하는 경우에도 국민들이 정권을 무너뜨릴 수 있는 집단저항 세력이나 힘이 없다는 점이다. 그리고 앞에서 논한 바와 같이 제반 정책 결정은 민주주의 체제하에서보다는 권위주의 체제하에서 독단으로 흐를 가능성이 높다. 통일의 중요 과업을 앞두고 북한의 지도체제가 어떤 형태여야 하는지에 대해

관심을 기울이지 않을 수 없는 이유가 여기에 있다.

그런데 북한의 현 대내 정세와 체제의 작동 상태를 보면 불행하게도 시간이 지나면 지날수록 김정은에게 힘이 실리게 될 것이고 지배력이 강화되어 유일지배체제가 들어설 가능성은 높아질 것으로 보인다.

3. 북한의 군사도발 의도와 가능성

남북한 통일과정에서는 무엇보다 안정이 확보되어야 하나, 안정을 저해할 수 있는 요인은 산재해 있다. 남북한이 신뢰하고 안정된 상태에서도 통일이란 큰 과업을 수행하는 데 있어서는 여러 난제와 이해관계가 상충하는 사안들이 비일비재하게 나타날 것이다. 하물며 남북한 간에 신뢰구축이 되어 있지 않은 상태에서 급작스럽게 통일이 추진될 때는 더욱 불안정한 상황이 전개될 가능성이 높다. 통일 시 가장 우려되는 안정성 확보의 관건은 군사부문이고, 무력 충돌과 전쟁발발 가능성 여부라고 할 수 있다.

우리가 어떻게 하든 북한은 대남 우위의 군사력을 유지하고 이를 통해 한반도 긴장 조성 활동을 지속하려 할 것으로 전망된다. 북한의 대남 우위의 군사력 유지 정책은 1980년대 초반까지는 재래식 전력에 중점을 두었으나 경제난에 처하게 되자 적은 비용으로 유사시 살상능력을 높일 수 있는 WMD 개발에 박차를 가하게 되었다. 북한의 핵개발 의혹이 제기되자 북한의 핵문제는 국제사회의 초미의 관심사가 되었다. 미국이 핵시설을 타격하려 하자 북한은 1994년 3월 8일 최고사령관 명령을 하달하여 '준전시상태'를 선포하면서 의지를 굽히지 않았다.

이후 긴장상태가 지속되었는데 북한은 이것도 모자라 제3차 핵실험을 감행했다. 유엔안보리가 2012년 3월 7일 결의안 2094호를 만장일치로 통과시키고 제재조치에 들어가자 북한은 최고사령부·외무성·조국평화통일위원회의 성명, 노동신문 등을 통해 정면으로 도전하면서 한반도를 최고조의 긴장국면으로 만들었다. 2013년 3월 30일에는 '남북 관계가 전시상황'에 들어갔다면서 "이제 한반도는 평화도 전쟁도 아닌 상태는 끝났다"고 강조하고, 불가침 합의 전면 폐기, 판문점 남북직통전화 단절, 한반도 비핵화 공동선언 완전 백지화 등 남북한 간 합의를 무효화하고 소통기재들을 끊으면서 위협수위를 높였다.

그리고 2013년 3월 31일에는 당중앙위원회 전원회의를 열어 '핵 무력과 경제병진 노선'을 채택하고, "영변의 모든 핵시설과 함께 5MW 흑연 감속로를 재정비, 재가동하는 조치를 취한다"고 선언함으로써 핵무장을 노골화했다. 북한의 핵무장은 이제 기정사실화되어 김정은 정권은 핵무기를 끌어안고 자멸할지언정 절대로 핵무기를 폐기하지 않겠다는 강력한 의지를 표명하고 있다. 그동안 우리와 주변국들은 북한의 핵무장을 저지하기 위해 한반도 비핵화 공동선언, 9·19공동성명, 2·13합의, 10·3합의, 6자회담, 그리고 최근에 이루어진 2012년 초 미·북 2·29합의까지 정성을 다해 왔지만 이런 모든 노력은 물거품이 되었다.

북한의 대남 우위의 군사력 유지 정책은 김일성의 4대 군사노선과 3대 혁명역량 강화, 김정일의 선군정치, 김정은 집권 후 핵무장으로 요약된다. 이러한 관점에서 북한에서 핵무기는 대외 협상력을 높이는 지렛대가 아니라 군사력의 중요한 요소인 것이다. 우리가 경제력을 바탕으로 어렵게 이룩한 북한의 재래식 전력에 대한 억제력은 핵무장으로 의미가 퇴색하게 되었다. 현재 세계적으로 핵무기에 대적할만한 재래식 무기는 없고, 핵 억제는 핵으로 하는 수밖에 없기 때문이다.

이와 같이 북한이 핵무기를 보유하여 남한과 비교 시 군사력 균형을 무너뜨리고 있으나 이를 사용하는 데에는 분명히 한계가 있다. 북한의 도발에 대한 억지력은 한·미 연합체제하에서 잘 유지되고 있다. 따라서 북한이 핵을 보유함으로써 대남 우위의 군사력을 유지하는 대가로 져야 할 고통과 경제적 어려움을 놓고 어떠한 정책으로 나가야 정권과 주민이 생존할 수 있는 길인지에 대한 현명한 판단과 인식 변화가 있어야 할 것이다.

남북한이 평화적으로 통일을 하기 위해서는 안정되어 있어야 하는데, 이를 위한 기본 조건은 다음과 같이 요약될 수 있겠다.[40] 첫째, 북한이 감히 도발을 하겠다는 의도나 의지를 갖지 못하도록 하는 정도로 우리의 억제력이 구비되어 있어야 한다. 북한이 전 한반도를 사회주의 체제로 통일하겠다는 목표를 가지고 대남 우위의 군사력을 유지하려고 하는 한 도발 의도나 의지가 사라지지는 않을 것이다. 북한이 대남 우위의 군사력 유지 정책을 지속하는 한 도발 가능성은 상존한다고 봐야 한다. 따라서 그들이 대남 우위의 군사력을 유지할 수 없게 되었다는 평가를 할 수 있는 정도로 군사적 균형이 이루어져야 한다. 군사적 균형을 이루기 위한 첩경은 군비통제를 꼽을 수 있다. 냉전종식과정에서 유럽안보협력회의(CSCE)[41]의 으뜸가는 업적은 군비통제였고, 이것이 독일의 통일도 가능하게 한 요인으로 작용했음을 재인식해야 한다.

둘째, 적대 행위를 미연에 방지할 수 있도록 공세적인 군사력의 배

---

40) 제성호, 『한반도 평화체제의 모색』(서울: 지평서원, 2000), 194쪽.
41) 유럽안보협력회의(CSCE)는 유럽의 항구인 평화와 안전을 보장하기 위해 1975년 결성된 다자간 국제회의체이다. 이는 1995년 1월 1일 유럽안보협력기구(OSCE)로 확대·개편되었으며 현재 56개국이 가입되어 있다.

치나 운용을 통제하고 제한할 수 있어야 한다. 군사력 균형을 유지하는 것과 더불어 군사태세를 공격에서 방어로 바꾸도록 해야 한다. 이는 우발사태를 방지하는 측면에서도 필요하다.

셋째, 소규모의 우발적 충돌로 인해 확전이 되지 않도록 하는 체제가 구비되어야 한다.

넷째, 안정과 평화체제가 깨지는 경우에는 북한의 체제와 정권까지 위태롭게 될 수 있다는 인식을 하도록 함과 동시에 상호의존성을 심화해 나가야 한다. 이를 통해 어떠한 경우에도 평시 도발이나 전쟁을 일으키려는 의도 자체가 무모하며 군사력을 이용해서는 그들이 바라는 목적을 달성할 수 없음을 인식하도록 해야 한다.

주변국들은 북한이 붕괴되어 동북아지역에 불안한 정세가 조성되는 것을 바라지 않고 있기 때문에 국제사회의 일원으로서 규범을 준수하면서 평화롭게 살아가려고 한다면 오히려 많은 지원을 받을 수 있는 상황이다. 그럼에도 정세판단을 잘못하면서 스스로 그르치고 있는데 북한이 왜 이렇게 핵무기에 집착하는 것일까? 북한은 6·25전쟁에서 패한 이후에도 단 한 번도 적화통일의 의지를 버린 적이 없다. 대남 정책의 첫 단추가 잘못 꿰어졌고 이것이 북한을 잘못된 길로 나아가게 하고 있는 것이다.

평시 북한의 군사도발 의도와 배경은 대략 다음과 같은 3가지로 요약해 볼 수 있겠다. 무엇보다 중요한 이유는 국제사회로부터 북한이 핵무기 보유국임을 인정받은 후 이를 지렛대로 삼아 외부 지원을 대규모로 얻어내기 위한 것이다. 한마디로 외부로부터 위협은 완전히 제거하는 한편, 이미 오래전에 경제회생을 위한 자생력을 상실한 상태이므로 전폭적인 지원을 이끌어 내겠다는 것이다. 2012년 말부터 2013년 전반기까지의 북한의 발악적 행태는 이대로는 더 이상 버티지도 못하고 못살겠다는 뜻을 밝힌 것이라고 볼 수 있다. 따라서 핵무기 보유를 위한 마지막 의지 대 의지의 충돌로 보고 주도권을 잡으려는 것이다. 북한 당국은 조선중앙통신을 통해 새로운 핵 무장과 경제 병진 노선은 '자위적 핵 무력을 강화 발전시켜 나라의 방위력을 철벽으로 다져 사회주의 강성국가를 건설하기 위한 가장 혁명적인 로선'이라고 밝혔다. 그리고 김정은은 이 회의에서 "핵 보검을 더욱 억세게 틀어쥐고 핵 무력을 질량적으로 억척같이 다져 나가지 않을 수 없다"고 강조했다고 보도했다. 이는 김정은 정권의 핵 보유 의지가 강하고 어떠한 경우에도 비핵화의 길을 걸어가지 않겠다는 뜻을 분명히 한 것으로 해석된다.

그리고 북한은 핵이라는 절대 전력을 통해 우리나라를 포함한 국제사회로부터 본격적으로 지원을 받고자 하고 있는 것이다. 외부로부터 지원이 절실한 북한이 가장 두려워하는 것은 국제사회의 이목이 한반도에서 이탈하여 북한이 무관심 대상으로 남게 되는 상황이다. 따라서 북한은 그들의 뜻이 관철되지 않는 경우에는 군사적 도발을 통해서라도 국제사회가 한반도 문제를 심도 있게 다룰 수 있도록 관심을 경주하도록 하겠다는 뜻을 강력하게 전달하려 하고 있는 것이다. 이러한 의도를 위해서라면 군사도발을 할 가능성은 상존한다고 보아야 할 것이다.

둘째, 당에 의한 군의 지배가 가속화되고 있는 상황에서 군부로서는 돌파구가 필요하고 그중 하나가 군사도발일 가능성이 있다. 북한군은 현재 상하를 막론하고 그 어느 때보다 전반적으로 불평과 불만이 쌓여 가고 있고 불안정성이 증대되고 있는 상황이다. 김정은이 집권하면서 당 중심의 국가 운영체제가 만들어 짐에 따라 군부는 김정일 시대에 비해서 상대적으로 위상이 추락하고 있다. 북한군의 불안정성은 상하를 막론하고 증대되고 있다. 먼저 상층부를 살펴보면 군 권이 총정치국 쪽으로 쏠리면서 당에 의한 군의 지배가 가속화되고 있다. 상대적으로 순수 군인들의 위상이 흔들리면서 상층부도 안정성을 잃어 가고 있다.

김정일은 군을 견제와 균형이라는 시스템을 통해 안정적으로 관리했다. 북한에서 군은 정권을 수호하는 역할도 하지만, '권력은 총구로부터 나온다'는 모택동의 말과 같이 정권을 위태롭게 할 수도 있는 무력집단이기 때문에 김정일은 군권이 한쪽으로 쏠리지 않도록 했다. 즉, 인민무력부장, 총정치국장, 총참모장 간에 서로 견제하는 가운데 절대적인 충성을 하도록 함으로써 정권을 안정적으로 유지했다. 그런데 김정은 정권이 들어서면서 전통적으로 군인이 맡아왔던 총정치국장에 민간인 당 관료 출신인 최룡해가 전격 보직되는 반면, 전통군인인 리영호 총참모장과 김정각 인민무력부장은 하루아침에 경질되고말았다. 그리고 후임 인사가 군부를 장악하는 데 중점을 두고 이루어져 군권이 최룡해 쪽으로 급격하게 쏠리게 되었다. 견제와 균형 장치가 무너지고 총정치국 중심의 군 운영체제가 만들어져 버렸다. 총정치국을 중심으로 한 인물들이 북한을 실질적으로 관리하고 있는 형국이라 할 수 있다. 이는 유사시 김정은을 보다 더 쉽게 위태롭게 할 수있는 상황이 조성된 것이라고 할 수 있다. 최룡해 후임 황병서도 군인출신이기는 하나, 당의 핵심기구인 조직지도부 출신이므로 당에 의한군의 지배는 지속되고 있다고 봐야 한다.

한편, 이유야 어떻든 총정치국장 최룡해를 비롯하여 최부일 인민보안부장, 장정남 인민무력부장, 현영철 총참모장, 김영철 정찰총국장, 김명식, 김수길, 렴철성, 윤동현 장령(장군) 등이 각각 강등된 바 있다. 이들 중 일부는 아직 복권조차 되지 못하고 있다. 군에서 강등이란 어떠한 경우에도 가장 수치스러운 일이며, 군부에 대한 신뢰를 떨어뜨리게 되므로 결코 바람직스러운 조치는 아니다. 항상 굳건한 모습으로 비쳐져야 할 군부 최상층에서 이런 일이 일어난 것은 안정성을 크게 저해하는 요인으로 작용할 것이다. 이러한 현상은 김정은 집권 후 북한군 내 주요 직위자들이 2류 급으로 보직되어 근본적으로 능력이 부족한 데다가 김정은의 군부 흔들기가 맞물려 빚어낸 결과로 보인다.

아울러 군의 생활고가 더욱 심화되어 가고 있어 불안정하게 하는 주요한 요인이 되고 있다. 군은 소요 재원의 상당부분을 자체 조달해 오고 있는데, 그동안 군이 운영해 왔던 사업권의 일부가 당의 지시에 의해 내각으로 전환되고 있고, 경제 관료에 힘이 실리면서 군의 운영 여건도 점차 악화되어 중간 계층은 물론 병사들에 이르기까지 고통을 겪고 있는 것으로 알려지고 있다. 여기에 유엔 제재 결의에 따른 외화 벌이 사업 위축, 만성적인 경제난과 식량난 등으로 군의 운영여건과 일반 군인들의 생활고는 더 깊어지고 있다. 군 운영여건이 이렇게 악화된 이유의 상당 부분은 경제 여건이 좋지 않은데도 병력 규모를 무리하게 팽창시켜온 데에 기인한 바 크다.

표 3. 북한의 병력규모 증가 경과

구 분	1960년	1979년	1980년	1989년	2013년
규 모	30만 명	60만 명	79만 명	100만 명	119만 명

이래저래 군 내부에 불만과 불평이 누적되고 있는데 이러한 어려움을 해결해야 할 군의 수뇌부는 한마디도 할 수 없고 하지도 않을 충성파들로 채워져 앞날을 예측하기 어려운 매우 불안정한 상황이다. 이러한 상황에 놓인 북한군으로서는 돌파구가 필요하고, 군의 효용성을

증명함으로써 다시 군을 우대하는 정책으로 전환되기를 바라고 있을 것이다. 이를 위한 효율적인 방안은 김정은 정권 축출과 대남 군사도발이 고려될 수 있겠으나 현실적으로 김정은 정권 축출은 쉽지 않은 상황이라 할 수 있다. 따라서 상대적으로 대남 군사도발을 선택할 가능성이 높다 하겠다. 김정은이 연평도 피격사건을 '포격전'이라고 지칭하고 이를 '정전 이후 가장 통쾌한 싸움'이라고 했듯이 북한 군부로서는 이와 같은 도발을 성공시킴으로써 인정을 다시 한 번 받고자 할 것이다. 따라서 정책 전환을 위한 전기가 필요한 북한군으로서는 군사도발이라도 하려고 할 가능성은 충분히 있다고 할 수 있다.

마지막으로 긴장상황을 조성해 내부 단결을 도모함으로써 주민들의 정권에 대한 충성을 이끌어 내고 고통을 감내하도록 독려하려는 것이다. 긴장상황 조성을 위한 가장 강력한 방안은 바로 군사도발이다. 북한은 제1차 핵실험을 한 이듬해인 2007년 신년사를 통해 사상과 군사강국으로서의 면모를 갖추었다고 선언한 바 있다. 그러나 경제상황의 악화로 주민들의 사상적 해이 현상은 곳곳에서 나타나고 있다. 사상적 해이는 곧 사회질서의 문란으로 이어질 수 있고 이러한 현상이 장기화되면 김정은 정권에게 큰 부담으로 작용할 가능성이 있다. 군인들이 끼친 대민 피해도 심각한 수준에 이르러 민군관계도 악화되어 가고 있다. 김정은 정권은 2013년 8월 중순 '민간인들을 더 이상 약탈하지 않겠다'는 내용의 서약서를 군 지휘관 및 간부들로부터 받았다고 한다. 그만큼 민군관계가 좋지 않다는 방증이다. 그럼에도 경제난, 식량난, 에너지난을 자체 해결할 능력이 없기 때문에 긴장상황 조성과 내부 통제를 강화하는 수밖에는 대안이 없어 보인다. 이러한 측면에서 군사강국의 이미지를 제고시켜 주민들의 충성과 단결을 도모할 수 있는 군사도발이야 말로 해이된 사상을 다잡을 수 있는 좋은 기재라고 생각할 수 있을 것이다.

 이러한 이유들로 인해 북한이 군사도발을 감행할 가능성은 상존하고 있다고 보아야 할 것이다. 우리가 북한의 도발을 억제하기 위해서는 북한군이 과거 천안함 폭침이나 연평도 피격 시와 같은 결과를 결코 다시 얻기 힘들다는 점을 인식시킬 필요가 있다. 그때와는 다르게 우리의 대비태세와 응징 의지가 확고하고 준비가 잘되어 있어 성공 가능성은 희박하다. 그럼에도 다시 도발을 하는 경우에는 강력한 응징을 통해 군사강국이라는 이미지를 크게 실추시키도록 해야 하겠다. 이를 통해 북한군의 위상을 떨어뜨림과 동시에 북한 주민의 불안과 정권에 대한 불신을 증폭시켜야 한다. 이렇게 되면 북한군은 당에 의한 지배가 가속화되고 심화될 것이며 주민들로부터도 불신의 대상이 되어 설 자리를 잃게 될 것이다. 아울러 외부적으로 사면초가의 형국에 처한 김정은 정권은 내부적으로도 어려움에 봉착하게 되어 김정은 정권의 생존과 안정성, 지배체제 확립에도 큰 타격을 입게 될 것이다.

 결과적으로 외부로부터 지원이 절실한 북한으로서는 군사도발을 통해서는 고통의 시간만 연장될 뿐 그들의 목적을 달성하지는 못할 것이다. 북한이 비록 핵무기 사용 위협을 한다고 하더라도 이에 굴복해서 그들의 요구대로 경제적 지원을 할 나라는 우리는 물론 단 1개국도 없고, 또한 유엔 안보리 결의에 따라 할 수도 없게 되어 있기 때문이다. 다시 도발을 하면 외부로부터 지원을 위한 대화나 조치는 상당기간 더 지연될 수밖에 없다. 따라서 북한이 진정으로 지원받기를 원한다면 군사도발이라는 오판을 해서는 안 될 것이다. 북한이 도발을 하는 경우 아르헨티나의 포클랜드 침공이나 이라크의 쿠웨이트 침공의 결과와 같이 북한의 어려움은 가중될 것이고, 결국 정권의 붕괴로 이어질 가능성 또한 배제할 수 없을 것이다. 북한 스스로 도발을 통한 성공보다는 오히려 내부적으로 더 궁지에 몰릴 가능성이 높음을 통찰하도록 해야 한다.

그럼에도 북한은 군사도발을 통해서라도 긴장을 조성하고 정권을 유지하려는 노력을 계속할 것으로 전망된다. 통일과업을 추진해야 하는 시기에도 이러한 기본 노선에는 변함이 없을 것이다. 결국 북한 상층지도부가 합리적인 의사결정을 하고 공생할 수 있는 길이 있음을 인식하도록 하는 것 이외에 대안은 없어 보인다. 그렇지 않으면 스스로 붕괴될 것이고 우리는 그로 인한 위험과 위기관리 책임을 고스란히 떠안게 될 것이다. 결코 바라지 않은 일들이 전개될 것이다.

제3절 남북한 평화통일의 조건

1. 남북통일 관련 합의의 함의

평화적 통일은 강제적 흡수통일이나 무력에 의한 일방적 통일이 아니라 상호 간 협의를 통해 단계를 밟아 점진적으로 통일과업이 진행되는 것을 뜻한다. 남북한이 평화적으로 통일을 하기 위해서는 상호 적대적 대결을 종결하고 평화적인 통일에 대한 방안을 찾아야 한다. 그런데 남북한 통일은 서로 다른 체제를 유지하면서 극렬하게 대치해 왔으므로 평화적인 통일방안에 합의를 하는 것이 우선 과제이나, 합의를 했다고 하더라도 그 추진 과정은 결코 순탄치 않을 것이다. 평화적인 통일을 위해서 먼저 남한은 언젠가는 일방적으로 북한을 흡수하여 통일을, 그리고 북한은 대남 우위의 군사력을 유지하다가 호기가 되면 무력으로라도 적화통일을 하겠다는 생각을 버려야 한다. 이러한 생각을 견지한 채 남북한이 각각 통일정책을 추진하는 한 평행선만 달릴 뿐 접점은 찾기가 어려울 것이다.

남북한은 통일방안에 대한 제의와는 별개로 1972년 7월 4일 남북공동성명을 통해 평화통일 3대 원칙에 합의했다. 이후락 중앙정보부장은 1972년 5월 2일부터 5월 5일까지 평양을 방문하여 평양의 김영주 조직지도부장과 회담을 가졌으며, 이어서 박성철 제2부수상이 1972년

5월 29일부터 6월 1일까지 서울을 방문하여 이후락 부장과 회담을 했다. 이 회담들에서 남북한은 평화적 통일을 하루빨리 해야 한다는 데에 공감하고 진지한 대화를 통해 이러한 합의에 도달했다. 김일성은 북한을 방문 중인 1972년 5월 3일 이후락 중앙정보부장을 만난 자리에서 "조국통일의 3대 원칙에 대하여" 제하로 담화를 했는데, 3대 원칙은 자주, 민족대단결, 평화였다.

김일성이 제시한 조국통일 3대 원칙은 고스란히 7 · 4남북공동성명에 반영되었는데 좀 더 살펴보면 다음과 같다. 첫째, 통일은 외세에 의존하거나 외세의 간섭을 받음이 없이 자주적으로 해결하여야 한다. 둘째, 통일은 서로 상대방을 반대하는 무력행사에 의거하지 않고 평화적 방법으로 실현하여야 한다. 셋째, 사상과 이념 · 제도의 차이를 초월하여 우선 하나의 민족으로서 민족적 대단결을 도모하여야 한다.[42] 그리고 쌍방은 남북 사이의 긴장상태를 완화하고 신뢰의 분위기를 조성하기 위하여 서로 상대방을 중상 비방하지 않으며 크고 작은 것을 막론하고 무력도발을 하지 않는다. 그리고 불의의 군사적 충돌을 방지하기 위해 적극적인 조치를 취하기로 하는 데도 합의했다. 남북한은 이러한 합의사항들을 추진함과 동시에 남북 사이의 제반문제를 개선 해결해 나가기로 했다. 또한 합의된 조국통일원칙에 기초하여 나라의 통일문제를 해결할 목적으로 이후락 부장과 김영주 부장을 공동위원장으로 하는 남북조절위원회를 구성하여 운영하기로 하였다.

---

[42] 3대 원칙에 대해서는 합의를 보았지만, 그것이 무엇을 의미하는지에 대해서는 북한은 자의적인 해석을 했다. 남한은 자주를 글 뜻 그대로 '우리 스스로'라는 의미로 해석을 한 데 반해, 북한은 주한 미군 철수와 미국의 간섭 배제로 해석하고 주장했다. 그리고 평화원칙은 한국의 군사력 현대화와 군사연습을 중지해야 한다는 논리로, 민족대단결 원칙은 국가보안법 폐지와 공산당의 합법화 논리로 각각 주장하고 나섰다.

그러나 이러한 합의에도 불구하고 통일을 위한 큰 진전은 없었다. 그 이유는 불행하게도 이러한 공동성명은 남북한이 통일을 꼭 이루어 내겠다는 진정성에서 나온 것이 아니었기 때문이다. 남북한이 처한 당시의 어려운 정치·안보 상황을 벗어나기 위한 하나의 방도로 이용된 측면이 없지 않았다. 남북공동성명이 나온 배경을 보면 이해가 간다. 미 닉슨 대통령은 1969년 7월 25일 괌(Guam)에서 자국 방위의 1차적 책임은 스스로 져야 한다는 내용의 새로운 아시아 정책인 소위 닉슨 독트린을 발표하고 1970년 2월 국회에 보낸 외교교서를 통해 이를 세계에 선포했다.[43] 여기에는 미국은 군사적 과잉개입은 하지 않을 것이며 측면 지원한다는 내용이 포함되었다. 이에 따라 해외에 파견된 미군 병력들이 대거 철수를 했는데 1971년 여름까지 한국에 주둔해 있던 7사단을 포함해 2만여 명이 철수를 했다.[44] 그리고 1971년 10월 25일 중국의 유엔 대표권이 대만에서 중화인민공화국으로 변경되어 대만이 유엔에서 축출되었다. 그러한 가운데 닉슨 대통령은 1972년 2월 28일 수교도 맺지 않은 중국을 전격 방문하여 상하이 공동성명(Shanghai Communique)을 발표하였다. 주로 대만 문제가 논의되었는데 남북문제에 대해서는 남북 스스로 해결토록 하자라는 내용이 포

---

[43] 닉슨 독트린의 주요 내용은 다음과 같다. ① 미국은 앞으로 베트남 전쟁과 같은 군사적 개입을 피한다. ② 미국은 아시아 제국과의 조약상 약속을 지키겠지만, 강대국의 핵에 의한 위협의 경우를 제외하고는 내란이나 침략에 대하여 아시아 각국이 스스로 협력하여 그에 대처해야 할 것이다. ③ 미국은 태평양 국가로서 그 지역에서 중요한 역할을 계속하지만 직접적인 군사적 또는 정치적 과잉개입은 하지 않으며 자조의사를 가진 아시아 제국의 자주적 행동을 측면 지원한다. ④ 아시아 제국에 대한 원조는 경제중심으로 바꾸며 다수국 간 방식을 강화하여 미국의 과중한 부담을 피한다. ⑤ 아시아 제국이 5~10년의 장래에는 상호 안전 보장을 위한 군사기구를 만들기를 기대한다.

[44] 미국은 베트남에 파병된 50만여 명 중 30만 명을 감축했고, 필리핀 주둔 미군 6천 명, 태국 주둔 1만 2천여 명도 철수시켰다.

함되었다.

　이로써 우리의 안보 상황이 매우 취약해진 상태에서 1971년에 대선이 있었는데 김대중 후보가 선전하자 박정희 정부는 큰 위기감을 느꼈다. 강대국인 미국과 중국의 전격적인 접촉과 화해 그리고 무언의 압력, 박정희 정부의 안보와 정치적 위기감 등이 동시에 겹쳐 박정희 정부로서는 출구가 필요했다. 이러한 분위기 속에서 남북한이 만나 협의 결과 통일에 관한 성명을 발표하게 된 것이다. 그러나 성명을 발표하고 이를 어떻게 실현할 것인가에 대한 고심보다는 남북 각각은 안보를 공고히 하고 정치적으로 안정화하는 데 골몰하게 되었다.

　남북한은 평화통일을 위한 토대를 마련한다는 미명하에 각각 장기집권의 길을 모색하기 시작했다. 남한에서는 1972년 11월 21일 소위 유신헌법[45]이라 불리는 헌법 개정이 있었다. 박정희 대통령은 1972년 10월 17일 '우리 민족의 지상과제인 조국의 평화적 통일'을 뒷받침하기 위해 '우리의 정치체제를 개혁한다'고 선언하고 헌법 개정에 들어갔다. 국가긴급권을 발동하여 국회를 해산하고 정치활동을 금지했다. 그리고 비상계엄령을 선포하고 국민투표를 통해 헌법을 개정했다. 명목상 평화적 통일을 뒷받침하기 위해서라고 되어 있지만 사실상 장기집권을 위한 개헌이었다. 주요 골자는 대통령직 권한을 영도적 국가 원수(元首)로 대폭 강화한 반면, 국회의 회기를 단축하는 등 국회의 권한은 약화시켰다. 그리고 통일주체국민회의를 설치하고 여기에서 대통령을 선출하도록 했다.

　때를 같이하여 북한도 1972년 12월 27일 헌법을 개정했다. 사회주의 국가임을 천명하고 마르크스-레닌주의를 북한의 실정에 맞게 적용한

....
45) 「두산백과」(Naver 검색일 : 2013. 5. 15)

조선로동당의 주체사상을 자기활동의 지도적 지침으로 삼는다고 규정했다. 노동당의 우월적 지위가 명시된 것이다. 그리고 국가주석제를 도입하고 권한을 크게 강화했다. 주석이 국가의 수반이며 북한의 주권을 대표하며, 전반적 무력의 최고사령관, 국방위원회 위원장으로 되며 국가의 일체 무력을 지휘통솔하도록 하는 등 절대 권한이 부여되었다.

공동성명의 본질과는 다르게 남북한은 정권의 공고화에 역점을 두었기 때문에 큰 진전을 기대할 수 없었고, 특별한 결과도 내지 못했다. 이후 북한의 대외 상황은 이전만 같지 못하고 점차 악화되어 갔다. 특히 1980년대 말부터 사회주의권이 붕괴·와해되면서 북한도 몰락할 수 있다는 초조감에 휩싸이게 되었다. 사회주의권의 기본 틀이 무너지면서 우호무역체제도 와해되었다. 지원세력을 잃은 북한은 경제적으로 매우 어렵게 되었다. 북한으로서는 체제와 정권 유지를 위한 돌파구가 필요했다. 이에 따라 도발을 포기하고 교류를 활성화하자는 내용의 남북기본합의를 어쩔 수 없이 받아들이게 되었다.

정원식 국무총리와 북한의 연형묵 정무원 총리는 1991년 12월 13일 「남북 사이의 화해와 불가침 및 교류·협력에 관한 합의서(남북기본합의서)」에 합의했다. 1992년 2월 19일부로 발효된 이 합의서를 통해 남북은 7·4남북공동성명에서 천명된 조국통일 3대 원칙을 재확인하였다. 또한 정치·군사적 대결상태를 해소하여 민족적 화해를 이룩하고, 무력에 의한 침략과 충돌을 막고 긴장완화와 평화를 보장하기로 하였다. 아울러 다각적인 교류·협력을 실현하여 민족 공동의 이익과 번영을 도모하며, 쌍방 사이의 관계가 나라와 나라 사이의 관계가 아닌 통일을 지향하는 과정에서 잠정적으로 형성되는 특수 관계라는 것을 인정하고, 평화통일을 성취하기 위한 공동의 노력을 경주하기로 하였다.

세부 합의는 남북 화해, 남북 불가침, 남북교류·협력 등의 분야로 나눠졌는데 주요한 내용은 다음과 같다. 남북 화해 부분은 ① 남과 북은 서로 상대방의 체제를 인정하고 존중한다, ② 남과 북은 상대방을 파괴·전복하려는 일체 행위를 하지 아니한다, ③ 남과 북은 현 정전 상태를 남북 사이의 공고한 평화상태로 전환시키기 위하여 공동으로 노력하며 이러한 평화상태가 이룩될 때까지 현 군사정전협정을 준수한다, ④ 남과 북은 국제무대에서 대결과 경쟁을 중지하고 서로 협력하며 민족의 존엄과 이익을 위하여 공동으로 노력한다는 것 등이다. 남북 불가침 분야는 ⑤ 남과 북은 상대방에 대하여 무력을 사용하지 않으며 상대방을 무력으로 침략하지 아니한다, ⑥ 남과 북은 의견대립과 분쟁문제들을 대화와 협상을 통하여 평화적으로 해결한다, ⑦ 남과 북의 불가침 경계선과 구역은 1953년 7월 27일자 군사정전에 관한 협정에 규정된 군사분계선과 지금까지 쌍방이 관할하여 온 구역으로 한다는 것 등이다. 그리고 남북 간 교류와 협력을 증진하기 위해 ⑧ 남과 북은 민족경제의 통일적이며 균형적인 발전과 민족 전체의 복리향상을 도모하기 위하여 자원의 공동개발, 민족 내부 교류로서의 물자교류, 합작투자 등 경제교류와 협력을 실시한다, ⑨ 남과 북은 과학·기술, 교육, 문화·예술, 보건, 체육, 환경과 신문, 라디오, 텔레비전 및 출판물을 비롯한 출판·보도 등 여러 분야에서 교류와 협력을 실시한다, ⑩ 남과 북은 민족구성원들의 자유로운 왕래와 접촉을 실현한다, ⑪ 남과 북은 흩어진 가족·친척들의 자유로운 서신거래와 왕래와 상봉 및 방문을 실시하고 자유의사에 의한 재결합을 실현하며, 기타 인도적으로 해결할 문제에 대한 대책을 강구한다, ⑫ 남과 북은 국제무대에서 경제와 문화 등 여러 분야에서 서로 협력하며 대외에 공동으로 진출하기로 하였다.

남북한이 남북기본합의를 착실히 이행한다면 한반도에는 평화가 정착되고 통일의 길은 가까워 보였다. 그러나 위기 상황에 놓인 북한이 이 합의 과정을 위기를 벗어나고자 하는 하나의 돌파구로서 이용하고자 했기 때문에 이행의지는 미약할 수밖에 없었다. 위기상황을 타개하기 위해 남한과 관계개선의 제스처를 보이면서 한편으로는 대남 우위의 군사력 유지정책과 체제와 정권을 보장받으려고 했다.

이를 위해 그들이 선택한 것은 핵무기와 장거리 미사일 개발이었다. 1994년 제1차 핵위기를 겪게 되었으나 북한은 핵개발을 포기하지 않았다. 2006년 1차 핵실험에 이어 2009년 2차 실험, 2012년 3차 실험을 감행했다. 3차 핵실험을 통해 핵무기 제조 기술을 보유하게 된 것으로 평가되면서 북한의 의도는 노골화되었다. 제3차 핵실험을 한 북한에 대해 유엔이 제재를 가하자 북한은 즉각 정면으로 반기를 들었다.

북한의 반발이 수그러들지 않은 가운데 북한의 대남기구인 조국평화통일위원회는 2013년 3월 8일 성명을 통해 "조선 정전협정이 백지화되는 3월 11일 그 시각부터 북남 사이의 불가침에 관한 합의들도 전면 무효화될 것"이라고 선언했다. 이는 남북기본합의서를 파기하는 것으로 해석되고 있다. 이 성명에서 북한은 "상대방에 대한 무력 불사용, 우발적 군사적 충돌 방지, 분쟁의 평화적 해결, 불가침 경계선 문제 등 북남 불가침 합의들은 유명무실하게 되었다"고 밝혔다. 북한은 한반도를 세계 관심지역화하고 이를 통해 외부로부터 지원을 얻어내는 행태를 지속하려 하고 있다. 이를 위한 강력한 수단이 군사도발이라 할 수 있다. 그런데 남북기본합의가 이를 가로막는 장애요인으로 되고 있기 때문에 이를 파기한다고 선언한 것으로 해석되고 있다. 남북한을 전쟁상태로 만들어 군사도발을 정당화하려는 조치로 여겨진다.

이상에서 살펴본 바와 같이 남북한 간에 통일과 평화정착을 위한 합의는 각각 처한 정치·안보적 위기 상황을 타파하기 위한 하나의 출구로 이용된 점이 없지 않았다. 진정성이 결여되어 있어 평화적인 통일을 위한 남북관계의 진전은 한계가 있을 수밖에 없었다고 할 수 있다.

2. 남북 평화통일을 위한 조건

남북한이 평화적으로 통일을 한다는 의미는 남북한이 비록 잠정적 특수 관계로 규정되어 있다고 하나, 독립된 두 국가가 하나의 국가로 통합하는 것을 뜻한다. 따라서 남북한 통일이 몰고 올 역내에서의 파장과 남북한 간 이질화된 체제의 통일, 주민들의 통합 등을 고려 시 통일 전에 정지 작업이 이루어져야 할 일들은 무수히 많다. 그렇지 않으면 통일과정에서 장애요인들로 인해 마찰이 빚어지고 최악의 경우 예멘과 같이 무력충돌로 이어질 가능성마저 배제할 수 없다. 이러한 최악의 사태를 예방하기 위해서는 남북한이 평화통일로 갈 수 있는 기본 토대를 마련해야 한다. 남북한 평화통일을 위한 가장 좋고 바람직스런 여건은 남북한이 정치·경제체제, 사회제도 등에서 거의 대등한 상태로 되고, 정부나 국민들의 의식에 별 차이가 없는 상황이 될 것이다. 그러나 현재 남북한이 처한 상황과 각각의 정책을 감안하면 이런 여건이 만들어지기는 쉽지 않아 보인다.

평화통일을 위한 가장 바람직스런 최상의 상태는 아니더라도 최소한 마련되어야 할 상황, 즉 조건이 있다. 남북한이 평화적으로 통일을

하기 위해서는 주변국들과 관계, 이들 국가들과의 상호 관계, 그리고
남북한 내 여건과 조건에 따라 영향을 받게 될 것인바 고려되는 최소
한의 조건은 다음과 같다.

가. 주변국들의 협력과 지원 획득

한반도 통일이 동북아지역에 미칠 파장이 클 것이라는 점은 자명하
다. 남북한 통일 시 2배로 커지게 될 영토와 인구를 기반으로 한 경제
잠재력 증대, 지정학적인 측면에서 중요성 부각 등을 감안하면 주변
국들도 긴장하지 않을 수 없을 것이다. 그러나 주변국들은 남북한 통
일로 각국의 안보비용은 줄어드는 반면 경제적 기회가 확대되어 오히
려 이익이 될 것이라는 분석도 하고 있는 것으로 나타나고 있다.[46] 박
근혜 대통령은 정상회담을 위해 방중인 2013년 6월 29일 칭화대(清華
大) 연설에서 '동북아에 진정한 평화와 안정을 가져오려면 무엇보다
시급한 과제가 새로운 한반도를 만드는 것'이라면서 그러한 한반도는
'남북한 구성원이 자유롭게 왕래하는 안정되고 풍요로운 아시아를 만
드는 데 기여하는 한반도'라고 했다. 이렇게 되면 '동북 3성 개발을 비

----

[46] 평화문제연구소가 2013년 10월 24일 주최한 '통일한국시대, 한반도 주변국의 기
대이익과 미래 비전' 세미나에서 각국에서 온 학자들은 하나같이 이와 같은 의견
을 피력했다. 미국 아시아재단 한국대표 피터 벡은 "미국의 한국 전문가들은 통
일이 되면 미국에 득이 된다는 의견에 거의 모두가 동의하고 있다"고 말했고, 중
국 런민(人民)대 청샤오허 교수는 "한반도에 8,000만 명이라는 통일된 시장과 소
비집단이 생기는 것은 중국뿐 아니라 다른 국가에도 포기할 수 없는 유혹"이 될
것이라고 했다. 그리고 일본의 교토대 나카시니 히로시 교수는 "북핵위협이 제거
되고 (일본인) 납치문제가 해결될 수 있다는 점에서 한반도 통일은 일본에게도
환영할 일"이라고 했고 러시아 세계경제·국제관계연구소(IMEMO) 바실리 미혜
예프 부소장은 "극동지역의 핵위협 제거라는 이익뿐 아니라 한국 영토를 지나는
철도와 가스관 건설 등의 기회도 얻을 수 있을 것"으로 보았다. 『조선일보』, 2013
년 10월 25일.

롯해 중국의 번영에도 도움이 될 것'이라고 했다. 이렇게 되면 동북아 지역은 북한으로부터 기인된 지정학적 리스크가 사라지게 되는 반면, 풍부한 노동력과 세계 최고의 자본과 기술을 결합할 수 있어 세계 경제를 견인하는 '지구촌 성장 엔진'이 될 것이며, 이는 중국의 젊은이들에게 성공기회를 제공할 것이라고 강조했다. 이에 화답이라도 하듯이 중국의 시진핑 주석은 중국의 한반도 관련 목표 중 하나는 한반도의 평화통일이라고 밝혔다.[47) 중국도 한반도의 통일을 지지하고 있음을 분명히 했다. 남북한이 이 지역에 긴장상황을 만들지 않고 통일할 수 있다면 지지할 것임을 명확히 한 것이다.

한반도 통일은 남북한 간의 매우 예측하기 어려운 상호작용과 지역 내 강대국 간 역학관계가 큰 영향을 미칠 것이다. 즉, 한반도 통일은 주변국들의 정치상황과 이해관계, 그리고 세계의 일원으로서 통일한 국이 어떠한 역할을 할 것인지에 대한 각국의 판단에 따라 영향을 받게 될 것이다. 정치상황과 주변국들 각각의 판단에 따라 주변국들은 통일지원세력이 될 수도 있고 저항세력이 될 수도 있을 것이다.

먼저 남북한 통일 시 주변국들의 이해관계에 대해서 살펴보면, 한반도 통일은 통일한국과 주변국들과의 관계설정이 중요하지만 주변국들 상호 간의 이해관계에 따라서도 지지 정도가 달라질 것이다. 과거 냉전체제에서와 같이 미·중, 중·소, 미·러가 심각한 대립관계에 있다면 남북한 평화통일의 가능성은 더 낮아질 것이다. 남북한이 통일을 위해 국제사회로부터 지원과 협력을 받기 위해서는 주변 4강이 경쟁관계보다는 상호 협력적이고 의존하는 관계로 발전되어야 한

---

47) 중국의 시진핑 주석은 한중정상회담을 통해 "중국은 남북한이 관계를 개선하고 화해 협력을 실현해 궁극적으로 자주적 평화통일을 실현하는 것을 지지한다"고 밝혔다. 『조선일보』, 2013년 7월 1일.

다.[48] 주변국들 간에 도서 영유권 문제, 대륙붕 문제 등으로 이해관계가 첨예하게 대립되는 경우에는 한반도 통일을 위한 지원과 협조를 받기는 그만큼 더 어려워질 것이다.

현재 한반도 주변 4강의 경제적 상호 의존성은 심화되고 밀착되어 가고 있으나, 군비 증강과 경쟁 또한 팽팽하여 협력과 대립 양상을 동시에 보이고 있다. 그럼에도 가까운 기간에 과거 냉전체제 상황이 조성될 가능성은 높지 않다. 현재로선 한반도 주변 강대국들의 관계가 어떻게 진전될지 정확히 가늠하기는 어려우나, 오히려 경제적으로는 하나의 시장화 될 가능성이 있어 더 밀착될 것으로 보인다. 경제적으로 밀착되면 정치적 긴장관계는 많이 누그러질 것이다.

그리고 각국은 경제 취약기에 있어 자칫 잘못하면 정부 부도 사태까지도 감수해야 하는 상태이므로 경제성장과 안정을 최우선 과제로 삼고 있다. 내부적인 문제이든 아니면 외부로부터의 요인이든지 불안정한 사태가 발생하지 않기를 바라고 있다. 그런데 세계가 하나의 경제공동체와 같이 되어 있어 상호 의존적이고, 이로 인해 어느 지역에서라도 문제가 발생하면 직간접으로 영향을 크게 미치고 있다. 이는 1997년 아시아 외환위기와 2008년 미국발 글로벌 금융위기를 통해서 여실히 입증되었다. 이와 같이 세계가 경제적으로 상호 밀착되어 있고 전반적으로 경제적 취약기에 있어 무엇보다 안정이 요구되고 있는데, 한 나라에서 재정문제가 발생하거나 파산의 상태에 이르면 여파는 크게 작용하게 되어 있다.

특히, 경제규모가 큰 한국이 자리하고 있는 한반도에서 급변사태가 발생하거나 위기상황이 닥치면 경제 대국인 미국, 중국, 일본, 더 나

---

48) 박종철 외, 『민족공동체통일방안의 새로운 접근과 추진방안: 3대 공동체 통일구상 중심』(서울: 통일연구원, 2010), 41쪽.

아가 세계 전체가 큰 타격을 입을 수밖에 없다. 한반도 주변국들은 이 점을 충분히 인식하고 있어 무엇보다 한반도가 안정적이고 평화적인 상태로 유지되기를 바라고 있다. 한반도가 불안정해 지면 주변국들도 경제적 문제만으로도 불안정한 상황이 조성될 가능성이 크다. 시진핑 중국 국가주석은 2014년 7월 3일 방한을 앞두고 조선일보에 보낸 특별기고문에서 "일단 동란(動亂)이 발생하면 역내 국가 중 그 누구도 혼자만 무사할 수 없습니다"[49]라고 강조했다. 따라서 주변국들은 자국의 안보와 경제적 안정을 위해 안정에 저해하는 어떠한 행동도 반대에 직면하게 될 것이다. 이러한 측면에서 북한이 급격하게 붕괴되거나 어떠한 이유로든지 한반도가 불안정해지는 상황을 원하지 않고 있다. 그러므로 북한을 안정화시키는 방향으로 대북 정책을 펼 가능성이 높다. 그리고 주변국들의 경제적 밀착은 정치적 화해와 협력을 보다 더 용이하게 한다고 할 수 있다.

이러한 움직임과 상황하에서 주변 4강은 남북한 통일에 대해 다음과 같은 입장을 견지하고 있는 것으로 분석된다. 먼저 미국은 동북아의 안정을 바라면서 한반도에 대한 영향력이 지속되기를 바라고 있으며, 한반도가 민주주의, 시장경제에 기반한 가치가 확산되는 방향으로 통일이 이루어지기를 희망하고 있다. 아울러 미국은 통일한국이 동맹관계를 유지하고 긴밀히 협력하면서 세계평화에 기여하는 국가가 되기를 바라고 있다. 오바마 대통령을 포함해 역대 미국 대통령들은 하나같이 한국의 평화적 통일을 지지하는 입장을 피력했다. 이는 외교적 수준에서 한 말이라고 할 수 있으나 이것이 진정한 미국의 입장일 수도 있다. 미국의 한반도 통일에 대한 입장은 한국이 어떠한 외

---

49) 『조선일보』, 2014년 7월 3일.

교정책을 펴고 미국과는 어떠한 관계를 설정하느냐에 따라 달라질 것
이다.

　미국은 남북한 통일이 점진적, 평화적으로 이루어지기를 바라고 있
으나 급변사태로 인한 북한 붕괴 시나리오에 대해서도 대비를 하고
있다. 특히, 이 과정에서 화·생·방 무기를 어떻게 안전하게 관리할
것인지에 대해 중점을 두고 있다. 핵무기 등 WMD들이 구소련의 해체
과정에서 통제력을 잃었듯이 북한에서도 이의 가능성을 배제하지 않
고 있고, 자칫 다른 불량국가나 테러집단에 넘어가게 되는 경우를 우
려하고 있다. 따라서 어떠한 경우에도 이의 통제에 중점을 두고 우선
조치를 하려 하고 있다.

　한편, 남북한 통일로 북한의 위협이 사라지게 되면 미국의 관심은
보다 더 중국으로 지향될 것이다. 북한의 위협을 제거하기 위해서는
통일되어야 하나 자칫 중국과 대립관계에 서게 된다면 이는 원하는
바가 아니다. 이는 통일한국이 중국과 미국과의 관계를 어떻게 맺느
냐에 따라 달라질 것인바 한쪽으로 치중하게 되면 다른 쪽의 지원을
잃게 됨을 의미한다. 그런데 미국은 한반도가 통일되는 경우 주한 미
군이 철수되고, 통일한국이 중국 쪽으로 경사될 가능성이 있어 이를
우려하고 있다.[50] 이 경우 미국의 중국 견제력은 상당히 약화될 것이
고 중국의 역내에서의 군사적 위상과 태세는 한층 높아질 것으로 보
고 있다. 따라서 통일한국이 미국과 견고한 동맹체제를 유지하기를
희망하고 있으나 이렇게는 아니더라도 최소한 통일한국이 중국 쪽으
로 경사되는 것은 막으려고 할 것이다. 이러한 점을 고려해 미국은 통
일을 추진하는 과정에서 정직한 중재자(honest broker)로서 역할을 자

----

50) 박영호, 「한국의 한반도 통일을 위한 외교전략」, 『한반도 통일과 동북아 4국의
　　입장 및 역할』(서울: 통일연구원, 2011), 116쪽.

처하고 나서려 할 것이다.[51] 그러나 과연 한국인들이 그러한 제안을 환영할지는 명확하지 않다. 남북한이 평화적으로 통일을 하기 위해서는 미국의 지원이 필요하나, 통일 후 한국의 대외 정책을 두고 고심하고 있다고 보는 것이 타당할 것이다.

중국은 동북아지역에서 안정을 바라는 한편, 다른 국가들의 영향력이 증대되어 자신의 위상이 추락하는 상황은 원하지 않고 있다. 중국은 2020년까지 전면적인 소강사회(小康社會)[52] 건설을, 2050년까지는 중등국가(대동사회) 건설을 목표로 추진하고 있는데, 건국 100주년(2049년)이 되는 21세기 중엽에는 기본적으로 현대화를 실현하고 부강·민주·문명의 사회주의 국가를 건설하겠다는 목표를 지향하고 있다.[53] 이를 위한 기본 전제는 무엇보다 세계정세의 안정이다. 따라서 한반도에서 급격한 정세변화나 불안정한 상황이 조성되어 위기상황이 초래되는 것을 원하지 않고 있다. 그럼에도 북한의 '벼랑끝 전술', '막무가내 식' 대내외 정책으로 현상유지가 점점 어려워지고 있음을 인식하고 이를 우려하고 있다. 중국 내에는 천안함 사태와, 연평도 포격, 그리고 제3차 핵실험을 통해 북한을 완충장치로 보기보다는 부담으로 보는 시각을 견지하는 사람들과 집단이 많아지고 있는데, 북한에 대한 우려가 그만큼 크다는 것을 방증하고 있다고 보아야 할 것이다. 이를 증명이라도 하듯이 중국의 시진핑 주석은 2014년 7월 3일부터 1박 2일간 한국을 방문하여 박근혜 대통령과 정상회담을 가졌다.

51) Ralph Hassig, Kongdan Oh, 「한국통일과 미국」『한반도 통일과 동북아 4국의 입장 및 역할』(서울: 통일연구원, 2011), 53쪽.
52) 1979년 鄧小平이 소강(小康)이라는 표현을 사용하였는데 小康은 기원전 10~6세기 사이에 만들어진 시집 詩經에 나오는 말이다. 중국학자 루수쭝(Lu Shuzeng)에 의하면 소강은 모든 국민이 잘 사는 'Concept of Ideal Society'를 의미한다. David Hale and Hugbes Hale, "*China Takes Off*", Foreign Affairs, Vol.82, No.6(2003), p. 39.
53) 이희옥, 『중국의 국가 대전략 연구』(서울: 폴리테이아, 2007), 27~28쪽.

그런데 중국의 최고지도자가 취임한 이후 북한보다 남한을 먼저 방문하게 된 것은 유례가 없는 일이다. 여기에 김정은이 집권 후 2년 반이 지났음에도 중국 땅을 밟지 못하고 있는 것은 그만큼 북·중 관계가 소원해졌거나 북한 정권의 잘못된 행태에 대해 중국이 못마땅해 하고 있음을 간접적으로 나타낸 것으로 풀이되고 있다.

결국 중국은 북한에서 급변사태가 발생하거나 정권이 붕괴되어 혼란한 정세가 조성되는 것을 우려하고 있고, 안정된 가운데 이루어지는 평화적인 통일을 지지하는 입장이라고 할 수 있다. 중국은 남북한 통일을 지지하고 있으며, 통일방식은 남북한이 주체가 되어 점진적이고 평화적으로 이루어지기를 바라고 있다. 그러는 한편, 중국은 국력이 강화되어 영향력이 확장된 상태에서 남북한 통일이 이루어져 중국에 유리한 방향으로 추진되기를 바라고 있다. 현재 남북한 통일에 대한 중국의 정책은 통일을 지지하나 통일 과정이 천천히 더디게 이루어지기를 바라고 있다고 할 수 있다. 특히, 한·미동맹 체제가 굳건히 유지된 가운데 남한이 북한을 흡수하는 형태로 이루어지는 통일에 대해서는 사실상 거부하는 입장이다.

남북한이 통일된다는 것은 이 지역에서 정세변화를 의미하는데, 중국은 스스로 이익을 보호할 수 있을 정도로 강력해지기 전에 통일되어 주도권을 상실하게 되는 상황을 우려하고 있다. 중국이 통일을 지지하는 조건은 중국에 우호적이고, 한반도에 미군의 부재, 일본과 적절한 거리 유지 등으로 요약된다.[54] 아울러 중국은 경제적 협력을 통해 지역정세를 재편하려는 전략을 가지고 있다. 따라서 통일 후 미국을 포함한 다른 국가들의 한반도에 대한 영향력이 커지거나 이들 국

---

[54] You Ji, 「궁극적인 한반도 통일을 향한 경로 관리: 중국적 방법」, 『한반도 통일과 동북아 4국의 입장 및 역할』, 85쪽.

가들과 국경을 직접 마주하게 되는 상황을 바라지 않고 있다.

중국은 한반도가 통일되는 경우 미국 등 주변국의 대한반도 영향력 문제 외에도 통일한국과 직접적인 갈등이 빚어질 것에 대해서도 우려하고 있다. 통일한국은 중국과 역사문제를 놓고 충돌하고 있어 중국의 동북지역 때문에 불편한 관계로 발전할 가능성 또한 배제할 수 없다. 터키는 제1차 세계대전 시부터 터키가 병합한 지역 내에 있는 소수 민족인 아르메니아 문제로 골치를 앓았는데, 남북한이 통일 시 중국 내 조선족, 특히 동북지역에 있는 조선족들이 동요할 가능성이 있다고 보아야 할 것이다. 중국 내 조선족이 친한화하거나 분리 독립 또는 통일한국으로 유입되는 경우 이는 중국 내 여타 소수 민족의 분리 독립운동을 촉발하게 될 것이다. 이는 중국이 결코 바라지 않는 시나리오이다.

종합해 보면 중국은 가능한 한 외세의 개입이 없이 남북한이 평화적으로 통일을 해야 통일 후 국익을 극대화시킬 수 있다고 보고 있는 것이다. 따라서 중국은 남북한이 통일을 서두르기보다는 비용이 적게 들어가면서 최적의 결과를 얻기 위해 전략적 인내가 필요하다고 믿고 있다.

러시아 역시 동북아에 안정과 평화를 바라고 있으며 이러한 상황에서 이루어진 한반도 통일에 대해서는 담담하고 당연하게 받아들일 것으로 판단된다. 러시아는 통일한국을 중요한 경제협력국의 하나로 보고 달갑게 여길 것이나 이 지역에서 군사적 긴장이 초래되거나 미국이나 중국의 영향력이 증대되어 러시아의 국익을 저해하는 사태가 발생하지 않기를 바라고 있다. 러시아는 남북한이 화해와 평화 공존의 틀 속에서 통일을 이루고 러시아와 우호적이고 협의적이며 상호 이익을 증진할 수 있는 관계로 발전되기를 희망하고 있다.

일본 일반국민들의 한반도 통일에 대한 관심은 그리 높지 않은 편이고 일본인들은 내향적 성향으로 비교적 정부정책에 소극적 태도를 보이고 있다. 따라서 남북한이 통일을 추진할 당시의 일본 위정자들의 시각이 한반도 통일 지지를 결정짓는 큰 변수 될 것이다. 일본 역시 통일과정에서 이 지역의 안정을 저해하지 않고 통일한국에 대한 영향력이 제고되기를 바라고 있다. 일본 정부는 공식적으로는 한국 정부의 통일 정책과 대북 정책을 지지함으로써 사실상 한국의 주도적인 통일을 지지해 왔다. 그럼에도 통일추진과정에서 불안정한 사태가 발생되는 것을 우려해 현상유지 정책을 추구해 왔다.

한편, 한반도가 통일되어 하나의 국가가 되면 프랑스와 비슷한 면적과 인구를 가지게 되는데 불편한 역사를 안고 있는 일본과는 풀어야 할 숙제가 있다. 이를 고려한다면 일본으로서는 북한의 위협이 없다면 통일을 적극 지지할 이유는 없을 것이다. 그러나 일본은 현실적으로 북한의 위협에 직면해 있어 통일이 되지 않은 상황에서 북한의 위협을 안고 살아가야 할지, 아니면 남한을 도와 통일을 하도록 힘을 보탤지를 선택해야 하는 기로에 놓이게 될 것이다. 그러나 주변 3강이 한국의 통일을 지지하고 협력을 하는 한 일본의지지 여부는 통일에 큰 영향을 미치지는 못할 것이다. 따라서 통일을 적극 지지하는 입장에 서지는 않더라도, 통일에 반대하다가 통일이 되는 경우 한국 국민의 감정이 격화되고 이 지역에서 고립되느니 관망하는 태도를 견지할 가능성도 있다.

통일과정에서 일본은 한반도 비핵화를 요구할 것이며 과거 식민지배하의 행위에 대해 더 이상 거론하지 않기를 원할 것이다. 그러나 이 문제는 일본의 진정한 사과가 선행되어야 하고 역사를 바로 정립해야 한다는 점에서 우리 국민들이 받아들이거나 받아들이지 않겠다는 결정을 해서 해결될 문제가 아니라는 점을 직시해야 할 것이다. 통일이 되든 통일이 되지 않든지 간에 정부가 임의로 그을 수 있는 선이 아니다. 통일 후 관계개선을 위해서는 일본이 한반도 통일을 적극적으로 지지하고 나서야 할 것이다. 이를 위한 하나의 방안은 이 지역에서 긴장을 초래하는 일은 삼가야 한다.

이를 종합해 보면 주변 4강은 원칙적으로 이 지역에서 안정과 평화가 유지되기를 바라고 있다. 따라서 남북한 통일과정에서 불안정한 상황이 조성되는 것을 바라지 않고 있어 북한이 급변사태로 붕괴되는 상황을 경계하고 있다. 그리고 남북한 통일은 일방향으로 급진적으로 이루어지기보다는 점진적이고 평화적인 방법으로 추진되기를 바라고 있는 한편, 각국은 통일 시 한반도에 대한 자국의 영향력이 확대되기를 희망하고 있다. 아울러 한반도가 비핵화지대로 남아 있기를 원하고 있으며 통일과정에서 핵을 비롯한 WMD들이 해체되거나 제거되기를 바라고 있다. 남한은 중국을 포함해 주변국들과 관계 개선을 위해 노력하고 있는 반면, 북한은 세계 규범을 준수하지 않는 불량국가로 낙인이 찍혀 있어 통일이 되면 관계 개선의 소지는 많은 편이다. 따라서 통일한국과 주변국들의 관계는 현재보다는 더욱 밀착하게 될 가능성이 높다고 할 수 있다.

그리고 남북한이 통일과업을 완수하기 위해서는 우리와 주변국들과의 관계도 중요하지만 주변국들 상호 간의 관계도 중요한 변수로 작용할 것이다. 통일과업 추진기간 동안에 주변국들이 대립보다는 상호 협력과 의존적인 관계로 되어 있어야 하는데, 특히, 미·중 간의 관계가 중요하다. 미·중이 극한 대립 관계에 놓여 있고, 아시아 지역의 패권을 차지하려는 일본이 미국을 전략적 동지로 삼아 개입한다면 아시아는 매우 불안정한 상황이 될 것이며, 이 경우 통일은 한층 어려워질 것이다. 이러한 경우에 한반도는 주변국의 이해관계가 충돌하는 지역으로 변모되고, 통일한국이 일방향으로 밀착되는 것을 우려하는 주변국의 이해관계로 한반도의 통일은 더욱 어려움에 처하게 될 것이다.[55] 설령 남북한 당사자가 주변국의 간섭을 배제한 상태에서 자주적으로 통일을 이룩해 낸다고 하더라도 불안정한 아시아의 역학구도 속에서는 통일한국의 안정성도 저해될 가능성이 높을 것으로 판단된다.

나. 대량살상무기 통제 관련 국제 규범 준수

국제사회, 특히 주변국들이 우려하고 있는 것은 통일한국이 국제사회의 일원으로서 국제 규범을 준수할 것인지의 문제이다. 남북한이 통일되기 위해서는 무엇보다 우리 내부의 의지가 중요하지만 이것 못지않게 국제사회와 주변국의 협조와 지지 또한 필요하다. 이를 위해 가장 먼저 해야 할 일은 통일한국은 국제사회의 규범을 준수하고 이를 이행하며 선도할 수 있는 국가가 될 것이라는 생각이 들도록 해야 한다. 통일한국의 한 부분이 될 북한이 세계에서 그 어느 나라도 하지 않고 있는 국제 규범을 벗어난 행태를 서슴없이 하고 있는 것은 통일한국에 대한 이미지에도 결코 좋지 않은 영향을 미칠 것이다. 현재 북한이 보여주고 있는 도발적 행태를 통일한국도 이어받을 수 있을 것이라는 의구심이 가시지 않는 한 국제사회는 통일을 위한 지지와 지원을 하지 않을 것이라는 점은 명확하다. 통일 후에도 한반도에 북한과 같이 국제적 망나니가 될 수 있는 국가가 들어서게 될 것이라고 판

55) 강광식, 『통일한국의 체제 구상』, 53쪽.

단한다면 어느 나라가 통일을 지지하겠는가? 따라서 통일 전 남북한
은 현재 국제사회가 만들어 놓은 규범을 준수하고 역내 평화와 안정
에 기여하도록 해야 한다. 도발적 행위를 중지하고 평화를 지향하는
국가가 될 것이라는 인식과 이에 대한 공감대가 형성되도록 해야 한
다.

이러한 측면에서 특히, WMD 관련 협정과 조약을 준수하고 이행하
는 노력이 필요하다. WMD를 규제하는 국제 메커니즘은 국제조약과
이의 이행을 통제·감독하는 기구로 구분된다.[56] 국제조약에 의한 규
제는 핵비확산조약(NPT), 화학무기금지협약(CWC), 생물무기금지협약
(BWC) 등과 같은 다자조약과 과거 미·소 간 화학무기 금지협정 등의
양자조약, 그리고 일정 지역중심의 단위지역협약 등이 있다. 국제기
구에 의한 규제는 국제원자력기구(IAEA), 화학무기금지기구(OPCW)와
같은 범세계적 기구와 유럽을 중심으로 한 유럽원자력공동체
(EURATOM)와 같은 지역협력기구 등이 있다. 현재 남북한이 이러한
협정과 조약, 기구에 가입하고 있는 현황은 다음 〈표 4〉에서 보는 바
와 같다.[57]

우리나라는 〈표 4〉에서 나타나는 바와 같이 대부분의 WMD 통제
관련 기구와 조약에 가입되어 있으나, 북한은 현재 통제기능이 구체
화되어 있지 않은 생물무기금지협약에만 가입되어 있다. 즉, 조약의
이행을 강제할 수 있는 핵과 화학무기 관련 조약과 협약에는 가입하
지 않고 있어 북한의 WMD는 국제통제체제에서 벗어나 있는 상태이
다. 북한은 IAEA에는 1974년도에, NPT에는 1985년도에 각각 가입했다.

56) 김경수, 『국제 대량살상무기 규제체계 연구』(서울: 한국국방연구원, 1995), 19쪽.
57) 권양주·박영택·함형필·김환청, 『남북한 군사통합 시 대량살상무기 처리방안
연구』(서울: 한국국방연구원, 2008), 41~42쪽.

표 4. 남북한 WMD 관련 주요 국제통제체제 가입 현황

구 분		남북한 가입 여부	
		한 국	북 한
핵 관련 통제체제	IAEA	○	× (1994년 탈퇴)
	NPT	○	× (2003년 탈퇴)
	CTBTO	○	×
화학무기 관련 통제체제	OPCW	○	×
	CWC	○	×
생물무기금지협약(BWC)		○	○
미사일기술통제체제(MTCR)		○	×

* CTBTO: 포괄적 핵실험금지조약기구

그 후 탈퇴와 가입을 반복하다가 2002년 10월 제임스 켈리 미 특사의 방북으로 제2차 핵 위기가 시작되었다. 미국은 동년 12월 연간 50만 톤의 중유 공급을 중단했는데, 이에 반발한 북한은 이듬해인 2003년 1월 10일 NPT 탈퇴를 선언하고 IAEA 안전조치협정도 탈퇴해 버리고 말았다. 1994년 맺은 제네바 합의가 완전히 파기되고 현재까지 이르고 있는 것이다.

한편, 북한이 유일하게 가입하고 있는 생물무기금지협약은 당사국이 협약을 이행하고 있는지를 확인할 수 있는 검증체제를 구비하지 못하고 있어 북한에 대해서도 어떠한 조치도 할 수 없는 상태이다. 결론적으로 북한은 협약이나 조약의 이행실태를 확인할 수 있는 핵, 화학무기 통제체제에는 가입되어 있지 않고 생물무기는 검증체제가 구비되어 있지 않아 국제사회가 통제를 할 수 없는 상태에 있다. 더구나 북한은 스리랑카의 타밀 타이거즈, 레바논의 헤즈볼라, 소말리아의 알 샤바브, 이란 혁명수비대(IRGC), 알카에다 등 전 세계의 무장조직과 테러단체에 무기를 공급하고 있는 것으로 알려지고 있다.[58] 따라

서 2008년 10월 미국의 테러지원국 명단에서 삭제된 북한에 대해 다시 테러지원국으로 재지정해야 한다는 목소리가 힘을 얻고 있다. 이러한 북한의 행동과 의혹은 평화적인 통일에 장애요인으로 작용할 것이다. 통일한국이 대규모의 재래식 무기에 추가하여 핵무기 등 WMD를 보유하려고 한다면 주변국으로부터 통일을 위한 협조와 지원을 받아내기는 어렵고, 통일된 이후에 주변국의 군비경쟁과 일본의 핵무기 개발을 촉진시켜 결국 큰 부담을 스스로 초래하고 말 것이다.

남북한이 통일을 본격적으로 추진하고 동력을 받기 위해서는 국제사회의 지지와 지원이 필요한데, 이를 위한 전제는 WMD를 제거하고 국제 규범을 따라야 한다. 이런 측면에서 남북한이 통일과정에 들어가기 전에 북한이 WMD 통제체제에 가입하고 의무를 성실히 수행하는 노력과 행동화가 필요하다. 그러나 현재 북한이 보유하고 있는 핵과 화생무기 등의 WMD를 통일 직전까지 유지하려고 하는 경우에 우리는 통일한국이 이를 어떻게 관리하고 처리할 것인지에 대해서 분명한 입장을 표명할 필요가 있다. 이러한 의지를 통해 통일지원세력을 확충해 가야 할 것이다.

WMD 중에서 국제사회가 가장 관심을 갖고 있는 것은 핵무기다. 북한이 비핵화를 결정하게 되면 다른 무기들은 협의를 거쳐 자연스럽게 비군사화 쪽으로 가닥을 잡아 갈 것이기 때문이다. 그렇다면 북한의 비핵화 의지가 어떠한지가 관건이다. 김정일은 사망하기 전인 2011년 10월 8일 "핵과 장거리 미싸일(미사일), 생화학무기를 끊임없

---

58) 미 텍사스 주 안젤로 주립대 브루스 벡톨 교수는 2013년 5월 29일 워싱턴 DC 소재 헤리티지 재단에서 열린 세미나에서 이 같은 주장을 했다. 그리고 "북한은 시리아에 대해 화학무기 시설, SCUD 미사일 등 많은 무기를 지원했고 지금도 진행 중"이라고 덧붙였다. 『문화일보』, 2013년 5월 30일.

이 발전시키고 충분히 보유하는 것이 조선(한)반도의 평화를 유지하는 길임을 명심하라"며 개발을 늦추거나 조금도 방심해서는 안 된다고 강조했다. 그리고 김정일 사후 일부가 공개된 유서를 통해서는 '합법적인 핵보유국으로 인정받고 경제 발전을 위한 대외적 조건을 마련해야 한다'고 했던 것으로 나타나고 있다. 이를 받들어 2012년 4월 13일 헌법을 개정하여 핵보유국임을 명시하고, 2013년 신년 공동사설을 통해서는 핵 무력과 경제 병진 노선을 채택했다. 그리고 2013년 2월 12일 제3차 핵실험을 전격 단행하여 국제사회를 경악케 했다.

결국 북한은 핵능력을 이용하여 최대한 체제와 정권을 유지하는 정책을 추진하려 하고 있고, 비록 비핵화를 결정하더라도 그 추진 과정은 그리 순탄치 않을 것임을 짐작케 한다. 북한은 비핵화 조건으로 미국의 대북 적대시 정책 포기와 정권 인정 및 보장, 북·미 평화협정 체결, 유엔사 해체 및 주한 미군 철수[59] 등 미국이 쉽게 받아들일 수 없는 주장을 한 바 있고, 향후에도 이러한 요구와 정책을 지속적으로 추진하려 할 것이다. 이는 중국의 이익과도 맞아 떨어지는 측면이 있으므로 중국으로서는 무조건 북한을 제어하는 방향으로만 나가지는 않을 것이다.

....

[59] 북한의 주한 미군 철수 주장은 1954년 6월 한국의 통일문제를 논의하기 위한 제네바 회의에서 처음으로 제기되었다. 당시 북한의 외무상 남일은 연설을 통해 한반도 내의 모든 외국군은 철수해야 한다고 주장하며 미군 철수를 요구했다. 그리고 북한은 중국에 북한 주둔 중공군을 철수해 달라고 요청했고 1958년 2월 20일 철수에 합의(중국이 동의)했다. 이에 따라서 중공군 철수는 1958년 4월 30일부터 개시되어 그해 연말까지 완료되었다. 주한 미군 철수 주장은 1971년 4월 12일 데탕트 초기 단계에서 다시 제기되었고, 1980년 10월 10일 '고려민주공화국 창립방안'을 발표하면서 되풀이되었다. 그리고 1990년 5월 31일 중앙인민회의·최고인민회의·정무원 연합회의에서 '조선반도의 평화를 위한 군축제안' 10개항을 선택했는데 여기에서도 주장했다. 이 후에도 주한 미군 철수 주장은 수도 없이 반복되었다.

　북한의 경제상황은 김정일 말기부터 악화 일로에 있지만, 김정은 정권의 행태를 통해서 보면 개혁과 개방을 통해 경제회생을 추구하거나 비핵화 방향으로 급격히 전환할 가능성은 없어 보인다. 그러나 김정은 정권은 안정을 위해서는 반드시 주민들의 먹고사는 문제를 해결해야 하므로 김정일의 유훈대로 핵보유정책을 계속 밀고 나가기 위해서는 많은 난관들을 극복해야 하는데 쉽지 않은 실정이다. 북한이 대내외 정책을 결정하는 데 있어 핵심 이슈(issue)는 비핵화, 개혁·개방, 경제회생, 김정은 정권 확립 문제 등이고 이들은 서로 맞물려 돌아가게 되어 있다. 김정은 체제의 안정성 여부는 경제회생에 달려 있고, 자력갱생의 기반을 상실한 지금 경제회생의 관건은 개혁·개방과 직결되어 있다고 할 수 있다. 개혁·개방이 효과를 내기 위해서는 비핵화가 이루어져야 하는 순환의 고리가 형성되어 있는 상황이다. 비핵화 과정을 밟지 않으면 북한이 개혁·개방을 선언한다고 해도 외부로부터의 투자나 지원은 기대할 수 없게 되어 있다. 따라서 김정은 정권의 안정과 경제회생은 비핵화 여부에 달려 있다고 할 수 있다.

　그럼에도 김정은 정권은 김정일 시대와 같이 경제회생 노력을 핵보유를 전제로 하고 있는 것으로 평가된다. 김정은 정권이 핵보유정책을 지속하겠다는 의미는 결국 경제회생을 할 수 없게 되는 것을 의미하므로 북한의 미래는 매우 불투명하다. 김정은 정권이 개혁·개방 정책을 체제와 정권을 유지하는 데 위해 요인이 될 것으로 보고 폐쇄정책을 지속한다면, 그만큼 김정은 정권의 취약성이 심화될 것이라는 점은 명약관화하다. 김정은 정권은 작은 변화를 통해서 경제문제를 해결하고자 하고 있는데, 그 일환으로 2012년 6·28조치를 내놓은 바 있다. 6·28조치는 내부적으로 경제문제를 해결하기 위해 일부 자본주의 요소를 도입한 2002년 7·1경제관리개선 조치의 연장선으로 평가

되고 있다. 결국 김정은 정권의 핵정책 전환 여부는 경제회생에 대한 의지에 따라 결정될 것이다. 주민들의 고통을 외면한 채 방치해 둔다면 주민들은 크게 동요할 것이고 민심이 흉흉해져 정치에 큰 부담으로 작용하게 될 것이다. 이는 김정은 정권의 안정에도 악영향을 미치고 악순환의 고리를 만들게 될 것이다.

북한에게 가장 중요한 먹고 사는 문제를 해결하는 첩경은 주변국과 관계개선을 통해 외부로부터 지원을 얻어내는 것이다. 그런데 외부로부터의 지원은 북한이 비핵화정책으로 전환하지 않는 한 한계가 있다. 따라서 김정은 정권이 안정을 위해서는 경제회생이 반드시 이루어져야 한다고 판단한다면 개혁 · 개방의 가능성은 있고, 이를 위해서는 비핵화 논의가 불가피하다. 북한의 비핵화 문제는 제1의 후원국인 중국도 적극적인 자세를 취하고 있다. 따라서 북한당국이 경제회생을 위해 개혁 · 개방하는 방향으로 가닥을 잡게 된다면 이의 성공을 위해 핵문제도 전향적으로 접근할 가능성을 배제할 수 없을 것이다.

한편, 북한의 비핵화 여부도 중요하지만 향후에 WMD를 질적 · 양적으로 팽창시키려고 하거나 보유하고 있는 WMD를 잘 통제할 수 있을 것인지도 중요한 문제다. 북한은 대북 "적대시 정책이 계속되는 한 핵 억제력은 순간도 멈춤 없이 확대 강화될 것"이며 "자위적 견지에서 대응조치들을 취하지 않을 수 없게 될 것"[60]이라고 강조하고 있는데, 이는 필요하다면 추가적인 핵무기 시험이나 도발적 행태를 지속할 것임을 시사한 것으로 이해된다. 그리고 이미 충분한 능력을 가지고 있는 화 · 생무기를 이용해 평시 테러행위를 할 가능성도 배제할 수 없다.

아울러 김정은 정권의 WMD 통제능력도 정권의 안정과 직결된 문

---

[60] 『연합뉴스』, 2012년 6월 12일.

제로 세계의 이목이 집중되고 있다. 북한의 WMD는 김정일 시대에는 김정일의 직접적인 완전한 통제하에 있었다. 김정일은 WMD 사용 권한을 군에 위임하지 않고 본인이 당을 통해 직접 관장했다. 김정일 사후에 이러한 통제체제에 변화가능성이 있는지가 문제이다. 김정은 시대에 WMD 통제 문제는 평시와 급변사태 시로 나누어 볼 수 있다. WMD 누출은 민간인에 의해 피탈될 가능성은 거의 희박하고 군부 일부 세력에게 넘어갈 가능성에 무게를 두어 살펴보는 것이 의미가 있을 것이다.

현재 김정은을 중심으로 한 북한의 위정자들은 공동운명체적 인식을 하고 있어 큰 흔들림이 없이 작동되고 있는 것으로 보인다. 김정은이 비록 유일 지배력을 확보하지 못했다고 하더라도 당에 의한 군의 지배체제나 지배력에는 문제가 없을 것으로 보인다. 따라서 김정일 시대의 WMD 통제체제가 현재도 그대로 유지되고 있고 권한이 군에 위임될 가능성은 매우 희박해 보인다. 비록 군이 투발수단을 보유하고 있더라도 당의 승인 없이 WMD에 접근하기는 쉽지 않다. 이와 같이 김정일 사후 북한 내부 정세가 비교적 안정적이라는 점을 감안하면 평시 WMD 통제 및 관리 면에서 큰 문제가 없는 것으로 보는 것이 타당할 것이다.

구소련 붕괴 후 WMD가 전 세계적으로 확산된 경우를 들어 우려하는 목소리가 있지만, 북한 내 상황은 이때와는 사뭇 다르다고 할 수 있겠다. 문제는 급변사태가 발생할 경우에도 WMD가 제대로 통제될 것인지의 여부이다. 북한은 경제·식량난 속에서도 국제사회의 제재를 감수하면서까지 핵과 미사일 능력을 지속적으로 향상시키려 하고 있다. 북한의 핵정책만을 놓고 보면, 남북한이 합의하여 평화적으로 통일을 달성할 가능성은 점차 감소하고 있다고 보아야 할 것이다. 결국 남북한 통일은 북한이 급변사태로 붕괴되거나 전쟁을 도발한 북한이 패하여 전격적으로 통일되는 상황이 더 가능성이 높다 하겠다.

북한에서 급변사태가 발생하는 경우에 가장 우려되는 것은 다량의 WMD 관리와 군부 강경분자들의 오판에 의한 무모한 전쟁도발, 대량 난민발생, 통제체제 이완으로 인한 아사자 속출 등이 될 것이다. WMD 확산 방지는 세계적 관심사로 국제통제기구들이 활동을 하고 있어 유사시 북한의 WMD를 관리하고 통제하는 데 있어서 우리가 주도적인 역할을 수행하기에는 여러 제약조건이 있는 것이 사실이다. 그럼에도 북한의 WMD가 유사시 군부 강경파들의 손에 들어가지 않도록 보다 더 적극적으로 국제기구와 협력하여 조기에 통제가 이루어질 수 있도록 해야 하겠다.

북한에서 급변사태가 발생하는 경우에 WMD 통제의 관건은 평시의 WMD 생산 및 관리, 지휘체계가 작동될 것인지와 이러한 계선상의 인물들이 어떠한 생각을 견지하게 될 것이냐에 따라 크게 달라질 것이다. 북한에서 급변사태가 발생하게 되면 우리는 WMD의 안정적인 통제뿐만 아니라 WMD 처리과정을 통해 통일 분위기를 조성해 가야 할 것이다. 따라서 북한의 WMD 처리 문제는 통일한국의 중요한 과제로 국제통제체제와 통일한국의 관심사항은 상호 중첩되기도 하고, 한편으로는 이해관계에 따라 충돌되는 분야인 바 북한에서 급변사태가 발생 시 WMD 처리 단계에서 고려해야 할 사항은 다음과 같이 요약된다. 첫째, WMD 관련 남북한 국제통제체제 가입 여부와 역할, 둘째, 국제기구의 입장, 통일한국의 국가/국방목표, 주변국과 기타 국제사회 요구 사항, 셋째, 북한의 WMD 처리에 필요한 예산(국제기구 지원 등 포함)과 기술의 확보 문제,[61] 넷째, 한국의 대내 정치문제와 WMD 정책 등이다.

북한 내에서 급변사태 발생 시 확산을 방지하는 첩경은 평시 WMD
에 대한 북한정권의 통제력이 급변사태 시에도 그대로 작동되는 상황
이 될 것이므로 평시 관리 및 지휘체계가 유지되도록 할 필요가 있다.
만약 기존의 관리 및 지휘체계가 붕괴되는 경우에는 그만큼 통제와
확산 방지는 어렵게 될 것이므로 이 경우에는 보다 더 신속한 개입과
적극적인 대책 마련이 필요하다. 가장 어렵고 조심스러운 결정은 개
입 시점을 판단하는 것이다. 북한 정권의 군 지휘체계가 무너지는 경
우에 중국과 러시아 등의 양해 없이 한국군 단독 또는 한·미연합군
이 북한지역으로 진입한다면 중국군의 진입가능성도 배제할 수 없으
므로 큰 충돌이 발생할 수 있다. 그리고 중국과 러시아의 양해가 있다
고 하더라도 한국군 단독 또는 한·미연합군이 북한지역으로 진입하
기 위해서는 진입축선을 담당하는 북한군과 사전에 합의가 필요하며,
합의가 이루어지지 않은 상태에서 진입은 무모한 도전이 되고 큰 위
협을 초래할 수도 있을 것이다. 국외로 반출되는 경우에 대비해서도
주변국들과 정보교환 및 지·해·공 반출 수단별로 대응체제를 구비
하고, 유사시 해상봉쇄 조치와 대량살상무기 확산방지구상(PSI) 가동
태세를 갖추고 있어야 하며, 이러한 사항들을 원활히 수행하기 위해
서는 주변 국가들과 사전 협조체제가 잘 구축되어 있어야 할 것이다.
　북한에서 급변사태 발생 시 이에 잘 대응하기 위해서는 관련국들
간에 정보를 수집·교환하고, 협력적 대응을 위해 6자회담 참여국을

---

61) 2013년 8월 시리아에서 사린가스가 사용돼 1,400명 이상이 학살되어 국제사회가
　제재에 들어가자 시리아는 CWC에 가입했다. 이로써 CWC 미가입국은 북한, 이
　집트, 앙골라, 남수단 등 4개만 남아 있다. 시리아가 보유하고 있는 화학작용제는
　약 1,000t으로 북한 보유량 2,500~5,000t보다는 적다. 그럼에도 시리아 정부는 비
　군사화 조치에 1년 이상이 걸리고, 경비도 10억 달러 이상이 소요될 것으로 보고
　있다. 『조선일보』, 2013년 9월 22일.

중심으로 행동화를 위한 세부계획이 수립되어야 한다. 그러나 중국은 이에 대한 필요성은 공감할 것이나, 북한과의 관계를 고려해 볼 때 사태가 발생하기도 전에 급변사태에 대비한 논의와 협의는 하지 않으려고 할 것이다. 따라서 한국과 미국이 주도하여 유사시 합의해야 할 사항을 작성하고 사태 발생 시 신속한 조치를 할 수 있도록 우리가 주도적으로 준비할 필요가 있다. 아울러 유사시 북한 측 인사와 접촉을 위한 평시 인적 네트워크 구축과 신변 확보 대책도 강구해야 한다.

북한에서 급변사태 발생 시 WMD 처리 절차는 경우에 따라 다르겠지만 다음과 같은 절차들을 준용하면 큰 무리는 없을 것이다.[62] ① 6자회담체제의 틀을 이용하는 등 UN 및 주변국들과 협의, ② 정보수집 및 북한 정권과 접촉·지원, ③ 북한지역 진입을 위한 기구 구성, 업무 분장과 지원 대책 강구, ④ 북한지역 진입 축선상의 부대와 사전 협의 및 합의, ⑤ WMD 확보 및 외부 세력 접근 차단 조치, ⑥ WMD별 상태조사 및 평가, 처리방안 결정, ⑦ WMD 수송 및 비군사화 조치 등이다.

북한이 보유하고 있는 WMD는 김정일 사후 정치적 동요가 크게 나타나지 않고 있다는 점을 감안할 때 당을 통해 잘 통제되고 있는 것으로 판단된다. 그러나 화학무기는 이미 전력화되어 분산 저장되고 있기 때문에 과거 6군단 반체제 모의와 같은 사건이 일어난다면 이들에게 탈취될 가능성도 완전히 배제할 수 없을 것이다. 그럼에도 WMD 중에서 전력화된 화학무기의 경우 피탈될 가능성은 여전히 남아 있다. 향후 주민들의 불평과 불만이 증폭되고 일부 지도층 인사들이 이에 동조하게 되면 불안정한 정세가 형성될 가능성은 충분히 있다. 과

---

62) 권양주, 「김정은 시대 북한의 WMD 정책 변화 및 확산 전망」, 『군사논단』 통권 제72호(서울: 한국군사학회, 2012), 60~64쪽.

거와 같이 쿠데타나 반정권 기도 세력이 형성되면 이미 전력화되어 여러 시설에 분산 보관되고 있는 화학무기 일부가 이들의 손에 들어갈 가능성도 있다고 보고 대비책을 강구해야 한다. 만약 탈취된다면 북한 내부 정세는 걷잡을 수 없이 악화될 가능성이 있고, 한반도에는 그 어느 때보다도 심각한 긴장상황이 조성될 것이다.

다. 남북한 변화와 여건 형성

먼저 북한 체제가 전환되어야 한다. 제1장에서 살펴보았듯이 북한이 현재의 체제를 유지하는 한 남북한이 평화적이고 절차를 밟아 점진적으로 통일할 가능성은 낮아진다. 체제 전환을 위해서는 정치, 경제, 사회 등 다양한 분야에서 논의가 필요하나, 통일 이전에 북한체제를 남한의 자본주의 체제로 완전히 바꾸는 것은 어려울 것이다. 북한은 조선로동당에 의한 국가지배를 헌법에 명시하고 있다.[63] 조선로동당 외에 천도교청우당, 조선사회민주당이 존재하고 있지만 이들은 모두 조선로동당의 위성 정당으로 민주주의 국가에서의 일반 정당과 같은 활동은 제한을 받고 있다. 이와 같이 되어 있는 일당 지배체제를 통일 전에 바꾼다는 것은 북한체제에 대한 근본적인 부인을 뜻하며 이는 곧 정권의 붕괴로 이어질 가능성이 있기 때문이다.

따라서 실현 가능성이 적은 정치체제를 바꾸는 문제는 차치하고서라도 경제체제의 일부라도 바꾸어 통일 시 주민들의 충격을 완화하고

---

[63] 북한헌법은 서문에서 "조선민주주의인민공화국과 조선인민은 조선로동당의 령도 밑에 위대한 수령 김일성동지를 공화국의 영원한 주석으로 높이 모시며 김일성동지의 사상과 업적을 옹호고수하고 계승 발전시켜 주체혁명위업을 끝까지 완성하여 나갈것이다"라고 명시하고 있고, 제11조에는 "조선민주주의인민공화국은 조선로동당의 령도 밑에 모든 활동을 진행한다"고 되어 있다.

조기에 적응할 수 있도록 해야 할 것이다. 바람직한 대안으로는 중국
과 같이 사회주의 체제를 유지하면서도 경제분야는 자본주의 국가와
같이 사유화를 인정하고 시장기능을 접목하는 것이다. 시장 기능이
제대로 작동하기 위해서는 거주와 이동의 자유가 보장되어야 한다.
그리고 외국과의 교역도 보장되어 북한 주민 스스로 판매할 수 있는
물품을 만들고 이를 처분하여 재화를 벌어들이는 활동들이 원활하게
이루어져야 할 것이다. 이렇게 되면 북한 주민들은 사유재산 제도에
대한 이해와 자본주의 시스템 작동 원리를 어느 정도 터득하게 될 것
이다.

　둘째, 남북한 적대시 정책 중지와 군축을 실현해야 한다. 주변국은
통일한국의 군사대국화 가능성에 대해 우려를 하고 있으므로 현재와
같은 대규모의 군을 유지하면서 평화적으로 통일과업을 수행하기는
어려울 것이다. 통일과정에서는 통일 초기에 안정성을 확보하는 것이
관건이며 안정성 확보 여부는 주로 북한군을 어떻게 관리하느냐에 달
려 있다고 해도 과언이 아니다. 따라서 주변국에게 남북한이 분단된
상황하에서 조성되고 있는 불안정 요인보다는 통일한국의 상황이 더
안정적이며 덜 위협적이라는 점을 인식시켜야 한다. 아울러 통일 초기
대규모의 군을 관리해야 하는 업무의 부담을 경감시킬 필요가 있다.

　남북한은 7·4남북공동성명을 통해 "쌍방은 남북 사이의 긴장상태
를 완화하고 신뢰의 분위기를 조성하기 위하여 서로 상대방을 중상
비방하지 않으며 크고 작은 것을 막론하고 무장도발을 하지 않으며
불의의 군사적 충돌사건을 방지하기 위한 적극적인 조치를 취하기로
합의"하였다. 그리고 남북기본합의서에서 이를 재확인하고 세부화했
다. 남북은 상대방에 대하여 무력을 사용하지 않고 상대방을 무력으
로 침략하지 않기로 했으며, 의견 대립과 분쟁을 대화와 협상을 통해

평화적으로 해결하기로 했다. 그리고 근본적으로 무력충돌을 방지하기 위해 불가침 경계선과 구역을 1953년 7월 27일 맺은 군사정전에 관한 협정에 규정된 군사분계선과 지금까지 쌍방이 관할하여 온 구역으로 정하였다. 이러한 합의대로 도발을 중지하고 비방하지 않는 노력과 행동이 필요한 것이다.

이와 더불어 군축을 실현할 필요가 있는데 북한의 상비군은 현재 119만 명으로 나타나고 있으나 호위사령부 등 준 군사부대 40~45만여 명을 포함하면 160만 명 이상이다. 여기에 우리 군이 현재 63만 9천여 명인데 국방개혁계획대로 52만여 명 수준으로 감축이 된다고 하더라도 남북한을 통합한 군 규모는 최소한 210만 명을 상회한다. 이렇게 대규모의 군이 통일 직전까지 대치하게 된다면 좀처럼 긴장상황은 가시지 않을 것이다. 이는 평화적인 통일 논의를 저해하는 가장 중요한 요인이 될 것이고 특히 북한에서 군의 위상을 고려 시 결코 극복하기 쉽지 않은 거대한 장벽이 될 것이다. 따라서 통일과업이 시작되기 전까지는 남북한이 최소한 동등한 규모로까지는 병력 감축이 이루어져야 한다.

북한은 1990년 5월 31일 중앙인민회의·최고인민회의·정무원 연합회의에서 '조선반도의 평화를 위한 군축제안' 10개항을 선택했다.[64] 10개항은 남북 간 신뢰조성 관련 3개항, 무력감축 관련 3개항, 외국무력철수 관련 2개항, 그리고 군축과 그 이후의 평화보장 관련 2개항으로 구성되어 있다. 제 ④항에서 남북은 쌍방 간 군축 안에 합의하고, 3~4년간 3단계로 나누어 1단계는 쌍방 각각 30만 명 선, 2단계는 각

---

[64] 중앙인민회의·최고인민회의·정무원 연합회의, 「조선반도에서 긴장상태를 완화하고 조국통일을 위한 평화적 환경을 마련할 데 대하여 : 조선반도의 평화를 위한 군축제안(1990. 5 .31.)」, 『로동신문』, 1990년 6월 2일.

각 20만 명 선, 3단계 종료 시는 각각 10만 명 이하로 감축하고, 단계별 병력 감축에 상응하게 군사장비 축소·폐기, 모든 민간 군사조직과 민간무력을 정규무력 감축 1단계에서 해체하자고 주장했다. 이러한 북한의 감축 주장을 당장 받아들이기는 진정성에 의문이 가고, 또한 이행하는 데에는 쉽지 않은 결정과 절차가 필요하다. 그러나 여기에 함의된 뜻은 북한도 병력 감축을 주장하고 있다는 점에서 병력 감축 협상의 문호는 열려 있는 것으로 봐도 되고, 동수로의 감축도 받아들일 수 있다는 입장으로 이해된다. 군축 협상의 여지는 있다고 해야 할 것이다.

남북한이 진정으로 군축협상에 들어가기를 원한다면 먼저 통일한 국군의 적정 규모는 얼마나 되어야 하는지에 대한 합의가 이루어져야 한다. 그리고 어떠한 단계를 거쳐서 감축이 이루어져야 하며, 통일 전까지 각각 어느 정도의 전력을 유지할 것인지에 대한 논의와 협의가 이루어져야 한다. 개략적인 군축 방향은 북한이 주장하는 바와 같이 동수로 줄이되, 단계적으로 어느 규모로 줄여갈지에 대해서는 협상 시점에서 결정이 필요할 것이다. 그리고 군축 협상 시에는 WMD의 처리문제가 반드시 포함되어야 한다. 재래식 군축에 앞서 북한이 보유하고 있는 WMD의 처리를 추진해야 하므로 이에 대한 논의와 결정이 실제 군축으로 가는 전환점이 될 것이다.

셋째, 남북한이 대외 정책에 대해 조율을 하고 한 목소리를 낼 수 있는 체제를 만들고 이행해야 한다. 정치 분야를 제외하더라도 남북한이 협의하고 동참할 수 있는 세계의 관심분야는 다양하다. 인권문제, 환경문제, 자원개발문제 등을 들 수 있는데 이러한 활동 시에는 필요하다면 우리가 재정지원을 하고 북한이 동참하도록 함으로써 공감대를 점차 넓혀가는 노력이 필요하다. 그리고 과거에 몇 번 경험한 바와 같이 각종 스포츠 대회에 한 팀으로 참여하여 한민족, 한 국가임을 세계에 천명하는 것이다. 이러한 활동들은 남북한 간 벽을 제거하는 데 기여할 뿐만 아니라, 남북한 통일의 당위성에 대한 공감대를 이루어 국제사회나 주변국들로부터의 통일저항 의지를 약화시키는 데도 효과를 기대할 수 있을 것이다.

넷째, 대외 정책에 보조를 맞춤과 동시에 무엇보다 남북한 간 교류와 협력을 증진하는 것이다. 쉬운 것부터 어려운 과제로 들어가는 방향으로 추진하게 되면 이해의 폭이 넓어지고 통일의 저변이 확대될 것이다. 정부, 사회단체, 주민 간 실질적인 교류와 협력이 다방면에서 필요한데 예를 들면 역사자료를 공유하고 같이 정리 · 집필하며, 문화유산에 대한 공동 개발, 6 · 25전사자 발굴 및 처리, 남북한 각종 스포츠 교류와 대회 개최 등을 들 수 있겠다. 평화적으로 통일을 하기 위해서는 정부 차원에서의 결단과 노력도 중요하지만 주민들 간에 이질화를 극복하고 이해하는 폭을 넓히는 것 또한 중요하다. 동 · 서독이 통일 전까지 1천만 명 이상의 인적 교류65)가 이루어졌다는 점은 우리에게 시사하는 바가 크다. 교류와 협력 없이 바로 통일로 접어든다는 것은 어려운 일이고, 설령 통일이 된다고 해도 많은 어려움에 봉착하게 될 것이다.

끝으로 일관성 있는 대북 및 대남 정책을 통해 상호 간 신뢰를 증진해 가야 한다. 앞에서 살펴본 바와 같이 남북한은 합의를 해 놓고도

---

65) 동 · 서독 간 주민의 접촉은 현재의 남북한 상황과는 다르게 느슨한 상태였다. 그러다가 통일 1년 4개월 전인 1989년 6월 헝가리가 오스트리아 쪽 국경철조망을 제거하자 동독인의 서독으로 탈주가 본격화되었다. 그리고 9월에는 헝가리가 '동독 주민의 서독행 방지에 관한 협약'을 일방적으로 무효화시킨 후 탈주자 수 폭증했다. 탈주자 수는 한 달 만에 3만 명에 달했고 연말까지 그 수는 34만 5천여 명에 이르렀다.

제대로 이행을 하지 않아 상호 신뢰 수준은 상당히 낮은 것으로 평가된다. 평시 합의한 사항들을 제대로 이행한다고 하더라도 기 통일국가들의 사례를 볼 때 통일을 하는 과정에서 그때그때 상황에 따라 말바꾸기가 빈번히 이루어졌다. 남북한 통일과정에서도 이러한 일들이 일어날 가능성을 배제할 수 없는데 이를 최소화할 수 있도록 합의 사항에 대해서만큼은 그대로 이행하는 것을 철칙으로 받아들이도록 하는 체질화가 필요하다. 평시 상호 신뢰가 없으면 통일과 관련하여 합의를 한 사항에 대해서도 이행 여부를 놓고 반신반의하게 되고 이는 결국 통일과업의 추진력을 떨어뜨리는 결과를 초래하게 될 것이다. 따라서 평시부터 남북한이 합의한 사항에 대해서는 어떠한 경우에도 일방적으로 폐기하거나 바꾸지 못하도록 해야 한다.

그리고 근본적인 문제로 우리는 북한을 어떤 상태로 만들어 통일을 하는 것이 바람직한가에 대한 공감대 형성과 이에 맞는 정책이 수립되어야 한다. 아울러 비록 정권이 바뀌더라도 통일과 관련해 결정된 정책은 계속 추진될 수 있는 터전이 마련되어야 한다. 우리가 먼저 대북 정책들을 일관성 있게 꾸준히 추진함으로써 북한이 안심하고 신뢰할 수 있도록 하여 진정성 있는 자세로 통일협의에 임하고 합의된 사항에 대해서는 철저히 이행하도록 해야 하겠다.

제4장

남북한
통일 논의의
현주소

한반도 평화통일 프로세스

제1절 현 남북한 통일방안과 문제점

　현재 남북한은 헌법을 통해 통일의지를 분명히 하고 있다. 대한민국은 헌법에 영토 관련 규정을 명시하고 있는데 영토는 한반도와 그 부속도서로 한다고 하여 북한지역도 포함하고 있다. 북한은 2012년 4월 13일 개정한 헌법을 김일성-김정일 헌법이라고 칭하고 있는데 여기에도 통일의지는 분명히 언급되어 있다. 헌법 전문에서 김일성과 김정일을 "조국통일의 구성"이라고 칭하고, "통일을 민족지상의 과업으로 내세우시고 그 실현을 위하여 온갖 로고와 심혈을 다 바치시였다", "조국통일의 근본원칙과 방도를 제시하시고 조국통일운동을 전 민족적인 운동으로 발전시키시여 온 민족의 단합된 힘으로 조국통일 위업을 성취하기 위한 길을 열어 놓으시였다"라고 하고, 헌법 제9조에서는 "사상, 기술, 문화의 3대 혁명을 힘 있게 벌려 사회주의의 완전한 승리를 이룩하며 자주, 평화통일, 민족대단결의 원칙에서 조국통일을 실현하기 위하여 투쟁한다"고 명시하고 있다.

　이와 같이 남북한이 국가 최고의 통치 규범인 헌법에 남북한 통일을 당연시하고 있으나, 남북한이 통일에 대해 진지하게 논의한 적은 없었다고 해도 과언이 아니다. 정치가 통일을 위해 기능한 것이 아니라 오히려 통일문제가 정치적으로 이용당하는 하나의 남북한 간 접점의 빌미로 활용되었다고 할 수 있다. 남북한은 1980년대 말 이전까지는 흡수통일을 전제로 하여 통일정책을 추진해 왔으나, 현재는 외형 상으로는 상대방을 인정[66]하고 이를 바탕으로 합의에 의해서 통일을 이루는 방안을 각각 제의해 놓고 있다.

한국의 통일방안인 '한민족공동체 건설을 위한 3단계 통일방안', 즉 '민족공동체통일방안'은 자유민주주의 체제를 기본으로 자주, 평화, 민주의 3원칙을 견지하고, 통일은 화해·협력 단계, 남북연합 단계, 통일국가 완성단계 등 3단계를 거쳐 1국가, 1체제, 1정부 형태의 완전한 통일을 이루는 것이다. 한편, 북한이 주장하고 있는 '고려민주연방공화국 창립방안'은 기존의 연방제 통일방안을 보다 구체화하였으나 기본 골격은 연방제에 두고 통일국가가 되더라도 두 개의 체제를 그대로 유지하자는 것이다.

이와 같이 남북한은 각기 다른 통일방안을 제의해 놓고 서로의 의사를 수렴하기보다는 각각의 방안을 상대방에게 강요하는 전략으로 일관하여 왔다.[67] 따라서 남북한의 통일방안은 통일경로나 통일의 최종 형태에 대해서도 극명한 차이를 보이고 있다. 남북한 통일이 어느 한쪽이 다른 쪽을 강압적으로 흡수하는 방식이 아니라 우리 민족의 발전은 물론 이 지역의 평화와 번영을 위한 하나의 과정이어야 한다는 데에 대한 인식의 정립과 공감대 형성이 필요한 상황이다. 그러면 남북한이 제시하고 있는 공식적인 통일방안은 어떻게 되어 있고 문제점은 무엇이며, 이를 기반으로 한 통일 논의는 어떻게 진행되어 왔는지에 대해 살펴보고자 한다.

---

[66] 남한은 1989년 9월 11일 노태우 대통령이 한민족공동체통일방안을 제시하면서, 북한은 1980년 10월 10일 고려민주연방공화국 창립방안을 제시하면서 상대방을 각각 인정하게 되었다. 안병욱·정병준, 「남북한의 통일정책과 통일의 과제」, 『역사와 현실』 제16권(1995), 72쪽.

[67] 허문영·이정우, 『통일한국의 정치체제』, 152쪽.

1. 남한의 통일방안과 문제점

한국의 통일방안은 이승만 정권(1948～1960)의 「북진통일정책」, 윤보선 정권(1960～1961)의 「평화통일정책」, 박정희 정권(1961～1979)의 「선 건설 후 통일론」, 전두환 정권(1981～1987)의 「민족화합민주통일방안」을 거쳐 노태우 정권(1987～1992)의 「한민족공동체통일방안」, 그리고 김영삼 정권의 「민족공동체통일방안」으로 이어져 내려오고 있다. 각각의 통일방안은 그때그때의 정치, 경제, 군사 상황에 맞추어 제기되어 왔다. 통일을 통해 민족의 번영을 이룩한다는 대전제는 같았으나 일관성 측면에서는 미흡했다고 할 수 있다.[68]

70년대 이전까지는 북한에 비해 경제, 군사력 등의 면에서 열세를 면하지 못했기 때문에 통일문제에 적극적으로 나설 수 없었다. 따라서 통일을 적극 추진하기보다는 선 건설 후 통일을 지향하는 방향으로 추진되었다. 그러나 80년대 말부터 우리 경제규모가 커짐에 따라 통일에 대해 보다 더 적극성을 띠었으나 이때부터는 북한이 소극적으로 대응하여 실질적인 접점을 찾지 못했다. 과거에 제기된 주요한 통일방안은 다음과 같다.

가. 이승만 정권～전두환 정권의 통일방안

이승만 정권(1948～1960)의 「북진통일정책」은 대북 강경정책에 기인하는데, 북한을 흡수통일의 대상으로 보았다. 북한을 통일 논의의

---

68) 김혁, 「한반도 통일을 위한 대안적 이론체계의 모색 : 인식론과 방법론을 중심으로」, 『통일경제』 제27호(서울: 현대한국경제사회연구원, 1997), 84쪽.

주체 세력으로 보지 않고 오직 흡수통일만을 생각했다. 6·25전쟁이 발발하기 전까지는 유엔 감시하에 자유 총선거를 통해 평화적으로 북한을 남한에 편입시키고자 했다. 그러나 북한이 무력남침을 하게 되자 북진통일론을 폈으나, 휴전 협정으로 사실상 북진통일은 힘을 잃게 되었다. 이후에는 무력에 의한 북진통일론과 자유 총선거론이 병존했는데 반공체제를 굳건히 함으로써 반공통일 노선을 견지했다.

윤보선 정권(1960. 8.~1961. 3.)의 「평화통일정책」은 자유 총선거에 의해 평화적으로 통일을 달성하는 것이었다. 이는 무력에 의한 북진통일을 반대하는 국민과 미국의 압력 때문에 북진통일정책을 추진할 수 없게 되었기 때문에 나온 것이다. 그러나 집권기간이 짧아서인지 세부적인 통일방안이 제시되지는 않았다.

박정희 정권(1961~1979)은 반공을 제1의 국시로 내걸면서 「선 건설 후 통일」정책을 추진했다. 박정희 대통령은 통일문제는 뒤로 미루고 우선 경제건설에 매진하려고 했다. 따라서 통일 논의 자체가 활성화되지 못하고 통일방안에 대한 구체적인 안도 없었다. 정권 기간 중에 1972년 역사적인 7·4 남북공동성명의 발표와 남북 조절위원회 구성, 남북 적십자 회담 진행 등 북한과 대화가 이루어졌다. 그러나 통일에 대한 진정성은 적었고 남북 간의 대화는 양쪽 모두 체제강화를 위한 하나의 수단으로만 활용된 측면이 없지 않았다.[69]

---

[69] 박정희 정권은 1972년 비상계엄을 선포하고 국회 해산, 정당 및 정치활동 중지 등 이른 바 10월 유신을 단행했다. 그리고 유신체제하에서 동년 11월 21일 국민투표를 통해 헌법을 개정했다. 박정희 대통령은 헌법 개정 이유에 대해 '우리 민족의 지상과제인 조국의 평화적 통일을 뒷받침하기 위해 정치제제를 개혁'한다고 밝혔다. 한편, 북한에서는 동년 12월 27일 헌법이 개정되었는데 노동당의 우월지위를 명시하고 주체사상을 헌법에 명시하였으며 북한이 사회주의 국가임을 천명했다. 그리고 국가주석제를 도입하고 권한을 대폭 강화했다. 『NAVER 지식백과』(검색일: 2014. 6. 16.); 안병욱·정병준, 「남북한의 통일정책과 통일의 과제」,

남한은 1980년대에 들어서면서부터는 이전과 다르게 평화적으로 합의에 의한 통일방안을 제시하기 시작했다. 이러한 선상에서 전두환 정권(1981~1987)은 '선 평화 후 통일'을 원칙으로 하는「민족화합 민주통일방안」을 제기했다. 남북 대표로 가칭 '민족통일협의회의'를 구성하고, 여기에서 통일헌법 초안을 만들자고 제안했다. 그리고 통일 시까지 실천할 사항으로 '남북한 기본관계에 관한 잠정 협정'을 체결하자고 주장했는데 주요 내용은 다음과 같다. ① 통일국가가 수립될 때까지 호혜 평등의 원칙에 입각하여 관계를 유지해 나간다. ② 모든 형태의 무력 및 폭력의 사용 또는 위협을 완전히 지양하고 모든 문제를 상호 대화와 협상을 통해 평화적으로 해결한다. ③ 쌍방은 현존하는 상이한 정치 질서와 사회제도를 상호 인정하며 서로 상대방의 내부문제에 일체 간섭하지 아니 한다. ④ 긴장완화와 전쟁 방지를 위하여 현존 휴전체제를 유지하면서 군비경쟁의 지양과 군사적 대치 상태의 해소조치를 협의한다. ⑤ 분단으로 인한 민족의 고통과 불편을 해소하며 민족적 신뢰와 화합의 분위기를 조성하기 위해 상호 교류와 협력을 통하여 사회적 개방을 추진해 나간다. ⑥ 통일이 이루어질 때까지 사상·이념·제도의 차이에 구애됨이 없이 전 세계 모든 나라들과 각기 체결한 모든 쌍무적 및 다자간 국제조약과 협정을 존중하며 민족의 이익에 관한 문제에 있어서는 서로 협의한다. ⑦ 각료급 전권 대표를 임명하여 각기 서울과 평양에 상주 연락 대표부를 설치한다. 그러나 이 통일방안은 구성하게 될 '민족통일협의회의'에서 협의하여 결정하도록 했기 때문에 구체화되지도 않았고, 남북 당국자 간에 직접적인 논의보다는 비정치적 분야에서의 접근을 우선시하였다. 이에

『역사와 현실』 제16권(1995), 66쪽.

따라 국회회담, 체육회담, 경제회담, 적십자 회담 등 일련의 대화가
진행되었으나 일시적 행사들에 그치고 말았다.

나. 노태우 정권의 「한민족공동체통일방안」

노태우 정권(1987~1992)의 「한민족공동체통일방안」은 이전의 통일
방안들이 한국이 북한을 흡수하여 편입시키는 것을 기본으로 한 통일
방안이었던 반면, 북한을 동반자로 인식하고 남북한의 체제를 상호
인정하는 것을 전제로 하였다는 점에서 큰 차이점이 있다.[70] 자주·
평화·민주의 원칙하에서 통일은 남북화해와 협력을 바탕으로 남북
연합을 거쳐 단일 민족사회를 형성한 다음 통일된 민주공화국을 수립
하자는 것이었다. 점진적·단계적인 통일방안으로 특기할 만한 사항
은 이전의 통일방안들이 비정치적인 면에서 교류협력을 실시하여 정
치적인 분야까지 확산시켜 나가자는 기능주의적 접근을 하였던 반면,
이 방안은 정치·군사적인 문제까지도 동시에 논의하자는 신기능주
의적 접근을 하였다.[71] 노태우 대통령은 통일된 우리나라는 단일국가
여야 하며 이념과 체제가 다른 두개의 나라를 영속시키는 형태는 온
전한 통일이라 할 수 없을 것이라고 하여 1980년 10월 10일 북한이 제
의한 「고려민주련방공화국 창립방안」을 반박하였다.

그리고 통일과정을 제도화하기 위해 쌍방이 합의한 헌장에 따라 남
북이 연합하는 기구를 설치하자고 제안했다. 최고 결정기구로 '남북정

---

[70] 김계동, 『남북한 체제통합론』(서울: 명인문화사. 2006), 166~167쪽; 국토통일원,
『한민족공동체통일방안』(1989), 182~192쪽.
[71] 기능주의는 기능적 협력이 확대되면 정치적 통합은 자동적으로 이루어질 것이라고
보는 반면, 신기능주의는 기능적 협력과 정치적 협력을 분리할 수 없다고 보는
점에서 다르다. 김계동, 『남북한 체제통합론』, 28·167쪽.

상회담'을 두고 쌍방 정부대표로 구성된 '남북각료회의'와 남북국회의
원으로 구성되는 '남북평의회'를 설치하자고 했다. 이 기구들의 구성
과 역할들에 대해서도 구체적으로 제시했는데 다음과 같다. 남북각료
회의는 남북의 총리를 공동의장으로 하여 각각 10명 내외의 각료급
위원으로 구성하여 남북 간의 모든 현안과 민족문제를 협의·조정하
고, 이 기구 아래에 인도·정치·외교·경제·군사·사회·문화 분야
등의 상임위원회를 설치하여 협의·조정된 사항을 실행하도록 했다.
주요 현안은 남북 간에 정치적 대결상황 완화와 국제사회에서 민족
역량의 쓸모없는 낭비 방지, 과도한 군비경쟁 지양과 무력대치 상태
해소를 위한 군사적 신뢰구축과 군비통제 실현, 휴전협정체제의 평화
체제로 변경, 남북사회의 다각적인 교류·교역·협력 추진, 1천만 이
산가족의 재결합, 해외 동포의 권익과 민족적 이익 신장, 민족문화 창
달 등이었다. 여기에서 과도한 군비경쟁을 지양하고 군사적 신뢰구축
과 군비통제의 필요성을 제기한 것은 특기할만 하다.
 '남북평의회'는 100명 내외로 쌍방을 대표하는 동수의 남북 국회의
원으로 구성하여 통일헌법의 기초와 통일을 실현할 방법과 그 구체적
절차를 마련하고, 남북 각료회의의 자문에도 응하도록 했다. '남북평
의회'에서는 통일국가의 정치이념·국호·국가형태 등을 논의하고 대
내외 정책의 기본 방향이나 정부형태는 물론 국회 구성을 위한 총선
거 방법·시기·절차 등을 토의하여 합의하는 등 통일헌법의 기초를
마련하도록 했다. 남북이 각기 구상하는 통일헌법 초안을 '남북평의
회'에서 협의하여 합리적인 단일 안을 만들고, 통일헌법 초안이 마련
되면 민주적 방법과 절차를 거쳐 확정·공포하고 이 헌법이 정하는
바에 따라 총선거를 실시하여 통일국회와 통일정부를 구성하도록 했
다. 그리고 남북은 남북각료회의와 남북평의회의 업무를 지원하고 합

의사항 이행 등 실무를 위해 공동사무처를 두고 서울과 평양에 상주 연락대표를 파견하자고 제안했다.

이에 대해 북한은 사흘 후인 1989년 9월 14일 노동신문에 〈두 개 조선을 추구하는 제2의 분열방안〉이라는 제하의 논평을 내고 거부입 장을 분명히 했다. 북한은 이 방안은 '두 개의 조선 분열을 고착시키 고 대결과 분열을 끝없이 지속시키려는 방안'이라고 비난하였다. 또한 남북한이 신뢰를 구축하기 위해서는 먼저 주한 미군이 철수해야 하며 남북한이 통일을 이룩하려면 "현재의 두 제도를 그대로 인정하는 연 방제를 실시하는 것 외에 다른 길이 없다"고 강조함으로써 "고려민주 련방공화국 창립방안"의 정당성을 주장했다. 거부의 주된 이유로 제 도적인 측면에서 '남북연합'이라고 하는 중간 단계를 설정하고 있고, 실천 측면에서 합리성과 현실성이 결여되어 있다는 것 등을 들었다.

다. 김영삼 정권의 「민족공동체통일방안」

이후 김영삼 정권은 1994년 8월 15일 「한민족공동체통일방안」의 연 장선상에서 「한민족공동체 건설을 위한 3단계 통일방안 즉, 민족공동 체통일방안」[72]을 제기했다. 이 방안은 「한민족공동체통일방안」을 대 체하는 방안이라기보다는 단계를 설정하여 구체화한 것이다. 통일과 정은 '화해·협력 단계' ⇒ '남북연합 단계' ⇒ '통일국가 완성단계'의 3 단계로 설정되었다.[73] 제1단계인 '화해·협력 단계'는 남북이 적대와 불신, 대립관계를 청산하고, 상호 신뢰함으로써 실질적인 교류와 협

---

[72] 김영삼 정부의 통일방안은 최초 제기 시에는 『한민족공동체 건설을 위한 3단계 통일방안』이었으나, 이는 후에 『민족공동체통일방안』으로 명명되었다.

[73] 대통령비서실, 『김영삼 대통령 연설문집』 제2권(1994), 328쪽.

력을 통해 화해적 공존을 추구하는 단계이다. 실제 통일을 위한 사전 정지작업을 하는 과정으로 상호 간에 실체를 인정하고 존중하며, 동반자로서 신뢰를 구축하는 것이 주요 과제이다.

제2단계인 '남북연합 단계'는 남북이 연합하여 단일 민족공동체 형성을 지향하면서 궁극적으로 단일민족국가 건설을 목표로 남북 간의 공존을 제도화하는 중간과정이다. 남북한이 각각 독립적인 체제와 정부하에서 통일지향적인 협력관계를 유지하며 통합을 관리하는 단계이다. 민족동질성을 회복하고 평화체제를 구축하며 정치통합을 준비하는 과정인 것이다. 정치통합을 위해 남북 간의 합의에 따라 법적, 제도적 장치가 체계화되어 남북연합기구들을 창설하고 운영하게 된다. 남북 연합기구로는 최고 의사결정기구인 '남북 정상회의', 쌍방정부의 대표로 구성되는 '남북각료회의'와 남북의 의원들로 구성되는 '남북평의회' 등을 들 수 있다.[74] 따라서 제2단계인 '남북연합 단계'까지는 남북 연합기구들만을 창설하고 운영하게 되는 단계로 연합국가가 하나의 국가가 되는 것은 아니기 때문에 외교와 군사권은 이전과 같이 남북한 각각의 정부가 갖게 된다.

마지막 단계인 '통일국가완성 단계'는 '남북연합 단계'에서 구축된 민족공동의 생활권을 바탕으로 정치 공동체를 실현하여 두 체제를 완전히 통합하는 것으로서 1민족 1국가의 단일국가로 통일을 완성하는 단계이다. '남북평의회'에서 통일국가의 기본 장전인 '통일헌법'을 만들고, 이 헌법을 바탕으로 총선거를 실시하여 '통일정부'와 '통일국회'를 구성함으로써 평화통일을 완성하는 단계이다. 정치와 군사를 포함해 경제, 사회, 문화 등 전 영역에서 하나의 공동체를 형성하는 단계

---

74) 심지연, 『남북한 통일방안의 전개와 수렴』(서울: 돌베개, 2001), 404~405쪽.

이다. 따라서 이 단계는 남북한이 통합되어 하나의 국가가 되는 것이므로 외교와 군사권은 통일국가의 정부에 통합 귀속된다. 다만, 「민족공동체통일방안」의 세부적인 절차는 통일 헌법과 관련된 내용만을 제시하고 있으므로 과정과 절차가 구체화되지는 않았다.

라. 남한 통일방안의 문제점

현재 남한이 제기하고 있는 공식적인 통일방안은 통일정책의 목표[75]인 완전한 국토통일, 민족통일, 제도통일은 잘 설정되어 있으나 통일에 이르는 과정과 세부 절차는 구체적이지 못한 것으로 분석되고 있다. 「민족공동체통일방안」에서 제시된 '남북연합'은 국가연합이나 연방과는 다른 남북한 간의 특수 관계[76]를 고려해 제시된 과도적이고 특수한 결합 형태로 국가형태 면에서 그 성격이 매우 불분명하다는 지적을 받고 있다.[77] 남북연합은 1민족, 2체제의 결합 형태를 지향하고 있으므로 남북한이 특수 관계에 있다고 하지만 남북한을 상호 인정하는 기초 위에서 고려되고 있다.

남북연합을 국가연합형태로 단정하게 되면, 남북한이 잠정적 특수 관계가 아닌 한반도에 두 개의 국가가 엄연히 존재하고 있음을 천명하는 의미를 띠게 된다. 남북한이 비록 UN에 가입하여 국제법적으로는 2개의 국가로서 인정을 받고 있지만, 남북한은 특수 관계로 하나의 국가로 인식해 오고 있는데 이러한 기본 인식을 우리 스스로 와해시

---

[75] 김계동, 『남북한 체제통합론』, 157쪽.

[76] 남북한은 1992년 2월 19일 발효된 「남북 사이의 화해와 불가침 및 교류·협력에 관한 합의서」에서 "쌍방 사이의 관계가 나라와 나라 사이의 관계가 아닌 통일을 지향하는 과정에서 잠정적으로 형성되는 특수 관계라는 것을 인정"한다고 했다.

[77] 권영성, 「남북통합과 국가형태·국가체제 문제」, 46쪽.

키게 된다. 남북한이 UN에 가입할 당시에 북한은 줄곧 남북한이 각각 UN에 가입하는 것은 분단을 고착화시키는 일이라고 하면서 연방제가 형성된 이후에 하나의 국가로 가입해야 한다고 주장했다.

따라서 남북연합을 국가연합의 한 형태라고 했을 때는 북한의 우려가 현실화되게 되는 결과를 초래하게 된다. 그리고 남북한 스스로 각기 독립된 개별국가임을 천명하는 행위이기 때문에 주변국을 포함한 세계 각국이 남북한과 관계를 설정하는 데 있어 그동안은 다른 한쪽의 뜻을 살펴야 했으나 그럴 필요가 없게 될 것이다. 더욱이 문제가 되는 것은 북한에서 급변사태가 발생하거나 통일을 추진해야 할 경우에 우리나라도 주변국의 한 국가로서의 지위만을 인정받을 뿐 주도권을 행사하기는 어렵게 될 수도 있다는 점이다.

아울러 남북한이 평화적으로 통일을 하기 위해서는 먼저 경제활동이 유기적으로 이루어져야 하는데 북한이 남한보다는 주변국과의 유대를 강화해 이것 역시 분단을 장기화하거나 고착시키는 데 악용할 수도 있다. 남북한이 각각 독립된 나라가 되면, 북한이 중국 등으로 편입되거나 편향된다 해도 이에 대해 이의를 제기할 근거가 사라져 버리게 될 것이다. 따라서 남북연합을 국가연합이라고 지칭하는 것은 통일을 지향하는 하나의 과도 단계라고 명시하더라도 바람직하지 않다.

남북연합은 국가형태 중 연방제보다는 국가연합 쪽에 더 가깝다고 할 수 있고, 2체제를 인정하고 있다는 측면에서 통일국가라고 보기는 어렵다. 현재까지 단일국가가 자본주의와 사회주의의 양 체제를 병립한 예는 없었다. 비록 중국이 1국 양제를 표명하고 있으나 단일국가로서 특정지역에 대해 잠정적으로 자본주의를 인정하고 있는 것뿐이지 국가차원에서 자본주의와 사회주의를 동등하게 인정하고 있는 것은 아니다. 중국은 엄연히 사회주의 국가다. 남북연합은 유럽의 여러 국가들이 공동생활권을 형성하고 공동이익을 추구하면서 정치적 통합을 지향하고 있는 유럽공동체와 성격이 유사하다고 할 수 있다.

결국 남북연합 단계는 남북한이 서로를 인정하고 있으므로 일방이 타방을 일방적으로 어찌할 수 없는 동등한 관계에 있음을 의미한다. 따라서 남북연합이 형성된다고 해도 남한이 북한지역을 관할하여 관리할 수 없다. 통일과정의 중간 단계로서 설정된 남북연합 단계에서는 통일을 위한 기능을 제대로 수행하기가 어렵다는 뜻이며, 이 단계에서 북한지역은 여전히 독립된 체제로 작동될 수밖에 없다. 국가형태에서 논한 바와 같이 국가연합형태에 가까운 남북연합은 독립된 정치체제의 일시적 결합으로 남한이 북한지역을 관리할 수 없는 체제이다. 결국 남북연합이 형성되더라도 북한 정권이 남한이 의도하는 방향으로 통일을 지향하지 않는 한 특별한 방도가 없고, 자칫 잘못하면 남북연합 형태마저 붕괴될 가능성 또한 배제할 수 없다. 이러한 측면에서 '높은 단계의 연합제'를 주장하는 학자들도 있다.[78]

「민족공동체통일방안」에 따르면 남북연합의 다음 단계는 통일국가 완성단계인데 남북연합 단계가 통일국가 형태가 아니므로 곧바로 체제가 다른 두 국가를 어떠한 중간 단계도 거치지 않고 하나의 국가로 만든다는 것이다. 이는 교류도 잘 이루어지지 않고 있고 극렬하게 적대시 해왔던 남북한 간 분단체제를 고려 시 결코 이루어내기가 쉽지 않을 것이다. 따라서 하나의 체제로 통일된 국가를 형성하기 위해서는 완전한 통일국가로 넘어가기 전에 북한지역의 체제 전환을 위한 시간과 노력이 필요하다. 통일한국은 하나의 체제로 통일되어야 하므

---

[78] 이완범, 「남북 간의 정치적 통합문제에 관한 일 연구: '낮은 단계의 연방제'를 통해서 본 남북 통일방안의 상호침투와 수렴」, 『남북한 문화공동체의 지속과 변동』 (서울: 교육인적자원부, 2000), 458쪽.

로 북한지역의 사회주의 체제가 자본주의 시장경제체제로 전환되어
야 하는 과정이 요구된다.

이는 중앙정부에서 지침이 있고 이를 행하는 기구들이 있어야 가능
할 것이다. 이것은 결코 단순한 작업이 아니므로 북한 자체로 수행해
서 되는 것이 아니라 중앙정부에서 북한지역을 관리하는 지방정부나
특정 행정관리기구를 강력하게 통제할 수 있어야 가능한 사안이다.
따라서 이를 위해서는 국가형태 중에서 중간 단계로 통일국가 형태가
필요하다는 결론에 이르게 된다. 어떠한 국가형태가 필요할지에 대해
서는 다음 장에서 논하도록 하겠다.

2. 북한의 통일방안과 문제점

북한은 조선로동당 규약(이하 당규약)과 헌법에 명시한 바와 같이
최종 목표를 전 한반도를 사회주의 체제로 통일하는 데 두고,[79] 이를
위해 평화적 방법과 비평화적(무력) 방법을 모두 모색하고 있다. 평

─────────────

[79] 북한은 1980년 개정한 당규약에서 "당면목적은 공화국 북반부에서 사회주의의
완전한 승리를 이룩하여 전국적 범위에서 민족해방과 인민민주주의의 혁명과업
을 완수하는데 있으며 최종목적은 온 사회의 주체사상화와 공산주의사회를 건설
하는데 있다"고 되어 있었으나, 30년 만인 2010년 9월 28일 개정한 당규약에서는
"당면목적은 공화국 북반부에서 사회주의 강성대국을 건설하며 전국적 범위에서
민족해방민주주의 혁명의 과업을 수행하는데 있으며 최종목적은 온 사회를 주체
사상화하여 인민대중의 자주성을 완전히 실현하는데 있다"로 수정했다. 그리고
헌법 제9조에서 "조선민주주의인민공화국은 북반부에서 인민정권을 강화하고 사
상, 기술, 문화의 3대 혁명을 힘 있게 벌려 사회주의의 완전한 승리를 이룩하며
자주, 평화통일, 민족대단결의 원칙에서 조국통일을 실현하기 위하여 투쟁한다"
고 명시하고 있다. 곧 전 한반도를 사회주의 체제로 통일을 하기 위해 투쟁한다
는 것이다. 어떠한 경우에도 '전 한반도의 사회주의 체제로 통일'이라는 기본 목
표는 변함없이 추구되고 있는 것이다.

화·비평화적 통일을 위해 꾸준히 지속해온 것이 3대 혁명역량강화 전략이다. 3대 혁명역량강화는 전 한반도의 적화를 위해 북한의 혁명 기지화, 남한 내 혁명역량강화, 국제혁명역량강화로 구분되어 추진하고 있다. 북한지역을 경제·군사적으로 튼튼한 혁명기지화하여 어떠한 통일이든지 주도할 수 있도록 한다는 것이다. 그리고 남한 내에 북한을 지지하는 지하당을 만들어 대중을 포섭하고 여건이 조성되면 폭력에 의한 정부 타도를 위한 세력으로 동원한다는 것이다. 그리고 국제혁명역량강화는 외교활동을 통해 북한 지지 세력을 확대하는 한편, 한국을 국제적으로 고립시켜 북한 주도의 통일에 유리한 여건을 만든다는 것이다.

통일전략 중 평화적 방법은 남한에 용공세력을 지원하여 용공정권이 들어서게 한 다음 이 정권과 연정을 통해 통일을 하는 방안이다. 북한의 의도는 남한 내에서 주민들에 의한 혁명이 성취된 다음 이 혁명정부가 들어서게 되면 그 자체를 흡수하거나 연공 또는 용공 정권으로 교체·합작하여 통일을 하고자 하는 것이다. 협상을 위한 방법으로 제시된 것이 연방제에 의한 통일이다. 비평화적 방법은 무력을 사용해 반공정권을 타도하거나 남한지역을 점령하여 통일을 쟁취하는 것이다. 무력에 의한 통일을 위해서는 대남 우위의 군사력을 유지하고 한·미 연합체제를 해체하고 주한 미군을 한반도에서 철수시키는 데 목표를 두고 있다.

김일성은 생전에 분단 50년, 해방 50년이 되는 1995년을 통일의 원년으로 삼고 그전에 통일을 해야 한다고 주민들을 독려해 왔으나 그가 설정한 1년을 앞두고 세상을 떠났다. 김일성은 1994년 김영삼 대통령과 정상회담을 하기로 했는데, 통일문제를 진지하게 논의해 보고자한 측면도 없지 않았던 것으로 나타나고 있다. 북한은 남한과는 다르게 세습에 의한 정권이양이 이루어졌으며 유훈 통치를 기본으로 하고 있기 때문에 통일방안 그 자체에 근본적인 변화는 없다고 할 수 있다. 그러나 김정일은 흡수통일을 우려한 나머지 통일에 대한 의지를 보이지 않고 기피하려고만 해 반통일주의자로 평가되고 있다.

북한은 1960년 '남북 연방제'를 제안한 이후 그 뒤의 통일방안에서는 연방제에 의한 통일을 반세기 이상 변함없이 주장해 오고 있다. 그러나 연방제의 구체적인 내용은 주변 상황과 여건 그리고 대남관계 등을 고려하여 변화되어 왔다. 북한의 연방제는 초기에는 적극적 · 공세적이었으나, 점차 수세적 · 방어적으로 바뀌었다.[80] 북한의 통일방안은 크게 3가지로 구분해 볼 수 있다. 북한이 정권을 수립한 후부터 1960년대 중반까지는 '민주기지 노선에 입각한 총선거안과 무력 통일방안', 이후 80년대까지는 '지역혁명론에 입각한 총선거안과 연방제안' 그리고 현재의 「고려민주련방공화국 창립방안」이다.[81]

가. 80년 이전의 통일방안

먼저 '민주기지[82] 노선에 입각한 총선거안과 무력 통일방안'은 화전 양면 전술에서 나온 것으로 이승만 정권의 통일방안과 흡사하다. 평화적인 통일방안으로 총선거안을 제시했지만, 이 방안은 미군과 유엔 감시위원단이 철수한 후에 제 정당 · 사회단체의 대표로 구성되는 위원회의 지도하에 남북 총선거를 실시하자는 것이다. 그리고 한편으로

---

80) 조민, 『평화통일의 이상과 현실』(서울: 백산서당, 2004), 5~16쪽.
81) 권양주, 『남북한 군사통합 구상(증보판)』, 249~258쪽.
82) 공산주의는 혁명에 성공한 지역을 공고히 하여 이를 바탕으로 혁명을 전국적으로 이끌어 가는 방식으로 추진하고 있는데 민주기지란 혁명을 성공한 '책원지'를 의미한다.

는 무력에 의한 통일방안도 추진했다. 이러한 기조를 바탕으로 6·25 전쟁을 일으켰으나 통일이 성취되지 못하자 이후부터는 무력에 의한 통일방안은 은폐하고 외형상으로는 평화적인 통일방안만을 제안해 오고 있다.

'지역혁명론에 입각한 총선거안과 연방제안'은 1960년대에 들어서면서 세계 정치질서의 변화를 반영하여 나왔다. 동서 간에는 긴장이 완화되는 반면 중·소 분쟁이 심화되어 국제정세에 근본적인 변화가 있었다. 이와 더불어 남한 내에서는 1960년 4·19혁명 후 통일문제를 두고 다양한 목소리가 분출되고 있었다. 이러한 상황에서 김일성은 1960년 8월 14일 해방 15주년 기념 평양시 군중대회를 통해 남북연방제를 최초로 제기했다. 연방제를 제기한 배경에 대해 김일성은 남북한이 총선거를 통해 통일정부를 수립하는 것이 가장 이상적인 방식이지만 상호 간의 불신으로 당장 총선을 하기는 어려우므로 과도기적인 조치로 연방제를 제기하게 되었다고 했다. 연방제가 통일의 최종 국가형태가 아니라 완전한 통일을 이룰 때까지 과도적 단계로서 제기된 것이다.

연방제의 성격에 대해서는 "당분간 남북조선의 현재 정치제도를 그대로 두고 '조선민주주의인민공화국' 정부와 '대한민국' 정부의 독자적인 활동을 보존하면서 동시에 두 정부의 대표들로 구성되는 '최고민족위원회'를 조직하여 주로 남북조선의 경제·문화 발전을 통일적으로 조절하는 방법으로 실시하는 것"이라고 밝혔다.[83] 그리고 한반도의 긴장 상태를 완화하고 통일을 앞당기기 위해 '미군을 남조선에서 물러가게 하고 남북 조선의 군대를 각각 10만 또는 그 아래로 줄이자'

---

[83] 김일성, 『남조선혁명과 조국통일에 대하여』(평양: 조선로동당출판사, 1969), 214쪽.

고 주장했다. 만약 "남한 정부가 연방제까지도 아직 받아들일 수 없다면, 남북한 실업계 대표들로 구성되는 '경제위원회'라도 조직하여 물자를 교역하고 경제건설을 위해 서로 협조하고 원조하자"는 주장을 덧붙이기도 했다. 이어서 1960년 11월에는 연방제가 실시되어 최고민족회의가 조직되거나 남북한 '경제위원회'가 구성된 이후에 수행할 과업으로 과학·문화·예술·체육 등 남북 교류협력을 위한 7개 분야를 제시했다.

이러한 가운데 1970년을 전후한 미국의 대외 정책은 남북한 통일환경의 급격한 변화를 초래했다. 미국의 닉슨 대통령은 1969년 괌에서 '닉슨 독트린'을 발표했다. 그리고 안보보좌관 헨리 키신저가 1971년 8월 미수교국인 중국을 전격적으로 방문해 주은래와 회담을 갖고 미·중 간 화해를 모색했다. 이어서 닉슨 대통령이 1972년 2월 21일 중국을 방문해 모택동과 정상회담을 가졌는데, 이때 남북문제는 스스로 해결하도록 하자는 데에 뜻을 같이 했다. 그리고 미국은 닉슨 독트린에 따라 1972년에는 주한 미 제7사단을 철수시킴으로써 우리의 안보상황은 매우 취약해졌다. 아울러 우리 정부에 대북관계 개선을 종용했다. 이러한 주변 정세의 급변에 따라 남북한은 1972년 통일에 관한 협의에 들어가게 되었고 최초의 통일원칙인 7·4남북공동성명을 선언하기에 이른 것이다. 그러나 남북한은 통일을 위한 진정성 있는 노력보다는 통일에 대비한다는 명목하에 권력기반을 강화하는 데 중점을 두게 되었다.[84] 남한은 1972년 12월 27일 유신헌법을, 그리고 북한은 이튿날인 1972년 12월 28일 사회주의 헌법을 각각 공포했다.

북한은 70년대 초반까지만 하더라도 총선거안과 연방제안을 동시

---

[84] 전득주·최의철·신현기,『남북한 통일정책 비교』(서울: 숭실대학교 출판부, 2000), 265쪽.

에 제기해 왔는데 70년대 중반에 들어서는 연방제만이 유일한 통일방안이라고 천명했다. 북한은 1973년 6월 23일 '조국통일 5대 방침'을 발표했는데 주요 내용은 ① 군사적 대치상태의 해소와 긴장상태의 완화, ② 다방면적 합작과 교류의 실현, ③ 남북의 각계각층 인민들과 각 정당·사회단체 대표들로 구성되는 '대민족회의' 소집, ④ '고려련방공화국'을 국호로 하는 남북연방제의 실시, ⑤ '고려련방공화국'이라는 단일 국호에 의한 유엔 가입 등이다.[85] 이러한 배경에는 주변국의 남북관계 개선에 대한 압력이 있었고, 남북한의 국력격차가 심화됨에 따라 과도적인 조치 없이 바로 총선거에 의해서 통일을 하게 되면, 북한이 의도한 결과를 기대할 수 없을 것이라는 판단을 했기 때문이다. 남북한 현행제도의 지속을 전제로 한 이때의 연방제는 1960년대의 연방제와는 다음과 같이 몇 가지 측면에서 다른 점이 있다.

우선 그동안 주장해온 남북한 정부대표로 구성되는 '최고민족위원회'라는 기구 대신 통일전선 형태의 '대민족회의'를 전면에 부각시킴으로써 대한민국 정부의 정통성과 권위를 인정하지 않으려고 했다.[86]

---

85) 김일성은 1990년 5월 24일 최고인민회의 제9기 제1차 전원회의 시정연설을 통해 조국통일에 관한 5대 방침을 발표했는데 1973년 발표 내용과는 다른데 그 주요 내용은 다음과 같다. 1. 한반도에서 긴장상태를 완화하고 조국통일을 위한 평화적 환경을 마련해야 한다. 2. 분단의 장벽을 허물고 남북 간 자유로운 왕래와 전면 개방을 실현해야 한다. 3. 남북은 자주적 평화통일에 유리한 국제적 환경을 마련하는 원칙에서 대외관계를 발전시켜나가야 한다. 4. 조국통일을 위한 대화를 발전시켜나가야 한다. 5. 조국통일을 위한 전민족적인 통일전선을 형성해야 한다. 『로동신문』, 1990년 5월 25일.

86) 김일성은 '대민족회의'를 북반부의 로동자, 농민, 근로인테리, 청년학생, 병사들과 남조선의 로동자, 농민, 청년학생, 지식인, 군인, 민족자본가, 소자산계급과 같은 북과 남의 각계각층 인민들과 각 정당, 사회단체 대표들로 구성하자고 하고, 이 기구에서 통일문제를 광범히 협의하여 해결할 것을 제의하였다. 상기와 같이 '대민족회의'에는 정부대표를 포함시키지 않음으로써 정통성을 부인하고 권위를 인정하려 하지 않았다.

그리고 1960년대 연방제 방안이 '최고민족위원회'가 주로 경제·문화 문제를 다루고 군사·외교 분야에 있어서는 남북정부의 독자적 활동을 보장하고 있는 데 반해, '고려련방공화국' 창설 방안에서는 '대민족회의'에서 모든 것을 다루는 것으로 되어 있다. 이와 함께 「고려련방공화국」이라는 단일국호를 제시하면서 단일국호에 의한 유엔 가입과 대외활동을 공동으로 하자고 주장했다.

북한이 이러한 연방제를 주장한 의도는 1974년 1월 30일 개최된 남북 조절위원회에서 구체적으로 드러났다. 동 회의에서 북한은 '대민족회의' 구성문제와 관련하여 쌍방 대표단의 인원수를 최소한 각각 350명 내지 1,500명 규모로 하고, 한국 측 대표단 속에는 반공정당, 반공단체, 반공인사들이 참가할 수 없으며, '통일혁명당'[87) 대표가 반드시 포함되어야 한다고 주장했다. 즉 친북한 인사로만 민족회의를 구성하여 이 민족회의에서 군사분야를 포함한 제반 사안을 북한의 뜻대로 이끌어내겠다는 의도가 내포되어 있었다.

결국 북한은 「고려련방공화국」안을 내세워 대외적으로는 통일 지향적이라는 인식을 부각시키는 한편, 실제로는 '인민민주주의혁명전략'을 구현하기 위한 하나의 수단으로 활용하려 했던 것이다.

---

87) 통일혁명당은 1968년 8월 24일 중앙정보부에 의해 검거된 지하당조직사건으로 주모급인 김종태(金鍾泰)는 전후 4차례에 걸쳐 김일성과 면담했다. 김종태는 북한 대남사업총국장인 허봉학으로부터 지령을 받고 공작금으로 미화 7만 달러, 한화 2,350만 원, 일화 50만 엔을 받아 가칭 〈통일혁명당〉을 결성했다. 김종태 등은 통혁당을 혁신정당으로 위장하여 합법화한 후 반정부·반미데모를 전개하는 등 대정부공격과 반정부적 소요를 유발하는 데 주력했다. 통혁당은 "남로당을 부활시킨 조직체"로서 "북한의 무력남침에 대비한 사전 공작 조직"이라고 규정되었으며 남한에 대규모 지하당 조직을 구축하려는 북한 대남전략의 일환으로 결론지어졌다. 주범인 김종태, 김질락이 사형되는 등 50여 명이 구속되었다.

나. '고려민주련방공화국' 창립 방안

1980년 10월 10일 제6차 당대회를 통해 제기된 「고려민주련방공화국 창립방안」은 기존의 연방제 통일방안을 보다 구체화하여 완결한 것이다. 기존의 고려연방제는 통일의 잠정적 체제이며, 그 이후 통일의 완성 형태는 「고려민주련방공화국」이라는 것이다. 이 방안은 평화통일의 선결조건, 방안의 구체적 내용, 10대 시정방침 순으로 구성되어 있다. 김일성은 "서로 상대방에 존재하는 사상과 제도를 그대로 인정하고 용납하는 기초 위에서 북과 남이 동등하게 참가하는 민족통일정부를 내오고 그 밑에서 북과 남이 같은 권한과 의무를 지니고 각각 지역 자치제를 실시하는 련방공화국을 창립하여 조국을 통일"하자고 주장했다.

통일국가는 "북과 남의 같은 수의 대표들과 적당한 수의 해외 동포 대표들로 최고민족련방회의를 구성하고 거기에서 련방상설위원회를 조직하여 북과 남의 지역정부를 지도하며 련방국가의 전반적인 사업을 관할"하도록 하는 것이라고 했다. 최고민족련방회의와 그 상임기구인 연방상설위원회는 연방국가의 통일정부가 되며, 전민족의 단결, 합작, 통일의 염원에 맞게 공정한 원칙에서 정치적 문제, 조국방위 문제, 대외관계 문제 등을 비롯하여 나라와 민족의 전반적 이익과 관련되는 공동의 문제들을 토의 · 결정하도록 하고 있다. 그리고 나라와 민족의 통일적 발전을 위한 사업을 추진하고, 모든 분야에서 북과 남 사이의 단결과 합작을 실현하여야 할 것이라고 했다. 또한 고려민주련방공화국은 어떠한 정치 · 군사적 동맹이나 블럭에 가담하지 않은 중립국가[88]로 되어야 한다고 했다.

이를 위한 3대 선결조건과 10대 시정방침도 제시했는데 다음과 같다.[89] 3대 선결조건은 첫째, 남한에서의 군사파쇼정권의 청산과 사회민주화가 실현되어야 한다는 것이다. 남한에서 반공법과 국가보안법을 비롯한 "파쇼적인 악법들을 폐지하고 모든 폭압통치기구들을 없애버려야"한다면서 이와 함께 모든 정당, 사회단체들을 합법화하고 정당, 사회단체, 개별적 인사들의 자유로운 정치활동을 보장하여야 하며 부당하게 체포 투옥된 민주인사들과 애국적 인민들을 석방하고 그들에게 가해진 모든 형벌을 무효화해야 한다고 주장했다. 그리고 "유신체제를 청산한 기초 우에서 군사파쇼정권을 광범한 인민대중의 의사와 리익을 옹호하고, 대변할 수 있는 정권으로 교체"해야 한다는 것이다. 둘째, 미국과 평화협정을 체결하고 미군은 철수해야 한다는 것이다. 셋째, 자주, 평화, 민족대단결의 3대 원칙에 기초해 통일을 실현하자는 것이다. 한마디로 이 안은 남한 정권을 인정하지 않고 있으며 남한 정권이 청산되고 용공정권이 들어서 북한과 합작을 통한 통일을 지향하고 있다.

이를 실현하기 위한 정책방향으로 내건 10대 시정방침의 주요 내용은 다음과 같다. ① 고려민주련방공화국은 모든 분야에서 자주성을 확고히 견지하며 자주적인 정책을 실시하여야 한다. ② 고려민주련방공화국은 모든 분야에 걸쳐 민주주의를 실시하며 민족의 대단결을 도모하여야 한다. ③ 고려민주련방공화국은 북과 남 사이의 경제적 합작과 교류를 실시하며 민족경제의 자립적 발전을 보장하여야 한다.

---

88) 중립국은 보통 중립국과 영세 중립국으로 대별되는데, 보통 중립국은 전쟁 시에만 중립을 지키고 평화 시에는 중립의 의무를 지지 않는 반면, 영세 중립국은 전·평시를 불문하고 항시 중립을 지킨다. 북한이 주장한 중립국은 영세 중립국을 지칭한 것으로 이해된다.

89) 김일성, 「조선로동당 제6차 대회에서 한 중앙위원회 사업총화보고」, 『김일성 저작집』 제35권(평양: 조선로동당출판사, 1987), 347쪽.

④ 고려민주련방공화국은 과학, 문화, 교육분야에서 북과 남사이의 교류와 협력을 실현하며 나라의 과학기술과 민족문화예술, 민족교육을 통일적으로 발전시켜 나가야 한다. ⑤ 고려민주련방공화국은 북과 남 사이에 끊어졌던 교통과 체신을 연결하며 전국적 범위에서 교통, 체신수단의 자유로운 이용을 보장하여야 한다. ⑥ 고려민주련방공화국은 노동자, 농민을 비롯한 근로대중과 전체 인민들의 생활안정을 도모하며 그들의 복리를 계통적으로 증진시켜야 한다. ⑦ 고려민주련방공화국은 북과 남 사이의 군사적 대치상태를 해소하고 민족연합군을 조직하며 외래 침략으로부터 민족을 보위하여야 한다. ⑧ 고려민주련방공화국은 해외에 있는 모든 조선 동포들의 민족적 권리와 이익을 옹호하고 보호하여야 한다. ⑨ 고려민주련방공화국은 북과 남이 통일 이전에 다른 나라들과 맺은 대외 관계를 올바로 처리하며 두 지역정부의 대오활동을 통일적으로 조절하여야 한다. ⑩ 고려민주련방공화국은 전민족을 대표하는 통일국가로서 세계 모든 나라들과 우호관계를 발전시키며 평화애호적인 대외 정책을 실시하여야 한다는 것 등이다.

이러한 주장 내용은 고려민주련방공화국이라는 국호와 북한이 지향하는 연방제를 제외하면 남북한이 통일을 위해서 해 나가야 할 사항으로 큰 무리가 없는 것으로 평가되고 있다. ①과 ②항은 이미 7·4 남북공동성명을 통해 발표된 3대 통일원칙에 관한 것이고, 기타 항들은 남북한 간 교류와 협력, 그리고 대외 정책에 관한 내용이다. 대외 정책에 관한 내용은 통일되면 남북한이 따로 맺은 조약 등은 일부 수정하거나 폐기를 해야 할 것이다. 그러나 북한이 세부적으로 어떤 것은 수정하고 어떤 것들은 폐기해야 할 것인지에 대해서는 적시를 하지 않고 있으므로 개념적 수준에서는 그른 것은 아니라고 본다.

북한은 고려민주련방공화국이 '고려련방공화국' 방안과의 차이점에 대해 다음과 같이 정리하고 있다.[90] 첫째, 목적 면에서 고려련방공화국은 남북 총선거를 통해 통일적인 중앙정부를 수립하기 위한 과도적 대책이지만, 고려민주련방공화국은 창립 그 자체가 통일의 실현이라는 것이다. 둘째, 존속기간 면에서 고려련방공화국은 통일적인 중앙정부를 수립할 때까지이지만, 고려민주련방공화국은 하나의 통일국가로서 계속 존재하는 것으로 되어 있다는 것이다. 셋째, 권력 면에서 고려련방공화국은 최고민족위원회를 통하여 북남 사이의 관계발전을 통일적으로 조절하는 기능을 수행할 뿐이라고 적시되었지만, 고려민주련방공화국에서는 남과 북이 같은 수의 대표들과 적당한 수의 해외동포 대표들로 최고민족련방회의를 구성하고 거기에서 그 상임기구인 련방상설위원회를 조직하여 정치, 조국방위, 대외관계 문제를 비롯한 민족의 전반적 리익과 관계되는 공동의 문제를 토의·결정한다고 해서 그 권한을 명확히 했다. 이 위원회들은 공동의장을 선출하여 윤번제로 통일정부를 통치하게 된다고 하고 있다. 그리고 나라와 민족의 통일적 발전과 모든 분야에서 남북 간의 단결과 합작을 실현하는 등 연방정부가 국가권력의 기능을 수행하도록 하고 있다.

다. 북한 통일방안의 문제점

현재까지 북한이 제기하고 있는 공식적인 통일방안인 『고려민주련방공화국 창립 방안』은 과거 1960년대와 1970년대의 연방제와 비교할 때 다음과 같은 몇 가지 특징과 함께 문제점을 내포하고 있다.

----

90) 김태영, 『애국애족의 통일방안』(평양: 평양출판사, 2001), 127~128쪽.

첫째, 기존의 통일방안에서 한국 정부를 인정하지 않았던 것과는 다르게 한국 정부를 인정한 연방제라는 점이다.

둘째, 통일방안의 명칭으로 「고려련방공화국」이라는 국호에 '민주'라는 용어를 삽입하여 「고려민주련방공화국 창립방안」이라 하였고, 또한 방안 구성의 형식과 내용에 있어서 연방 형성의 원칙과 연방기구의 임무 및 기능 등을 비교적 구체적으로 제시하고 있다.

셋째, 과도적 방안으로서의 연방제가 아니라 완성된 통일국가형태로서 '고려민주련방공화국'을 상정한 점이다. 그런데 통일국가라면 당연히 있어야 할 통일헌법에 대해서는 전혀 언급을 하지 않고 있다는 문제점을 안고 있다.[91] 북한의 『정치사전』에 의하면 연방 형성을 위해서는 연방헌법이 제정되어야 한다고 되어 있으나, 북한이 주장하는 연방제 그 어디에도 연방헌법에 관한 언급은 없다. 이는 그들이 통일방안을 제기해 추구하고자 하는 목적이 남북한이 협의하여 평화적으로 통일을 하려는 데 두지 않고, 남한에 용공정권을 수립한 후 공산화 합작 통일을 하겠다는 것이기 때문이다.

넷째, 대부분의 연방국가들이 중앙집권적이거나 아니면 지역정부에 권한이 집중되도록 하고 있는데, '고려민주련방공화국'은 권한을 중앙과 지방에 균등하게 배분하는 것을 전제로 하고 있다. 이는 흡수통일을 두려워해 남북한이 통일되더라도 최소한 북한지역은 기존의 정권이 자체적으로 통치를 하겠다는 의지를 담고 있는 것으로 해석된다.

다섯째, 최고 권력기관인 최고민족련방회의를 동수의 남북 대표와, 해외 동포 대표들로 구성하도록 한 것은 정치 · 외교 · 군사 문제와 관

---

91) 통일부 통일교육원, 『통일문제 이해』(서울: 통일교육원, 1999), 129쪽.

련한 제반 정책 결정이 북한의 의도대로 이루어지도록 하려는 데 있는 것이다. 북한은 이 안에서 사상과 제도의 차이를 용납하는 원칙 위에서 연방정부를 수립한다고 전제하면서도 '연방상설위원회'가 정치·외교·군사권을 통일적으로 행사한다고 규정하고 있다. 연방상설위원회가 통일정부의 형태로서 공동의 문제를 토의 결정하며 전반적인 사업을 추진한다는 것이다. 이는 정치·외교·군사 문제를 포함하여 제반 사항을 '연방상설위원회'에서 결정하겠다는 의미로 정책 결정 과정에서 북한의 의지를 관철시킬 수 있도록 하려는 의도가 깔려 있다. 북한도 이 방안은 민족주체역량을 강화하고 분열주의 세력에 타격을 가해 혁명역량 편성에 결정적인 우세를 확보하는 의미가 담겨 있다고 설명한 바 있다.[92] 이를 위해 정책 결정 최고기구인 '연방상설위원회'를 남북한 동수로 구성하도록 함으로써 형식적으로는 균형을 이루는 것처럼 하나, 실제 결정은 북한의 의도대로 이루어지도록 하려고 하는 것이다. 왜냐하면 남한 대표에는 제 정당의 대표가 참석하게 되어 있는데 제 정당에는 친북 성향의 정당이 있으므로 자동적으로 북한 측 의사를 지지하는 세력을 과반수 이상 확보하게 되기 때문이다.

여섯째, 권력 면에서 기존의 연방제는 중앙집권적이 아니면, 지역 자치적으로 어느 한쪽에 권한이 집중되도록 하고 있는데,「고려민주련방공화국 창립방안」은 권력을 중앙과 지방에 거의 균등하게 배분하려 하고 있다.[93] 그러나「고려민주련방공화국 창립방안」은 '1국가 2체제 2정부' 형태의 통일국가를 만들자는 것으로 남북한이 하나의 통일

---

92) 한응식,「고려민주연방공화국을 창립하는 것은 조국통일의 가장 합리적 방도」,『근로자』(평양: 근로자사, 1980), 55쪽.
93) 김태영,『애국애족의 통일방안』, 130쪽.

국가를 만드려고 하는 근본 목적과는 동떨어진 개념이다. 남북한이 비록 통일되어도 북에는 공산·사회주의 체제를, 남에는 자유민주주의 체제를 그대로 유지하겠다는 것이다. 즉, 통일 되어도 북한지역은 자유민주주의 체제나 민주적 선거 제도를 받아들이지 않는 등 현 사회주의 체제를 그대로 유지하고자 한 것이다. 북한지역에서는 주권을 주민들에게 돌려주지 않고 조선로동당의 독재체제를 유지하여 위정자들이나 정권 지배세력들이 현재 누리고 있는 기득권을 그대로 유지하겠다는 심산이다. 통일을 추진하는 기본 철학은 자유와 민주를 핵심으로 하여 하나의 민족으로 공동체를 이루어 냉전과 분단으로 인한 고통을 극복하고 더욱 번영하는 나라를 육성하고자 하는 데 있다. 따라서 위정자들 중심으로 권력을 어떻게 배분할 것인지에 중점이 두어져서는 안 될 것이다.

일곱째, 연방국가의 군과 관련해서는 쌍방의 군대를 각각 10만~15만 명으로 줄여 민족연합군을 창설하고 민간군사조직들을 해산하자고 했다. 민족연합군은 북과 남의 어느 쪽에도 속하지 않는 통일국가의 민족군대로서 연방정부의 통일적인 지휘 밑에 조국보위 임무를 수행하여야 한다고 주장한다. 그리고 민족연합군을 유지하며 조국을 보위하는 데 필요한 모든 부담은 북과 남이 공동으로 져야 할 것이라고 했다. 그러나 군을 어떻게 운용할 것인지는 결국 다섯째에서 지적한 바와 같이 북한에 경사된 '연방상설위원회'에서 결정하도록 되어 있어 이렇게 구성된 군은 북한의 뜻에 따라 작동되도록 되어 있다. 이는 군권을 북한 측 위정자들이 행사하겠다는 뜻으로 이해된다.

여덟째, 북한은 이 방안을 제시하면서 '자주적 평화통일'을 위한 선결조건으로 ① 남한에서의 군사파쇼정권의 청산과 사회민주화 실현, ② 평화협정 체결과 미군 철수, ③ 자주, 평화통일, 민족대단결의 3대

원칙에 기초한 통일 실현 등을 제시하였다. 그런데 이러한 선결조건
들은 하나같이 남조선혁명과 직결되어 있다. 이러한 조건들이 이루어
진다는 것은 곧 한국사회의 무장해제를 뜻한다. 남조선 혁명을 통한
용공정권이 수립되면 북한이 이 용공정권과 형식적인 합작을 통해 공
산화 통일을 하겠다는 의도가 숨어 있는 것이다.

아홉째, 북한은 남북한이 연방제로 통일된 이후에 실시할 10대 시
정방침을 발표하여 연방제 방안이 구체적이고 통일의 미래상을 제시
하고 있는 것처럼 선전하고 있다. 이는 앞에서 지적했듯이 통일국가
의 국호를 '고려민주련방공화국'이라고 한 것과 북한이 지향하는 연방
제를 포함하고 있다는 점이 문제이고, 다른 사항들은 원론적 수준에
서 큰 무리가 없다. 따라서 북한이 통일을 위해 합리적이고 구체적인
청사진을 제시한 것처럼 보이게 하면서 그들의 의도를 관철시키려는
데 목적을 두고 있는 것이다.

3. 남북한의 통일방안 제기 배경과 의도

북한이 제기하고 있는 통일방안은 통일문제를 해방과 혁명이라는
논리하에서 북한지역을 전 한반도의 혁명을 위한 전초기지로 보고,
남한지역은 미제국주의의 강점하에 놓여 있는 해방을 시켜야 할 지역
으로 보고 있다.[94] 북한이 접근하려고 하는 통일방안은 먼저 선결조
건을 관철한 후 합작을 통해 공산화를 실현하겠다는 '선 남조선 혁명,

---

[94] 김일성, 「조선민주주의 인민공화국에서 사회주의 건설과 남조선 혁명에 대하여」,
『김일성 저작집』(평양: 조선로동당출판사, 1965), 36·46쪽.

후 합작통일' 전략이라고 할 수 있다. 북한은 이 방안을 통해 정권과 체제를 확고히 유지하는 가운데 통일전선전술을 강화하려는 목표를 달성하고자 하고 있다.

1980년 이전의 북한의 통일방안은 대남 우월감을 배경으로 하여 제기된 것으로 통일을 사회주의 체제의 확산으로 본 반면, 고려민주연방공화국 창립 방안은 1980년대에 들어서면서 대남 우위를 상실하기 시작하면서 나온 것이다. 이로 인해 이전의 통일이 체제 단일화를 전제로 한 반면, 1980년 이후의 통일방안은 통일을 하더라도 현재 북한 지역의 체제는 유지되어야 한다는 논리로 때로는 통일과 체제를 분리해 접근할 수도 있다는 의미를 내포하고 있다. 남북한 통일방안은 다음〈표 5〉와 같이 비교된다.

표 5. 남북한 통일방안 비교

구 분	민족공동체통일방안 (남한)	고려민주연방공화국 창립방안 (북한)
통일철학	자유민주주의	주체사상
통일원칙	자주, 평화, 민주	자주, 평화, 민족대단결
통일주체	민족 구성원 전원	프롤레타리아 계급
전제조건		국가보안법 폐지, 공산주의 활동 합법화, 주한 미군 철수
통일과정	화해·협력 → 남북연합 → 통일국가 (3단계)	선결조건 해결 → 연방제 실시(국가통일 → 민족통일)
통일국가 실현절차	통일헌법에 의한 민주적 남북한 총선거	연석회의 방식에 의한 정치협상
통일국가 형태	1민족, 1국가, 1체제, 1정부의 완전한 통일국가	1민족, 1국가, 2제도, 2정부의 연방국가 (2체제 유지)
통일국가 기구	통일정부, 통일국회	최고민족연방회의, 연방상설위원회

*출처 : 통일부 통일교육원, 『통일문제 이해 2010』, 103쪽을 참고하여 재작성.

그런데 북한은 1988년부터는 기존의 '선 남조선 혁명, 후 합작통일'의 노선에서 '선 남북 공존, 후 연방통일'로 전환하는 모습을 보이고 있다.[95] 북한이 이렇게 나온 데에는 국제질서의 커다란 변화에 기인한 바 크다. 1985년 소련 대통령에 취임한 고르바쵸프는 국제정세를 획기적으로 변화시켰다. 소련을 포함한 동구 사회주의 국가들은 개혁과 개방정책을 추구함으로써 자유민주주의 체제와 협력이 가속화되고 급기야 체제 전환에 이르게 된 국가들이 다수였다. 이러한 국제변화의 흐름 속에서 체제와 정권의 위기감을 감지한 김일성은 1988년 신년사를 통해 조국통일은 누가 누구를 먹거나 누구에게 먹히는 문제가 아니고 일방이 타방을 압도하고 우세를 차지하는 문제도 아니라고 주장했다. '북남이 상대방의 존재를 인정하는 기초위에서 통일이 되어야 한다'라고 함으로써 남북 공존의 필요성을 강조하고 나섰다. 김일성은 1989년 9월 8일 공화국 창건 40주년 경축보고 대회 연설에서는 공존의 원칙을 재확인하고, 두 제도를 두고 두 자치 정부를 연합하는 방식으로 통일되어야 한다고 주장했다.

2차 세계대전 후 지속된 냉전체제가 1989년 미·소 정상의 몰타회담으로 종식되었다.[96] 그리고 동년 동유럽의 공산국가들이 민주화의 길을 걸으면서 본격적으로 탈냉전시대가 시작되었다. 이러한 세계정세의 흐름 속에서 김일성은 그동안에 있었던 통일 관련 제기 내용을 종합하는 형식으로 1991년 1월 1일 신년사에서 기존의 통일완성형 연방제 주장에서 잠정적, 단계적인 연방제 통일방안으로 선회하는 전술

---

95) 전득주·최의철·신현기, 『남북한 통일정책 비교』, 228쪽.
96) 미국은 1980년부터 약 5년에 걸친 신냉전 기간 동안 소련을 압박했고, 소련의 고르바초프는 1985년부터는 미국과의 경쟁을 포기하고 화해를 모색하기 시작했다. 이러한 과정을 거쳐 몰타 정상회담이 이루어진 것이다.

적 변화를 보였다.[97] 북과 남에 서로 다른 두 제도가 존재하고 있는 우리나라의 실정에서 조국통일은 누가 누구를 먹거나 누구에게 먹히지 않는 원칙에서 하나의 민족, 하나의 국가, 두 개 제도, 두 개 정부에 기초한 연방제 방식으로 실현되어야 한다는 것이다. 북과 남의 서로 다른 제도를 하나의 제도로 만드는 문제는 앞으로 천천히 순탄하게 풀어 나가도록 후대에게 맡겨도 되지만, 사상과 제도의 차이를 초월하여 하나의 민족으로서 하나의 통일국가를 세우는 일은 이제 더는 미루어서는 안 된다고 강조했다. 1민족, 1국가, 2제도, 2정부 형태의 연방제 통일을 표방하여 이를 제도통일론과 구별한 것이다.

제도통일론은 우리의 「한민족공동체통일방안」에서의 체제통일을 북한이 지칭하는 용어로 민족구성원 모두가 민주적 절차와 방법에 따라 즉, 자유 선거방식을 통해 통일정부와 통일국회를 구성함으로써 하나의 체제로 민주공화국(1민족, 1국가, 1제도, 1정부)을 수립하는 것을 말한다. 김일성은 제도통일은 1제도, 1정부로 되어야 하므로 상대방을 먹고 먹히는 것이라고 하면서 이는 "후대들에게 맡기고 중앙정부의 지역자치정부에 더 많은 권한을 부여하며 장차로는 중앙정부의 기능을 더욱더 높여가는 방향에서 련방제 통일을 점차적으로 완성하는 문제도 협의할 용의가 있습니다"라고 했다.

연방제통일론과 제도통일론을 구분하고 공존의 원칙에 따른 연방제 통일방안을 내세운 것이다. 기존과 다른 점은 2정부라는 표현이 처음으로 제기되었다는 것인데, 이는 통일 후에도 북한정권의 위상을 그대로 유지하려는 의도가 내포된 것이다. 지역적 자치정부에 더 많은 권한을 부여해야 한다고 함으로써 종래의 중앙정부 강화론과는 다

---

97) 『로동신문』, 1991년 1월 1일.

른 특징을 보이고 있다. 국가연합적인 요소를 보다 가미한 것으로 종래의 중앙정부 강화론과는 확연히 대비되는 개념이다.

북한이 이처럼 제도통일을 흡수통일로 보고 제도통일의 위험성을 강조하면서 '제도통일 후대론', '지역 자치정부의 권한 강화론'을 주장하게 된 것은 1990년 국력이 월등한 서독에 의해 동독이 자유민주주의 체제로 흡수통일된 데서 큰 충격을 받았기 때문으로 분석되고 있다. 남북한이 하나의 제도로 통일되는 경우에는 동·서독과 같이 국력이 우세한 남한에 의해 흡수될 수밖에 없을 것이라는 인식하에서 완성형의 통일방안보다는 단계적 연방제론을 통해 체제를 유지하려고 하는 것이다.

이후에 국가주권의 중심축인 외교와 군사권을 어느 기관이 갖느냐를 놓고 북측에서 여러 발언들이 있었다. 1991년 3월 손성필 주소련 북한대사는 로가초프 소련 외무차관에게 외교 및 군사에 관한 권한 등에 대해 설명을 했다. 주요 요지는 외교와 군사권을 남북한 지역정부가 독자적으로 수행하고, 외부의 위협에는 공동으로 대처한다는 것이었다. 그리고 정준기 대외문화연락위원회 위원장도 1991년 4월 8일 일본을 방문 중에 교도통신과의 회견에서 "남북 양 지역정부가 잠정적으로 외교 및 군사적 권한을 각각 따로 보유함이 가능하다"고 밝혔다. 노동당 서기 윤기복도 1991년 5월 3일 국제의원연맹에 참석하여 "남북한의 2개 정부가 … 잠정적으로 외교·군사권을 보유하는 방향으로 연방제를 수정할 수 있다"고 말했다.

김정일은 김일성 사후인 1997년 8월 4일 「위대한 수령 김일성 동지의 조국통일 유훈을 철저히 관철하자」라는 제목의 논문을 통해 '조국통일 3대 원칙(1972.5)', '조국통일을 위한 전 민족 대단결 10대 강령(1993.4)',[98] 「고려민주련방공화국 창립방안」(1980. 10. 10.)을 소위 '조국통일 3대 헌장'으로 규정하고 '1민족, 1국가, 2제도, 2정부' 형태의 연방제 통일방안을 주장했다.[99] 여전히 1국가 2제도를 국가형태로 하는 통일방안으로 우리가 수용하기는 어려운 제안이었다.

결론적으로 북한은 1990년대에 들어서면서 사회주의권의 붕괴와 함께 지지세력 상실에 따른 외교적 고립, 경제난 등으로 인해 남북한 통일은 북한이 남한에 흡수되는 방식이 될 것이라는 위기감이 증대하기 시작했다.[100] 따라서 사회주의 체제로 통일을 위한 혁명역량 구축이 어려운 상황에서 남북한 간의 완전한 통일을 추구하기보다는 정권

---

[98] 김일성은 1993년 4월 7일부터 3일간 개최된 최고인민회의 연설을 통해 '전 민족 대단결 10대 강령'과 4개 요구사항을 제시했다. 10대 강령의 요지는 ① 전 민족의 대단결로 자주적이고 평화적이며 중립적인 통일국가를 창립해야 한다. ② 민족애와 민족자주정신에 기초하여 단결해야 한다. ③ 공존, 공영, 공리를 도모하고 조국통일 위업에 모든 것을 복종시키는 원칙에서 단결해야 한다. ④ 동족사이에 분열과 대결을 조장시키는 일체의 정치적 논쟁을 중지하고 단결해야 한다. ⑤ 북침과 남침, 승공과 적화에 대한 위구를 다 같이 없애고 서로 신뢰하고 단합해야 한다. ⑥ 민주주의를 귀중히 여기며 주의 주장이 다르다고 하여 배척하지 말고 조국통일의 길에서 함께 손잡고 나가야 한다. ⑦ 개인과 단체가 소유한 물질적·정신적 재산을 보호해야 하며 그것을 민족대단결을 도모하는 데 이롭게 이용하는 것을 장려해야 한다. ⑧ 접촉, 왕래, 대화를 통해서 전 민족이 이해하고 신뢰하며 단합해야 한다. ⑨ 조국통일을 위한 길에서 북과 남, 해외의 전 민족이 서로 연대성을 강화해야 한다. ⑩ 민족대단결과 조국통일 위업에 공헌한 사람들을 높이 평가해야 한다.
그리고 남한에 대해 ① 외세 의존정책 포기, ② 미군 철수의지 표명, ③ 외국군대와 군사연습의 영구 중지, ④ 미국의 핵우산 탈피 등 4가지를 요구했다.

[99] 조선로동당출판사, 「위대한 수령 김일성 동지의 조국통일 유훈을 철저히 관철하자」, 『김정일 선집 제14권』(평양: 조선로동당출판사, 2000), 176쪽.

[100] 소련은 1991년 12월 소련방을 해체함으로써 사회주의권은 급속도로 붕괴되어 갔다. 그리고 소련을 계승한 러시아는 북한과 맺은 「조소 우호협력 및 상호원조조약」의 유효기간을 연장하지 않음으로써 1996년 자동 폐기되었으며, 중국도 1992년 한중 수교 이후 남북한 등거리 외교정책을 구사해 북한의 외교적 고립은 갈수록 심화되었다. 조러 간 조약은 2000년 2월 명칭이 「조러친선, 선린 및 협조에 관한 조약」으로 변경되어 재체결되었다. 아울러 경제적으로는 제3차 7개년 계획(1987~1993)이 실패로 끝났음을 공식 인정하는 등 총체적인 경제침체기를 맞게 되었다.

과 체제유지에 중점을 둔 통일정책과 대내외 정책을 추진하게 되었
다. 이러한 위기 속에서 남북기본합의서를 채택하고 남북 간 회담들
이 진척되었지만, 북한은 당시의 위기를 극복하는 하나의 돌파구로
활용하고자 했을 뿐이었으므로 진정성을 가진 것은 아니었다.

그리고 노태우 정부가 제기한 통일방안은 평화공존을 위해 상호 인
정하고 과도 단계를 설정하는 등 현실적이고 체계적인 것으로 평가되
었으나, 이에 대해서도 북한은 "두 개의 조선을 추구하는 제2의 분렬
방안"이라고 비난하면서 일축하고 말았다.[101] 이러한 북한의 대외 정
책으로 인해 남북한 간에 통일을 위한 진정성 있는 논의의 장이나 접
점을 찾으려는 노력은 부족했던 것이 사실이다.

----

101) 『로동신문』, 1989년 9월 14일.

제2절 2000년 이후 남북한 간 통일방안 논의와 문제점

　　IMF 위기 속에서 1998년 집권한 김대중 정부는 한반도 긴장완화와 남북한 간 평화공존,[102] 평화교류 등 현실적인 목표 달성을 최우선 과제로 설정하고 대북 포용정책을 추진했다. 이러한 선상에서 김대중 대통령은 취임사를 통해 남북관계 개선과 일관성 있는 대북정책 추진을 위한 3원칙을 제시했다. 그 내용은 ① 평화를 파괴하는 일체의 무력도발을 허용하지 않고, ② 북한을 해치거나 흡수하려 하지 않으며, ③ 가능한 분야부터 남북 간 화해와 협력을 추진해 나간다는 것이다. 아울러 대북 화해와 협력을 위해 '정경분리'와 '상호주의' 등 2대 접근 원칙도 밝혔다.

　　그러나 북한은 개혁과 개방은 결국 체제와 정권 붕괴로 이어질 것으로 판단하고 식량과 비료지원을 제외한 일체의 대화 제의에는 응하려 하지 않았다. 북한은 김대중 대통령이 밝힌 상호주의에 대해서는 장사꾼의 논리라고 일축하고, 햇볕정책에 대해서는 북한을 흡수통일

---

102) 공존은 적대관계를 탈피했으나 동맹관계로까지는 발전하지 못한 국가관계를 말하며, 평화공존은 정치, 경제, 사회, 문화 등의 제도가 근본적으로 상이한 국가들이 평화적으로 공존하는 것을 뜻한다. 김용제, 『한반도 통일론』(서울: 박영사, 2009), 70~71쪽.

하려는 모략이라고 비방하기도 했다.[103] 북한은 남한과의 협상이나
회담 대신 국제적 여론을 의식하여 남한이 받아들이기 어려운 국제공
조체제 파기와 국가보안법 철폐 등을 요구함으로써 남북 간 대화단절
의 책임을 남한 측에 전가하고 경색국면을 이어 가려고 했다. 이러한
남북관계 속에서 잠수정 침투, 서해교전, 금강산 관광객 억류사건 등
이 연이어 일어났다.

　그럼에도 우리 정부는 인내하며 한반도 냉전구조 해체를 위한 노력
을 멈추지 않았고, 김대중 대통령은 2000년 3월 10일 '베를린 선언'을
했다. 베를린 선언에는 남북경협을 통한 북한 경제회복 지원, 한반도
냉전종식과 평화공존, 이산가족 문제 해결, 남북 당국 간 대화 추진
등이 담겼다. 이전에는 정경분리 원칙에 따라 민간기업과 비정치적인
교류를 강조했으나, 베를린 선언에서는 당국자 간 대화를 제의한 것
이 특징적이다. 이때부터 남북관계가 획기적으로 변화하기 시작했는
데, 북한이 김대중 정부의 포용정책에 대해 진정성을 이해하고 경제
회생을 위한 돌파구가 될 수도 있겠다는 판단을 했기 때문으로 분석
되고 있다.

　북한이 당국자 회담 제의를 받아들여 2000년 6월 13일부터 15일까
지 역사적인 정상회담을 개최하기에 이르렀다. 이 회담에서 김대중
대통령과 김정일 국방위원장은 '낮은 단계 연방제'[104]가 남한의 '남북
연합' 단계와 공통점이 있다는 데에 인식을 같이 했다. 양 정상은
6·15선언을 통해 "남과 북은 나라의 통일을 위한 남측의 연합제안과

---

103) 『로동신문』, 1998년 8월 20일.
104) 6·15 남북공동선언 제2항 : "남과 북은 나라의 통일을 위한 남측의 연합제안과
　　북측의 낮은 단계의 연방제안이 서로 공통성이 있다고 인정하고 앞으로 이 방향
　　에서 통일을 지향시켜 나가기로 하였다." 통일부, 『통일백서 2001』, 453쪽.

북측의 낮은 단계의 연방제안이 서로 공통성이 있다고 인정하고 앞으로 이 방향에서 통일을 지향시켜 나가기로 하였다"고 했다. 이 선언은 남북한이 상호 간에 통일방안을 존중하고 통일문제를 점차 협의하고 발전시켜 나가는 등 통일 접근방식에 대해 최초로 합의를 했다는 데에 큰 의미가 있다.

우리의 통일방안 중 '남북연합제' 단계는 2국가, 2제도, 2정부를 전제로 하고 있기 때문에 김정일이 1991년 신년사에서 밝힌 북한의 주장과 비슷한 측면이 있었던 것이다. 북한은 당시 체제를 상당기간 존속하기 위해서는 두 개의 체제가 공존해야 한다는 논리가 필요했고, 이를 '낮은 단계 연방제'라는 안으로 제시한 것이다. 북한은 독일식 흡수통일에 대한 우려를 많이 했고, 그렇다고 북한이 주도하여 통일을 할 역량을 구비하지도 못한 어려운 상황이었다. 따라서 단기간 내에 체제나 제도를 통합하면서 통일을 하는 것은 시기상조임을 강조하고 나섰던 것이다. 그 돌파구가 그동안 한 번도 제시하지 않았던 '낮은 단계 연방제'라고 할 수 있다. 기존에 북한이 주장해온 통일방안을 계속 주장함으로써 남북 대화의 틀을 깨기보다는 시간을 벌자는 속셈이 있었다. 따라서 남북한이 하나의 제도로 통일되는 것보다는 통일의 중간 단계에서 남북 정부의 대내외적 주권을 인정하고, 그 틀 위에서 상호 공존과 협력을 제도화해 나가는 것이 바람직할 것으로 보았던 것이다.

'낮은 단계 연방제'안이 1991년 신년사에서 제시한 연방제 방안과 다른 점은 두 개 정부의 권한을 보다 구체화하고 있다는 것이다. 북한은 이 문제를 정상회담 후, 동년 10월 6일 개최된 「고려민주련방공화국 창립방안 제시 20돌 기념 평양시 보고회」에서 안경호 조국평화통일위원회 서기국장의 보고를 통해 다음과 같이 명확히 밝혔다.[105] "우리의 낮은 단계의 연방제안은 하나의 민족, 하나의 국가, 두 개 제도, 두 개 정부의 원칙에 기초하되 북과 남에 존재하는 두 개 정부가 정치, 군사, 외교권 등 현재의 기능과 권한은 그대로 갖게 하고 그 위에 민족통일기구를 내오는 방법으로 북남관계를 민족공영의 이익에 맞게 통일적으로 조정해 나가는 것"이라고 했다.106) 안경호는 김일성이 1991년 신년사에서 밝힌 연방제안이 결국 '낮은 단계의 연방제'안이라고 덧붙였다.

1991년의 연방제 방안에서 "지역자치정부에 더 많은 권한을 부여하며"라고 모호하게 되어있던 부분을 '낮은 단계의 연방제'에서는 두 개 정부가 외교와 군사권을 갖는다는 점을 명확히 한 것뿐임을 강조했다. 북한이 말하는 '낮은 단계의 연방제'는 통일의 형태가 아니라 통일의 전 단계를 말하고 있다. 그런데 이는 연방제라는 말 자체가 하나의 국가형태를 지칭하는 것이므로 논리가 맞지 않다. 연방제는 통일된 하나의 국가형태를 뜻하므로 연방제를 채택하게 되면 구성국의 독립성은 인정되지 않는다. 따라서 북한이 낮은 단계의 연방제를 주장하면서도 통일 전 단계라고 한 것은 또다시 교묘한 용어 혼란 전술을 쓰려고 하거나 아니면 회담을 위한 궁색한 변명에 그치지 않는 제안이라고 할 수 있다.

정상회담 후 남한 내에서는 우익을 중심으로 6·15공동선언에 대해 냉엄한 비평이 가해졌다. 남북연합제와 북한의 연방제가 아무런 공통점이 없는데도 북한이 적화의 도구로 써온 연방제 통일방안을 수용해

---

105) 『로동신문』, 2000년 12월 9일.
106) 안경호, 「고려민주연방공화국 창립방안 제시 20주년기념 평양시 보고회」, 『조선중앙통신』, 2000년 10월 6일; 『동아일보』, 2000년 10월 7일; 『로동신문』, 2000년 12월 15일.

버렸다는 것이다. 김대중 대통령은 이에 대해 해명을 하는 데 많은 노력을 기울였다. 논란의 중점은 다름 아닌 '남북연합' 단계와 '낮은 단계의 연방제' 단계가 어떠한 점에서 공통점이 있느냐 하는 것이다. 이에 대해 살펴볼 필요가 있는데 다음과 같다. 첫째, '남북연합'과 '낮은 단계의 연방제' 단계는 남북 통일과정에서 하나의 단계이지 그 자체가 통일국가의 완성 형태는 아니라는 점에서는 공통점이 있다.

표 6. '남북연합'제와 '낮은 단계 연방제' 비교

구 분	남북연합제 (남)	낮은 단계 연방제 (북)

내 용	- 「민족공동체통일방안」의 첫 단계
	  * 2국가, 2체제, 2정부
	
	- 남북평의회 구성
	- 1국가, 1체제, 1정부의
	  완전한 통일국가 지향
		- 「고려민주연방공화국 창립방안」
		  의 낮은 단계
		  * 1국가, 2체제, 2정부
		- 민족통일정치협상회의 구성
		- 1국가, 2체제, 2정부의 연방제
		  통일 지향

공통점	남북한이 외교·군사권을 독자적으로 보유	
차이점	남북한 정부 위의 기구 미고려	남북한 정부 위의 기구로 민족통일기구 구성

*출처: 류길재, 「통일방안의 새로운 모색」, 『남북화해와 민족통일』(서울: 을유문화사, 2001), 103쪽을 참고, 재작성

　둘째, 이 단계에서 남과 북은 각각 독립적으로 주권을 행사하고 내부 문제에는 간섭을 하지 않도록 하고 있다. 따라서 국제적으로 독립된 국가로서 조약을 체결하는 등 독자적인 활동을 하게 된다. 그러나 이를 보는 남과 북의 시각과 인식에는 분명한 차이점이 있다. '남북연합' 단계에서 남과 북은 각각 독립된 국가로 되어 있는 반면, '낮은 단계의 연방제'에서는 남과 북이 하나의 국가로 되어 있다. 따라서 북한은 '낮은 단계의 연방제'를 통일된 국가의 초기 단계로 보고 있다. 그

런데 김대중 대통령이 공통점이 있다는 데에 뜻을 같이 한 것은 결국 남측이 북한의 연방제안을 수용한 것으로 해석될 수 있는 소지가 충분히 있다.

그리고 '남북연합' 단계에서는 남북 대표가 참가하는 남북평의회를, 연방제에서는 군중집회적인 성격의 민족통일기구를 구성하자고 제안하고 있다. 남북평의회는 남과 북의 국회의원 100명으로 구성하여 통일추진과 관련한 제반사항을 협의하고 결정하도록 하고 있다. 반면 민족통일정치협상회의는 남과 북의 당국, 정당 및 단체 대표들이 참여하여 구성되도록 하고 있다. 따라서 통일추진과 관련한 제반 사항을 협의하고 결정할 사람들의 구성이 다르게 되어 있고 북한 측 주장대로 하면 북한의 의지가 관철될 가능성이 상당히 높게 되어 있다.

이러한 논란이 완전히 가시지 않은 상태에서 노무현 대통령은 임기 말인 2007년 10월 4일 김정일과 정상회담을 갖고 '남북관계 발전과 평화번영을 위한 선언(10 · 4선언)'을 했다. 이 선언에서 남과 북은 6 · 15 공동선언을 고수하고 적극 구현해 나가기로 합의를 함으로써 6 · 15공동선언이 유효함을 재확인했다. 10 · 4선언 제1항에서 "남과 북은 6 · 15공동선언을 고수하고 적극 구현해 나간다"고 했다. 2항에서는 남과 북은 사상과 제도의 차이를 초월하여 남북관계를 상호존중과 신뢰 관계로 확고히 전환시켜 나가기로 하였으며, 남북관계를 통일 지향적으로 발전시켜 나가기 위하여 각기 법률적 · 제도적 장치들을 정비해 나가기로 했다.

이 두 선언으로 남한 내 종북 세력들이 발호하게 되었고 남남갈등을 증폭시켰다는 평가가 있다.[107] 이렇게 남한에서 선언 자체에 대해

---

107) 『뉴데일리』, 2012년 11월 12일.

문제점을 지적하고 논란이 되었지만, 김정일은 이나마 합의한 사항도 적극적으로 추진해 보려는 의지를 보이지 않았다.

이명박 대통령은 2010년 8월 15일 광복절 제65주년 경축사를 통해 '3대 공동체 통일구상'을 제시했다.[108] 평화공동체 → 경제공동체 → 민족공동체가 그것이다. 첫 단계는 한반도의 안전과 평화를 보장하는 '평화공동체'를 구축하는 것으로 이를 위해서는 무엇보다 한반도의 비핵화가 이루어져야 한다고 강조했다. 그리고 남북 간의 포괄적인 교류 · 협력을 통해 북한 경제를 획기적으로 발전시키고 남북한 경제통합을 위해 '경제공동체'를 이루어야 한다고 했다. 그런데 경제공동체가 형성되기 위해서는 북한에서 시장화가 전제되어야 하고 남북한 간에는 생산요소의 자유로운 이동이 보장되어야 한다. 궁극적으로 남북한 간에 시장이 단일화되고 경제질서와 제도가 단일화되어야 비로소 경제공동체가 형성되었다고 할 수 있을 것이다. 이러한 과정들이 완료되면 한민족 모두의 존엄과 자유 삶의 기본권을 보장하는 '민족공동체'가 만들어 질 수 있다는 것이다. '3대 공동체 통일구상'은 '민족공동체통일방안'과 현재 남북이 처한 남북관계 고찰, 그리고 그동안 국제안보 환경 및 북한 내부 상황 등의 변화를 고려하여 통일을 위한 새로운 접근 방향을 제시한 것이다.[109]

이는 '민족공동체통일방안'의 기본 틀과 방향을 유지하면서도 새로운 환경에 맞게 통일방안의 실행계획을 제시한 것이라고 할 수 있다.

---

[108] 이명박 대통령은 당선 후 가진 2008년 신년 기자간담회에서 '비핵 · 개방 3000 구상'을 발표했다. 북한이 핵을 포기하고 개방에 나서게 되면 북한의 1인당 국민소득을 10년 후 3,000달러로 올릴 수 있도록 투자를 하고, 400억 달러 규모의 국제협력기금 조성에 나서겠다는 것이었다. 그러나 북한은 이 구상을 전면적으로 거부하고 남북관계를 단절시켰다.

[109] 박종철 외, 『민족공동체통일방안의 새로운 접근과 추진방안』, 11쪽.

그러나 북한은 이를 흡수통일을 위한 또 하나의 기도로 보고 대응을 하지 않았다. 김정일은 어떠한 방안이든 통일 논의 자체를 기피하였고, 반통일주의자이며 반개혁·개방주의자로서 통일문제에 대해서 눈여겨 볼만한 주장을 하지 않고 이 세상을 떠났다.

박근혜 대통령은 후보 시절 "자유민주주의 질서에 기초한 민족공동체통일방안을 계승·발전시켜 통일정책의 일관성을 유지하겠다"는 입장을 밝혔다. 박근혜 대통령은 "민족공동체통일방안"은 민주적인 선거를 통해 민족 구성원 모두에게 자유·복지·인간의 존엄성이 존중되는 자유민주주의 국가를 목표로 하고 있다고 밝혔다. 현재 북한의 공산주의·사회주의나 주체사상에 의한 체제가 자유민주주의 체제로 전환되고 민주적인 절차에 의한 선거가 이루어져 국민이 주인인 나라가 되어야 한다는 점을 분명히 했다. 통일한국은 하나의 국가로서 하나의 체제로 통일된 자유민주주의 국가가 되어야 한다는 것이다. 박대통령은 후보 시절 통일의 접근을 남북한 신뢰구축 → 평화정착 → 경제공동체의 수순을 거쳐 정치적 통합 성격의 통일로 나아가는 방안이 바람직하다고 했다. 결국 민족공동체통일방안을 기본으로 평화적인 통일을 위한 접근방안을 구상하고 있는 것으로 보인다.

그리고 2013년 초 취임한 박 대통령은 '통일기반 조성'을 국정기조의 하나로 설정하고 한반도 신뢰프로세스를 가동하고 있다. 미국, 중국, 러시아를 비롯한 많은 나라의 정상들과 회담을 갖고 신뢰프로세스의 내용과 진정성을 설득하면서 이해를 촉구하고 지원을 요청해 오고 있다. 이러한 차원에서 박 대통령은 2014년 3월 네덜란드 헤이그에서 열린 제3차 핵안보정상회의에 참석한 이후 독일을 순방 중인 28일 드레스덴 공과대학에서 가진 연설을 통해 통일 구상을 발표했다.

'드레스덴 통일 구상'의 주요 내용은 ① 남북한 주민들의 인도적 문제 해결, ② 공동번영을 위한 민생 인프라 구축, ③ 남북 주민 간 동질성 회복 등으로 이를 위해 이산가족 정례화와 남북경협의 다변화, 남북교류협력 사무소 설치 등 구체적인 통일 방법론을 제시했다. 박 대통령은 취임 후 관례를 깨고 북한에 앞서 한국을 방문한 시진핑 국가주석과 정상회담을 갖는 자리에서 '드레스덴 통일 구상'에 대한 지지를 얻어 냈다. 이는 2014년 4월 12일 북한의 국방위원회가 드레스덴 통일 구상을 흡수통일 논리라고 비난하고, 로동신문을 통해 체제통일 논리라고 일축한데 나온 중국 측 반응이어서 주목되고 있다.

표 7. 남북한 통일방안 변천 과정

남한			북한
제1공화국 (이승만 정부)	UN 감시하 남북 자유 총선거에 의한 통일론	김일성	민주기지론에 입각한 무력적화통일론
제2공화국 (장면 정부)	UN 감시하 남북 자유 총선거론		남북연방제(1960)
제3공화국 (박정희 정부)	선 건설 후 통일론 (1964)		
제4공화국 (박정희 정부)	평화통일외교정책선언 (1973) 선 평화 후 통일론 (1974)		고려연방제/ 조국통일 5대 강령 (1973)[110]
제5공화국 (전두환 정부)	민족화합민주통일방안 (1982)		고려민주연방공화국 창립방안(1980)
제6공화국 (노태우 정부)	한민족공동체통일방안 (1989)		1민족 1국가 2제도 2정부에 기초한 연방제 (1991)
김영삼 정부	민족공동체통일방안 (1민족 1국가 1체제 1정부/1994)	김정일	
김대중 정부	민족공동체통일방안 계승		낮은 단계의 연방제 (2000)
노무현 정부			
이명박 정부		김정은	
박근혜 정부			

* 출처 : 통일부 통일교육원, 『통일문제 이해 2010』, 102쪽을 참고하여 재작성.

---

110) 조국통일 5대 강령은 김일성이 1973년 6월 23일 제시한 것으로 ① 남북 간의 군

  종합해 보면 북한이 주장하는 통일방안에는 1960년에 제안한 「남북연방제」부터 연방제라는 용어가 현재까지 한 번도 빠진 적은 없었다. 그러나 1960년 「남북연방제」와 1973년 「고려연방공화국제」는 국가연합 방식의 연방제였으나 1980년 「고려민주연방공화국 창립방안」은 연방제 방식의 연방제였다. 그 후 1991년 신년사에서 제안한 '1민족, 1국가, 2체제, 2정부' 안과 '낮은 단계의 연방제'는 국가연합 방식의 연방제라고 할 수 있다. 이와 같이 북한은 최초 통일방안을 제기한 이래 한 번도 연방제라는 단어를 빼지 않음으로써 일관성을 유지하고 있는 것처럼 보이나 시대적 상황에 따라 연방제의 내용을 달리 해왔음을 알 수 있다. 따라서 연방제라는 용어는 같으나 그 내용이 다르므로 북한이 주장하는 연방제는 그 성격 자체가 모호하고 상황에 따라 다르게 해석될 수 있는 소지를 안고 있다.

  북한은 자유민주주의 체제로 통일하려는 것은 "우리(북한)의 사상과 체제에 위해를 가하고 그들(남한)의 썩어 빠진 파시스트 지배체제를 북에까지 확대하려는 목적이다. 그것은 사실상 우리에 대한 선전포고나 마찬가지이다"[111]라는 입장을 견지하고 있다. 더구나 북한은 통일방안을 제시하면서 동시에 남한이 받아들일 수 없는 선결조건들을 요구하고 있다. 이는 남북한이 통일 논의를 본격적으로 해가자는 뜻이 아니라 인민민주주의 혁명을 구현하기 위한 하나의 방안으로 이용하고자 하는 의도로 밖에 해석되지 않는다.

사적 대치상태 해소와 긴장상태의 완화, ② 남북 간의 정치, 외교, 경제, 문화의 제 방면에 걸친 합작과 교류의 실현, ③ 남북의 평범한 각계각층 인사들의 통일을 위한 애국사업에 참여, ④ 단일 국토에 의한 남북 연방제 실시, ⑤ 두 개의 조선 분열을 막고 대외관계에서 남북이 공동으로 나가자 등을 그 내용으로 하고 있다.

111) 심철룡, "Stern, Hard Blow at Traitorous Maneuver", 『로동신문』(인터넷판), 2011년 6월 5일(http://dprkmedia.com).

제5장

평화통일을 위한 위한 단계적 통일방안

한반도 평화통일 프로세스

제1절 남북한 평화통일 논의의 장애 요인

현재 남북한 모두는 평화적인 통일을 지향하고 있지만, 그 지향하는 목표는 다르다. 앞에서 논한 바와 같이 북한은 통일되더라도 북한 지역에는 현재의 체제를 유지하고자 하고 있으나, 우리는 하나의 체제로의 통일을 바라고 있다. 통일된 국가는 민주주의와 자본주의 시장경제체제로 일원화 되어야 함을 분명히 하고 있는 것이다. 비록 통일 목표가 상이하지만, 우리 국민은 흡수통일보다는 합의에 의해 평화적이고 점진적으로 통일되는 것을 바라고 있고, 또한 그럴 가능성이 높다고 보고 있다.112) 그 이면에는 합의에 의해 평화적으로 통일을 할 경우에 결국에는 우리가 그리는 민주자본주의 체제로 통일이 가능할 것이라고 보고 있는 것이다. 북한도 현재와 같은 남북한 상황하에서의 통일은 흡수되는 방식으로 이루어질 수밖에 없을 것이라는 판단

---

112) 조선일보가 2014년 1월 말 미디어리서치에 의뢰해 실시한 통일방안에 대한 여론 조사결과에 의하면, 합의통일 36.1%, 흡수통일 31.9%였으며 22%는 북한이 중국 영향권으로 편입되어 통일이 어려울 것이라고 응답했다. 그리고 보수층은 합의 통일보다는 흡수통일 가능성을 더 높게 보았으나, 진보층은 반대로 나타났다. 한편, 조선일보와 고려대 일민국제관계연구원이 2014년 4월에 북한 및 외교ㆍ안보분야 전문가 135명을 대상으로 한 설문조사에서는 단기간 내 통일이 된다면 80%가 '북한 붕괴에 의한 통일'이 될 것이며, 합의통일 가능성은 8.9%로 매우 낮게 나타났다. 전문가들은 바람직한 통일방식으로 합의통일을 꼽았으나 가능성 면에서는 북한 붕괴에 의한 통일을 높게 보았다. 『조선닷컴』, 2014년 2월 5일, 5월 22일.

을 하고 있는 것으로 보인다. 따라서 북한은 통일논의 자체를 회피하면서 체제와 정권을 유지하는 데 치중하고 있다. 남북한 모두가 통일의 필요성을 외치면서도 통일 논의가 진전을 보지 못한 이유는 바로 북한의 통일에 대한 두려움에 기인하고 있다. 이는 이러한 두려움이 가시지 않는 한 북한은 평화적인 통일을 위한 장 자체를 만들려 하지 않을 것이다. 결국 남북한 간에 신뢰를 구축하고, 통일에 대한 북한의 두려움을 없애기 위해서는 북한도 납득 가능한 통일과정을 잘 만들어 나가야 할 것이다.

그렇다면 남북한이 평화적으로 통일을 하기 위해서 통일이 어떠한 과정을 거쳐야 하는지가 중요한 이슈가 된다. 남북한이 평화적인 통일 논의를 하려면 먼저 남북한 간에 놓여 있는 장애요인들을 제거해 나가야 할 것이다. 남북한 간 평화통일 논의를 위한 근본적인 문제는 남북한 헌법에 있다. 그리고 통일국가의 체제 등을 포함해 통일방안에서도 극명한 차이를 보이고 있는데 인식전환과 더불어 이를 어떻게 좁혀 가느냐가 관건이 될 것이다.

따라서 이 절에서는 통일과정에서 통일과 통합이 불가분의 관계에 있는데 이에 대해서 살펴보고, 남북한 헌법에 통일 관련 조문이 어떻게 되어 있는지, 그리고 연방제 방안에 대한 남북한 시각차에 대해 논하고자 한다.

1. 통일과 통합의 관계

통일은 서로 다른 체제와 이념이 하나로 통합되는 상황을 지칭하는 것으로 이해될 수 있다.[113] 따라서 통일을 논하다 보면 통합을 떼어 놓을 수 없다. 통합은 여러 기능 가운데 어느 한 분야에서 결합되는 현상을 지칭하며,[114] 국가 통일과정에서의 통합은 정치통합, 군사통합, 경제통합, 사회통합, 문화통합 등으로 구분될 수 있다. 따라서 분단된 국가가 통일을 통해 완전한 국가통합을 이룬다는 것은 이러한 제반 분야의 통합이 제대로 수행되어야 함을 뜻한다.

한편, 통일은 가장 중요한 잣대가 정치적 결합 여부이며, 정치통합은 통일되었다고 표현할 수 있는 최소 지표가 된다.[115] 정치 분야의 통합이 이루어지지 않았는데, 통일되었다고 할 수는 없다. 따라서 분단국이 통일국가가 되었다는 의미는 분단된 두 체제가 한 체제로 통일된다는 것을 뜻하는 것이다.

통합과 통일의 관계에 대해서는 두 가지 다른 견해가 있다. 아래 개념도에서 보는 바와 같이 ① 통합을 통일을 위한 과정으로 보는 견해와 ② 통일을 통합을 하는 하나의 과정으로 보는 견해가 그것이다.[116]

※ 통합과 통일의 상관 개념도

- 통합을 통일을 위한 과정으로 보는 견해

---

114) 조민, 『평화통일의 이상과 현실』, 218쪽.
114) 김혁, 「한반도 통일을 위한 대안적 이론체계의 모색」, 67쪽.
115) 이종석, 『분단시대의 통일학』(서울: 한울 아카데미, 1998), 18쪽.
116) 권양주, 『남북한 군사통합 구상(증보판)』, 30~35쪽.

- 통일을 통합을 하는 하나의 과정으로 보는 견해

정 치	통	통 합
군 사	일	통 합
경 제		통 합
사 회		통 합
문 화		통 합

먼저 통합을 통일을 위한 과정으로 보는 견해들은 다음 〈표 8〉과 같이 정리된다.

표 8. 통합을 통일을 위한 과정으로 보는 견해

학 자	견　　　　해
구영록	통합은 통일보다 넓은 개념
박광기	통일은 통합을 성취시키는 행위와 과정
서대숙	통합은 통일을 포함하며, 통합은 정도의 문제이고, 통일은 可否 간의 문제
윤민재	통합은 통일 이후에도 지속적으로 추진될 과제
에치오니	통일은 통합을 이루는 행위와 과정으로, 정치통일은 과정이며, 정치통합은 조건이 성취된 상태

그러나 이미 통일을 한 국가들을 보면 통일을 통합을 이루어가는 하나의 과정으로 보는 견해가 더 타당한 것으로 나타나고 있다. 독일은 통일 이후에도 동서독 간에 많은 갈등이 있었고 이를 치유하고 통합하는 데 긴 시간이 걸렸다. 그랬음에도 아직도 완전한 통합을 이루지 못한 것으로 평가되고 있다. 예멘은 통일을 했으나 통합을 제대로 하지 못해 결국 내전까지 치르게 되었다. 통일은 정치적 결단에 의해

이루어질 수 있으나, 통합은 훨씬 길고도 어려운 과정을 거쳐야 함을 입증하고 있는 것이다.

결론적으로 정치통합을 포함하여 경제통합, 사회통합, 문화통합 등은 통일과 동시에 종결되는 것이 아니라, 통일국가가 선포된 후에도 계속 추진될 수밖에 없다. 군사통합만 보더라도 통일에 합의 전까지 큰 골격은 합의에 이를 수 있겠으나, 통일합의 시까지 완결하기는 어려울 것으로 본다. 특히, 분단이 장기화되고 극렬하게 대립했던 남북한 간에 통합은 그만큼 통합을 위한 시간과 노력이 필요할 것이다.

국가의 통일은 주권과 국토가 합쳐진 상태라고 보면 여타 분야의 통합이 완벽하게 이루어지지 않았다고 하더라도 정치적 주권이 어느 정도 융합된 상태에 이른 경우에는 통일되었다고 할 수 있다.[117] 이러한 의미에서 통일은 제 분야의 통합이 전제된 최고의 상태가 아니라 최소한 정치적 통일이 이루어졌다면 통일된 것으로 보아야 한다. 통일이 보다 더 완전하게 이루어지기 위해서는 제 분야의 통합이 선결되어야 하나 정치적 통일을 제외한 제 분야의 통합이 완벽하게 이루어지지 않았다고 해서 통일되지 않았다고 볼 수는 없다.

따라서 통일정책은 중요한 부분에 대한 합의를 통해 통일을 하고, 통일 이후에 분야별 통합을 통해 완전한 국가통합을 달성하는 방향으로 설정되어야 할 것이다. 이러한 측면에서 통일정책은 단순히 통일이라는 목표에만 중점을 두어서는 안 되고, 과정을 중시하면서 통일 후 나타날 후유증을 해결하고 최소화하기 위한 제반 사항이 고려되어야 한다. 남북한 통일은 하나의 종족, 언어, 문화와 전통, 그리고 공통의 역사를 가진 한민족이 외세에 의해 분단되고 남북한 간 대치와 대

---

[117] 이종석, 『분단시대의 통일학』, 17쪽.

결의 상태를 하나의 공동체로 재결합하는 것을 의미한다. 결국 남북한 통일은 70여 년간 이질화되어 있었던 체제를 하나로 통일하고 통합해야 하는 난제를 푸는 일이다. 특히, 북한의 체제와 이념은 그동안의 여타 사회주의 국가와도 구별되는 독특한 것이어서 그만큼 남북한 통일 과정이 어려울 것임을 시사하고 있다.

현재 남북한 통일방안은 통일과 통합을 명확하게 구분하지 않고 있고, 정치적 통합을 달성하는 데에 중점이 두어 지고 있다. 남북한은 각각의 이데올로기를 유지하는 방향으로 통일방안을 수립하고 이를 상대편이 수용해 주기를 바라고 있다.[118) 남북한이 통일된 이후에 완전한 통합을 이루어내기 위해서는 남북한의 각 통일방안은 이러한 측면에서 보완이 필요하다. 적대관계에 있는 분단국이 통합을 원활하게 수행하고 통일 후 후유증을 최소화하기 위해서는 급진적인 방식보다는 점진적이고 단계적인 정책 추진이 바람직할 것이다.[119) 남북한은 여타 분단국들보다 상호 극렬한 대치상태에 있었기 때문에 이러한 과정이 절대적으로 필요하다. 그런데 남북한의 통일방안을 보면 남한보다는 북한의 통일방안이 더 급진적으로 되어 있다. 그렇다고 해서 남한의 통일방안이 점진적 · 단계적인 통일을 위해서 가장 적합한 방안이라고 하기에는 미흡한 점이 또한 있다. 이명박 정부의 '3대 공동체 통일구상'이나 박근혜 정부의 '드레스덴 통일 구상'은 모두 이러한 점을 감안해 제기된 것이라 볼 수 있다.

....

118) 박광기, 「한국의 통일정책: 통일인가, 통합인가?」, 『남북한 통합론』(서울: 대왕사, 1998), 37쪽.
119) 김계동, 『남북한 체제통합론』, 40쪽.

2. 평화통일을 위한 남북한 헌법상의 한계와 문제점

남북한 통일은 평화와 민주를 기본 틀로 하여 정치, 경제, 사회적 측면에서 다음과 같은 이념과 목표를 지향해야 할 것이다. 먼저 정치 체제 면에서는 국민의 요구가 적극적으로 수렴되고 반영되는 자유민주주의 체제여야 한다.[120] 경제적 측면에서는 경제의 자유원리, 사유재산권, 자유경쟁과 유인 제도에 의해 능력과 창조성이 최대한 발휘될 수 있는 기반이 마련되어야 한다. 자유로운 시장경제체제가 확립되어야 할 것이다. 다음 사회적 측면에서는 사회구성원들의 다양한 욕구와 취향을 향유하고 누릴 수 있는 민주적 다원사회가 만들어져야 한다. 이러한 과정에서 나타날 수 있는 이해관계의 충돌을 조화롭게 해결할 수 있는 시스템이 마련되어야 한다.

이러한 방향으로의 통일 진전을 가로막는 근본적인 장애가 북한 헌법에 명시되어 있다. 이로 인해 남북한 간 통일 논의는 한 발자국도 나아갈 수 없도록 되어 있다. 우리 헌법에는 "대한민국은 통일을 지향하며 자유민주적 기본질서에 입각한 평화적 통일정책을 수립하고 이를 추진한다"고 되어 있다. 그리고 정당의 설립은 자유이며 복수정당제가 보장되고 있다. 주권을 가진 국민이 정당을 지지하면 어느 정당이든지 정권을 획득할 수 있도록 되어 있다.

반면, 북한 헌법은 제11조에서 "조선민주주의인민공화국은 조선로동당의 령도 밑에 모든 활동을 진행한다"로 되어 있다. 따라서 북한의 근간을 파악하기 위해서는 헌법과 더불어 조선로동당 규약을 보아야

---

120) 박영호, 「통일한국의 정치사회적 갈등양태와 해소 방안」, 『세계질서의 변화와 한반도 통일』(서울: 한국정치학회, 1994), 111쪽.

한다. 북한에도 조선로동당 외에 조선사회민주당과 천도교청우당 같은 정당들이 존재하고 있지만 이 정당들은 하나같이 선전을 목적으로 하는 위성 정당에 불과하다. 조선로동당의 일당 지배를 헌법에 명시하고 있는 당 규약 서문을 보면 "조선로동당의 당면목적은 공화국 북반부에서 사회주의 강성대국을 건설하며 전국적 범위에서 민족해방민주주의 혁명의 과업을 수행하는 데 있으며 최종목적은 온 사회를 주체사상화하여 인민대중의 자주성을 완전히 실현하는 데 있다"고 명시되어 있다.

이와 같이 한국은 자유민주주의의 체제를 전제로 한 통일을 추진하고 있는 반면, 북한은 조선로동당의 일당 지배 체제를 유지한 가운데 전 한반도를 사회주의 체제로 통일을 목표로 하고 있어 통일이념과 체제가 정반대로 되어 있다. 김정일은 1992년 1월 3일 조선로동당 중앙위원회 책임일꾼들과 한 담화를 통해 다원주의를 배격한다는 입장을 취했는데, 여기에서 다원주의는 다당제를 의미한다. 다당제가 실시되면 사실상 일당 독재의 사회주의 체제가 무너지게 될 것이라는 판단하에서 나온 발언이었다.[121]

북한이 일당 독재와 사회주의 체제를 유지한 가운데 통일하겠다고 하는 한 평화통일을 위한 논의는 진전을 할 수 없게 되어 있다. 통일한국은 지금의 북한과 같이 일당이 지배하는 체제가 아니라 주민의 뜻을 제대로 반영할 수 있는 정당이 선거를 통해 대표권을 가질 수 있어야 하는데 이를 정면으로 부인하고 있기 때문이다. 아무리 헌법의 테두리를 벗어나서 논의를 한다고 해도 우리가 추구하는 통일은 최소한 자유민주주의 체제여야 한다는 데에는 논란의 여지가 없고 협상대

121) 양영식, 『통일정책론』(서울: 박영사, 1997), 565쪽.

상도 아니다.

한편, 우리 헌법 제3조에는 "대한민국의 영토는 한반도와 부속 도서 (島嶼)로 한다"고 되어 있기 때문에 북한을 주권국가로 보는 것은 헌법에 위배된다고 할 수 있다. 단일국가 형태를 지향하고 있는 우리의 현행 헌법을 개정하지 않고서는 국가연합이든, 연방이든 북한을 독립된 국가로 보는 국가형태는 수용하기가 어렵게 되어 있다.

결론적으로 남과 북의 통일 논의는 헌법적 테두리를 벗어나지 않는한 논의 자체가 어렵게 되어 있다. 그리고 북한이 주장하고 있는 바와같이 자본주의와 사회주의 체제를 동시에 허용하는 헌법을 만들어 하나의 국가를 형성하기는 사실상 불가능하다.[122] 분단국가가 통일을하려면 최소한 어느 한 체제를 중심으로 헌법을 만들고 다른 체제하의 주민을 배려할 수 있도록 하는 수준에서 결정을 할 수밖에 없을 것이다. 남북한 통일은 자본주의 체제를 기본으로 하되 세금을 높여 사회복지 제도를 대폭 확충하는 방안 등이 고려될 수 있을 것이다.

따라서 평화통일을 위한 첫 번째 단계는 북한이 먼저 체제를 전환하고 남북 통합이 이루어져야 한다. 그리고 통일 초기에 완전한 통합을 이루려면 중앙정부의 강력한 통치체제가 작동되어야 한다. 하나의 이념과 체제를 지향하면서 정치, 군사, 경제, 사회 분야의 통합이 이루어져야 한다. 이와 관련하여 우리는 통일단계를 설정 시 두 가지 큰물음에 스스로 답을 해야 한다. 첫 번째 물음은 실질적으로 어떠한 단계를 거쳐야 평화적으로 통일할 수 있느냐이다. 현재의 민족공동체통일방안과 같이 남북연합 단계에서 바로 통일국가로 연결될 수 있을 것인지의 여부다. 남과 북이 극한 대립상태에 있었고 사상과 이념, 체

---

122) 권영성, 「남북통합과 국가형태 · 국가체제 문제」, 52쪽.

제가 완전히 다르게 유지되어 왔는데 갑자기 섞여서 하나의 공동체를 형성할 수 있느냐 하는 문제이다. 둘째 물음은 통일한국이 남한과 북한 지역에 서로 다른 체제를 유지하고도 통일된 국가라고 할 수 있느냐이다. 통일은 나누어져 있는 것들을 합쳐서 하나의 조직·체계 아래로 모이게 하는 것을 의미한다. 따라서 분단된 국가가 통일된다는 의미는 외형적으로 합치는 것뿐만 아니라 하나의 제도와 체제로 통일시키고 통합을 이루는 것을 포함한다.

이러한 물음들에 답을 하기 위해서는 남북한 통일방안들이 평화적인 통일을 위한 목표와 프로세스로서 적절한지에 대해 살펴볼 필요가 있다. 남북한은 1991년 9월 18일 열린 제46차 유엔총회에서 각각 별개의 의석을 가진 회원국으로 유엔에 가입했다. 북한은 유엔에 가입하지 않으려고 했으나, 독일과 같이 흡수통일될 것을 우려한 중국이 한반도에 사회주의 기지를 존속시키고자 북한을 설득하여 2국가 2체제로 남아 있도록 한 것이다.[123] 이후에 주변국들이 남북한을 교차 승인함으로써 국제법상으로는 남한이 그동안 한반도의 유일합법 정부라고 해왔던 주장은 더 이상 의미가 없어지게 되었다. 한국과 북한은 국제법적으로 동등한 각각의 국가로 인정을 받게 된 것이다.

그럼에도 불구하고 남과 북은 국가관계가 아닌 잠정적으로 형성된 특수관계라는 점을 상호 인정하고 있다. 한국의 정원식 국무총리와 북한의 연형묵 정무원 총리는 1991년 12월 13일 합의하고 1992년 2월 19일 발효된 「남북 사이의 화해와 불가침 및 교류·협력에 관한 합의서(남북기본합의서)」를 통해 남과 북은 "쌍방 사이의 관계가 나라와 나라 사이의 관계가 아닌 통일을 지향하는 과정에서 잠정적으로 형성

---

123) 유영옥, 『한반도 통일 정책론』(서울: 학문사, 1996), 320쪽.

되는 특수 관계라는 것을 인정하고, 평화통일 을 성취하기 위한 공동의 노력을 경주"하자는 데에 일치를 보았다.

남북한이 통일을 하기 위해서는 남북 당사자의 결정이 우선 중요하지만, 주변 국가들은 물론 관련 국가들의 적극적인 지지와 협력 또한 필요하다. 이러한 협력은 남북한이 유엔이 인정한 별개의 독립 국가임을 인정한 인식에서 출발해야 함을 의미한다. '민족공동체통일방안'의 두 번째 단계인 남북연합은 국가형태 면에서 국가연합의 범주에 속한다. 왜냐하면 이 단계에서 남북한은 2개 국가 체제를 유지하고 있는 것을 전제로 하고 있기 때문이다. 그렇다면 거의 70년간 분단되어 전쟁까지 치른 두 국가가 어느 순간에 어떠한 중간 단계도 거치지 않고 바로 통일국가로 발전할 수 있을지에 대해 근본적인 의문이 제기된다. 통일국가는 외형적으로 뿐만 아니라 내적으로도 통합과정을 거쳐 완전한 하나의 공동체를 형성해야 하기 때문이다.

남북한이 외형적으로 통일국가가 된다고 해도 북한의 사회주의 체제를 자유민주주의의 자본주의 체제로 전환하기 위해서는 과도적인 단계가 필요할 것이다. 이러한 관점에서 북한이 주장하고 있는 고려민주연방공화국 창립방안은 논리에 맞지 않다. 팽팽한 대립 상태에 있었던 두 국가가 신뢰구축 단계도 없이 하루아침에 하나의 국가가 된다는 것은 좀처럼 이루어질 수도 이해하기도 힘들기 때문이다. 분단된 국가들이 통일된 하나의 국가를 만든다고 하면서 중간 단계를 거치지 않고 바로 통일국가를 만들기는 현실적으로 어려울 것이다.

3. 연방제 방안에 대한 남북한 시각차

우리 내부에서 연방제에 대한 거부감은 상당하다. 남북한 통일을 논의 시 연방제를 거론하면 그 자체가 북한이나 좌익의 입장을 두둔하거나 따르려는 것으로 인식되어 있는 측면이 없지 않다. 그러나 평화통일을 지향하기 위해서는 연방제를 포함하여 통일과정에서 어떠한 국가형태와 과정이 필요한지에 대해 근본적인 검토가 필요하다. 통일한국이 자유민주주의 체제를 기본 전제로 하는 한 국가형태나 정부형태에 대해서는 허심탄회하게 논의하여 합리적인 실현가능한 방안을 마련할 수 있는 분위기가 조성되어 있어야 하기 때문이다. 검토한 결과 중간 단계가 필요하고 연방제가 합리적인 대안이라면 이를 수용할 필요가 있다.

따라서 북한이 주장하고 있는 연방제가 과연 통일단계에서 필요한지, 그리고 우리가 구상하는 통일을 평화적으로 이루어내기 위해서는 어떠한 형태의 연방제가 적합한지에 대해서는 진지한 검토가 필요하다. 아울러 연방제가 통일을 위한 과정에서 필요한지 아니면 통일한국의 국가형태로서 필요한지에 대한 근본적인 이해와 결정도 이루어져야 할 것이다. 제1장에서 논한 바와 같이 세계적으로 민주 자본주의 국가이면서도 연방제를 채택하고 있는 나라는 미국, 영국, 독일 등 선진국을 포함해 매우 많다.

그런데도 우리의 통일방안에서 연방제라는 용어 사용을 기피한 이유는 북한이 우리가 받아들일 수 없는 독특한 연방제를 주장하며 오랫동안 사용해 왔기 때문이다. 따라서 연방제를 논하게 되면 북한이 주장하는 연방제를 자동으로 떠올리게 하여 연방제 용어 자체에 대한 거부감이 생겼다. 그러나 연방제는 북한이 주장하고 있는 형태의 연방제를 포함해 다양한 형태가 있으므로 통일과정의 한 단계로 검토될 필요성은 충분하다.

연방에 대한 개념은 매우 다양하다. 이는 연방이 구조일 뿐만 아니라 과정이기 때문이다. 그리고 연방제는 구심력과 동시에 정반대의 원심력을 갖고 있는데, 통합과 통일을 지향하는 구심력과 더불어 분산과 분리를 추구하는 원심력이 있다. 연방제는 "공동의 국가적 목적을 달성하기 위하여 이러한 대립적인 힘을 조화시킴으로서 다양성 (diversity) 속에서 통일성(unity)을 실현하는 헌법적 장치"[124]이다.

연방제 국가들의 경우 공동방위의 필요성과 외세로부터 독립하려는 욕구 등 안보·군사적인 요인과 경제적 요인이 연방제를 채택하는 데 큰 영향을 미치고 있는 것으로 나타나고 있다. 통일국가에서 연방제를 채택하는 국가들의 사유와 배경은 다음과 같이 요약된다.[125] 첫째, 외부위협에 효과적으로 대처하거나 위상을 제고하기 위해서 연방을 형성했다. 둘째, 질적으로 인접한 국가들이 역사적인 공동경험을 바탕으로 하나의 공동체로서 통합을 하면서도 원 국가의 정체성과 자율성을 유지했다. 셋째, 미국, 캐나다, 소련, 인도 등과 같이 대체로 영토가 방대한 국가들이 연방제를 채택하는 경우가 많았다. 영토가 방대하다는 것은 언어나 종교 등으로 인해 주민들 간에 이질화 가능성이 있고, 지리적으로 분리되어 있어 분권통치를 해야 할 필요성이 증대하게 된다. 따라서 다민족으로 구성된 국가일 경우 연방제를 채택하여 인종별로 어느 정도 독립을 보장하면서 하나의 국가로 통합하게 된다.

---

124) 공용득, 『북한연방제 연구』, 30쪽.
125) 공용득, 『북한연방제 연구』, 33~35쪽.

이러한 측면에서 보면 우리는 하나의 민족으로 구성되어 있고 종교적으로 남북한이 극단 상태에 있지도 않으며 다른 나라들에 비해 국토가 그리 넓은 편도 아니다. 따라서 통일한국이 연방제를 채택해야 할 필요성은 그리 높지 않다고 보아도 무방할 것이다. 그럼에도 남북한이 통일과정에서나 통일한국이 연방제를 채택할지의 여부는 연방제를 채택하면 어떠한 장단점이 있을 것인지에 따라 결정될 수 있는 문제이다. 연방제나 단방제는 각각 장점과 단점이 있으므로 어떠한 방안이 적절한지에 따라 남북한 통일과정에서 연방제 단계를 설정하거나 완성된 통일국가가 연방국가 형태를 채택할 수도 있을 것이다.

통일과정에서 연방제를 채택하게 된다면 통일국가를 향한 통합과 통일을 향한 구심력의 기능을 하게 될 것이다. 반면 완성된 통일국가에서 연방제를 채택하게 되면 분산과 분리를 추구하게 되어 결국 남북이 한 덩어리로 통합되기보다는 분단 시의 체제 일부가 잔존할 가능성이 많다. 북한지역은 사회주의 체제하의 인식과 사고가 일부 남아 남한지역과는 다른 생활양상을 유지할 가능성이 있다고 보아야 할 것이다. 연방제가 통일단계에서 필요할지 아니면 통일국가에서 필요할지는 상호 연계가 되어 있는 듯하면서도 별개의 문제이다. 즉 통일단계에서 연방제를 거친다고 해서 완성된 통일한국이 자동적으로 연방제를 채택하게 되는 것은 아니며, 통일단계에서 연방제를 거치지 않았다고 해서 통일한국의 국가형태가 연방제가 안 된다는 것은 아니다.

그러면 먼저 북한이 주장하는 연방제 통일방안이 안고 있는 문제점은 무엇인지에 대해 살펴볼 필요가 있다. 북한이 주장하는 연방제의 성격이 연방국가인지 아니면 국가연합인지 분명하지는 않지만 연방국가 쪽에 가까운 것으로 분석되고 있다. 가장 문제가 되는 것은 통일

이후에도 남북한 분단을 전제로 하고 있다는 점이다. 북한이 주장하는 통일방안은 통일 이후에도 두 개의 체제와 정부를 유지하여 양 지역을 분리하려는 것이다. 그러면서도 중앙정부(남한정부)로부터는 지원을 받아 현재와 같은 기득권을 유지하고, 점차 정치적 영향력을 넓혀 종국에는 전 한반도를 현재 북한 위정자들의 지배하에 복속시키려는 의도가 내재되어 있다.

따라서 남한의 연합제와 북한의 '낮은 단계의 연방제'가 공통점이 있다고 한 6·15공동선언을 우리 국민으로서는 수용할 수 없다고 보고 있다. 그 이유는 다음과 같다. 먼저 우리가 '낮은 단계의 연방제'를 수용하게 되면 다음 단계인 '높은 단계의 연방제'로 가야 한다는 논리에 귀착될 것이기 때문이다. 둘째, 우리의 통일방안에서 제시하고 있는 남북연합과 '낮은 단계의 연방제'는 근본적인 차이점이 있기 때문이다. 남북연합 단계는 남북한이 각각 독립된 국가 체제를 유지하게 되지만, '낮은 단계의 연방제'는 이미 통일되어 1개 국가가 된 상태를 상정하는 분명한 차이가 있다. 셋째, 한 발 더 나아가 북한은 1국가, 2체제, 2정부의 '낮은 단계 연방제'를 거치면서 한미동맹관계를 해체하고 주한 미군을 철수시킨 후 전 한반도의 사회주의를 실현하는 데 최종 목표를 두고 있기 때문이다.

국가연합이 국가 간의 수평적 관계를 기본으로 하여 설정된 반면, 연방제는 한 국가 안에서 중앙정부와 지방정부 간의 수직적 관계를 맺는 것을 말한다. 따라서 '낮은 단계의 연방'에서 주권은 남북한 정부에 있다고 하지만, 이는 '높은 단계의 연방'의 초입 단계로 '높은 단계의 연방'으로 되면 주권을 중앙정부로 이양하게 될 것이다. 이는 6·15 공동선언에서 말하는 남한의 연합제안은 노태우·김영삼 대통령이 말한 남북연합과는 본질적으로 다르다고 할 수 있다.

　노무현 대통령은 남북한 통일과 관련하여 국가연합이라는 표현을 사용했는데, 2004년 2월 24일 방송기자클럽 회견에서 "통일은 독일처럼 흡수통일이 아니라 오랫동안 일종의 국가연합체제로 갈 것이다. … 실질적 권한은 지방정부가 갖는다"라고 했다. 이는 김대중 대통령의 '3단계 통일론'에 뿌리를 두고 있는 것으로 해석되고 있다. 노 대통령은 국가연합이라는 용어와 함께 "정치적 통합단계에서 통일수도는 연합국가의 의회사무국이 위치하는 판문점이나 개성일대에 서울이나 평양보다 규모가 적게 만들어질 것"이라고 덧붙였다. 이 의미는 노 대통령이 북한의 연방제를 수용하겠다는 뜻으로 해석될 수 있는 소지가 있었기 때문에 우리 사회에서 매우 민감하게 반응한 바 있었다. 지방정부는 연방제하에서 중앙정부와 대비되는 표현으로 노 대통령이 지방정부라는 용어를 사용한 것은 실질적으로는 연방제를 지칭하는 것이 되기 때문이다. 왜냐하면 지방정부라는 개념은 그것이 낮은 단계이건, 또는 높은 단계건 간에 연방제하에서나 사용 가능한 용어이기 때문이다. 따라서 국가연합을 말하면서 지방정부를 운운하는 것은 논리적으로 모순된다고 할 수 있다. 또한 통일수도는 연방제하에서나 필요하지 국가연합 단계에서 필요한 것은 아니다. 국가연합은 통상 이를 구성하는 국가들 간에 협의체만 만들어 운영하게 된다. 남북연합의 경우에도 남북한 간에 협의체를 만들면 되는 것이다. 그럼에도 노 대통령이 통일수도를 언급한 것은 연방제를 염두에 둔 것으로 봐야 한다는 해석이 설득력이 있다.

　이상에서 살펴본 바와 같이 통일한국이 연방제를 채택해서는 안 된다는 논리는 맞지 않다. 다만 북한이 주장한 대로 2개 체제를 인정하고 남북한이 지역·이념·체제적으로 분리되어 통일국가가 아닌 남북분단을 고착화하는 연방제는 수용할 수 없다. 남북한 통일과정에서 중간 단계로서 연방제나 최종 통일한국의 국가형태로서의 연방제는 연방제 성격에 따라 채택이 가능하다고 할 수 있다. 따라서 북한이 최초 사용함으로써 우리 내부에 확산된 연방제에 대한 거부감을 불식하고 연방제 채택 필요성에 대해 심층깊은 연구와 검토가 필요한 시점이다.

제2절 남북한 평화통일을 위한 단계 설정

1. 평화통일을 위한 단계 설정 시 고려 사항

남북한이 평화적으로 통일하기 위해서는 점진적으로 단계를 밟을 필요가 있는데 다음과 같은 고려사항들이 있다. 첫째, 한국이 주장하는 통일방안의 한 단계인 남북연합 단계가 국가연합과는 어떠한 차이가 있고 이 단계에서 어떠한 것들이 이루어지는 것을 상정하고 있으며 실현 가능한 것이냐이다. 둘째, 완전한 통일국가를 이루기 위해 과도 단계가 필요하며 어떠한 국가형태가 적합한지에 대한 검토가 되어야 한다.

먼저 첫 번째 고려사항인 남북연합과 연합국가와의 차이점과 통일 과정에서 시사점이 무엇인지에 대해 살펴보고자 한다. 우리 내부에서는 남북연합이 연합국가와 어떠한 점에서 차이가 있고, 남북연합을 연합국가와 동일시해야 하는지의 문제를 놓고 격하게 논쟁한 적이 있다. 근본적인 시각차는 남과 북을 독립된 국가로 인정해야 하느냐이다. 현재 남과 북 양측 공히 비록 남북한이 유엔에 가입하여 국제법적으로는 독립된 국가로 되어 있으나, 독립국가는 아니라고 보고 있다. 남북한을 독립국가로 보게 되면 분단이 고착화될 것이라는 인식 때문이다. 따라서 남북한은 국제적으로는 독립된 국가로 인정을 받고 활동을 하고 있으면서도 "남과 북은 국가관계가 아닌 잠정적으로 형성된 특수 관계"에 있다. 이러한 인식으로 인해 한국의 통일방안에서는 북한을 하나의 독립국가로 보았을 때나 사용할 수 있는 연합국가라는 용어 대신에 남북연합이라는 용어를 사용하고 있는 것이다. 우리의 역대 정부들은 한결같이 북한을 국가로 인정하는 것 자체가 분열 지향적이고 분단을 고착화하는 것으로 생각하여 국가 간 결합체인 국가연합이라는 용어는 사용하려고 하지 않았다. 연합국가 대신 남북연합이라는 용어를 써왔고 북한이라는 정치적 실체를 인정하면서도 대한민국만이 정통성을 갖는 국가이고, 북한은 국내법적으로는 우리 영토의 한 부분을 차지하고 있는 반국가단체로 여겨져 왔던 것이다. 국가연합 대신 남북연합이라고 쓴 것은 북한을 국가로 승인하지 않겠다는 뜻이 담겨 있다. 이로 인해 북한을 반국가단체로 보면서 어떻게 평화통일을 위한 상대로 대할 수 있을 것인지 근본적인 문제가 제기되고 있다.

이와 같이 우리는 통일방안에서 국가연합이라는 용어 사용을 회피해 왔는데 과연 남북연합제가 국가연합제와 어떻게 다른지를 그동안의 논의를 중심으로 조금 더 살펴보고자 한다. 남북연합과 국가연합은 모두 2개 국가체제를 상정하고 있다는 측면에서는 같다. 그러나 내면으로는 북한을 하나의 독립국가로 보느냐 아니냐에 따라 달라진다. 남북연합은 북한을 주권국가로 보기보다는 완전한 통일을 실현할 때까지 같이 통일을 추구해야 하는 특수 관계에 있는 정치집단 정도로 이해하고 있다.

남북연합과 연합국가의 차이점을 두고 6·15공동선언 직후 큰 논란이 있었다. 김대중 대통령은 대통령에 당선되기 이전인 1995년 그동안 주장해 온 자신의 통일방안을 정리해서 남북연합 → 연방제 → 완전통일국가로 이어지는 소위 「김대중의 3단계 통일론」을 제시했다. 김 대통령은 이 책자에서 통일의 첫 단계로 설정한 남북연합은 "2개의 남북한 독립국가가 서로 다른 체제를 그대로 유지한 채 국가연합을 형성하는 것이다. 따라서 남과 북은 각기 지금까지 유지해온 기존의 모든 주권과 권한을 그대로 보유한다"고 밝혔다.[126] 이와 같이 김 대통령은 남북연합을 국가연합이라고 규정하면서 남북연합은 "남북 당국이 … 정치적 결단을 내릴 경우, 어렵지 않게 이루어질 수 있다. 이 점에서 남북한 간에 신뢰가 구축된 이후에야 남북연합이 가능하다고 보는 김영삼 정부의 입장과는 '통일에 대한 적극적 의지' 표명의 측면에서 기본적으로 문제의식을 달리하고 있다"고 주장했다.[127] 한마디로 남북연합이 곧 국가연합을 뜻한다는 것이다.

그러나 김대중 대통령은 재임 중에는 자신이 말하는 연합제는 「한민족공동체통일방안」의 남북연합과 동일하다는 입장을 견지해 왔으나, 이 문제는 남북 정상회담이 있은 직후에 다시 제기되었다. 김 대통령은 남북 정상회담을 마치고 돌아온 후인 2000년 6월 16일 국무회의 석상에서 "남측의 연합제안과 북측의 '낮은 단계의 연방제안'이 서로 공통성이 있다고 인정하고 앞으로 이 방향에서 통일을 지향시켜 나가기로 하였다"고 한 6·15공동선언 제2항에 대해 설명을 했다. 남측의 연합제 안이 자신의 '3단계 통일론'에서 나온 것임을 밝힌 것이다. 이는 그의 연합제는 국가연합을 뜻한다는 것이다. 이에 대해 당시에 국가정책으로 공식화되지 않은 사적인 견해를 가지고 북한과 합의

---

126) 김대중, 『김대중의 3단계 통일론-남북연합을 중심으로』(서울: 아태평화출판사, 1995), 34~35쪽.
127) 김대중, 『김대중의 3단계 통일론-남북연합을 중심으로』, 38쪽.

를 했다는 비판의 목소리가 곧바로 거세게 일어났다. 그러자 그는 다음날 이회창 한나라당 총재와의 회담에서는 말을 바꾸어 6·15공동선언의 연합제안은 노태우 정부의 「한민족공동체통일방안」이나 김영삼 정부의 「민족공동체통일방안」에서 말하는 남북연합과 똑같은 것이라고 말했다. 자신의 '3단계 통일론'에서 설정한 남북연합제는 「한민족공동체통일방안」의 남북연합과 동일하다는 6·15공동선언 이전의 입장으로 선회한 것이다. 이와 같은 논쟁에서 보듯이 우리 통일방안에서 제시된 남북연합은 국가연합과는 분명히 다른 뉘앙스를 띠고 있다. 남북연합을 국가연합과 동일시할 수는 없게 되어 있다.

아울러 북한의 제도 전환에 따른 충격과 동요를 고려하여 이를 최소화하는 대책이 마련되어야 할 것이다. 북한지역에도 남한의 제도를 접목시키면 종내에는 지역발전과 민주시민사회 형성에 크게 기여할 것이다. 그러나 새로운 제도를 받아들여 일상생활의 기본 패턴을 완전히 바꾸어야 하는 북한 주민들로서는 정신적·물질적 충격과 고통을 겪게 될 것이다. 이는 자칫 잘못하면 사회불안을 야기시켜 체제전환과정에서 뜻하지 않은 장애물이 될 수도 있으므로 이에 대한 대비를 해야 하겠다.

다음은 두 번째 고려사항으로 남북한이 완전한 통일국가를 이룩하기 전 단계로서 국가형태의 하나 또는 둘을 중간 단계로 설정할 필요가 있느냐의 문제이다. 국가형태 중에서 중간 단계로 고려할 수 있는 것은 연방제와 단방제하에서 북한지역을 특별행정구역으로 설정하는 방안이 고려될 수 있다. 이에 대해서는 다음 항에서 세부적으로 논하고자 한다.

2. 남북한 평화통일 시 과도 단계 설정 필요성

남북한 통일은 이질화된 정치체제를 하나의 정치체제로 통합하는 정치문제이지만 상호 이질화된 체제하에서 적대관계에 있었기 때문에 모든 면에서 남북체제의 이질성을 극복하는 방향으로 추진되어야 한다. 따라서 상대방을 배려하고 동행하려고 하는 마음이 없다면 그 간격을 좁히기는 쉽지 않을 것이다. 남북한이 평화적으로 통일을 하기 위해서는 남북한이 통일방안을 마련하고 이를 적극 수용해야 한다. 한 측이 제안한 방안을 상대방이 도저히 받아들일 수 없다면 대외 선전용에 불과할 뿐 평화적 통일을 위한 접점은 찾기가 어렵기 때문이다.

따라서 그동안 양측에서 제안한 통일방안들이 통일단계별로 실현 가능성이 있고 또한 적합하며 다음 단계로 넘어가기 위한 단계별 목표가 성취될 수 있도록 되어 있는지를 먼저 살펴볼 필요가 있다. 그런데 북한이 제안한 통일방안은 앞에서 분석한 바와 같이 우리로서는 도저히 받아들일 수 없는 방안이다. 남북한으로 장기간 분단되어 왔었고 북한의 군사적 도발 등으로 긴장 관계가 지속되는 상황에서 최소한의 신뢰도 없이 바로 통일국가인 연방제를 실현한다는 것은 실현 가능성이 없는 선전적 구호에 불과하다고 할 수 있다. 어찌됐건 통일 국가가 되기 위해서는 상당기간 동안에 걸쳐 화해와 교류·협력이 이루어져 통일국가의 이념과 지향 방향에 대해 합의를 해야 할 것이다. 따라서 북한의 통일방안은 실현 가능성이 매우 낮은 것으로 평가된다.

그렇다면 우리의 통일방안은 실현 가능성이 높고 문제점은 없는지에 대해 자문해 볼 필요가 있다. 우리의 통일방안이 단계별로 성취하려고 하는 목표들을 달성할 수 없거나 북한의 입장에서 도저히 받아들일 수 없는 방안이라고 일축해 버릴 수 있는 방안이라면 재고해 보아야 할 것이다. 이러한 방안으로는 평화적인 통일을 위한 접점을 찾기가 어려울 것이기 때문이다. 『민족공동체통일방안』은 자주·평화·민주를 통일원칙으로 하여 자유민주주의 체제의 국가를 구상하고 있다. 첫 번째 단계인 '화해·협력 단계'에서는 남북 간 기본합의에 따라 적대와 불신, 대립관계를 청산하고, 상호 공존·공영, 실질적인 교류와 협력, 군사적 긴장완화를 통한 신뢰구축을 하려는 것이다. 제2단계인 '남북연합 단계'는 상호신뢰와 평화정착을 기반으로 남북이 연합하여 단일 민족공동체 형성을 지향하면서 궁극적으로 단일민족국가 건설을 목표로 남북 간의 공존을 제도화하는 중간과정이다. 남북한은 각각 외교, 국방, 내정에 대한 독자적인 주권을 행사하면서 사회·문화·경제공동체를 건설하고 남북 간 합의를 통해 법적, 제도적 장치를 체계화하여 남북연합기구들을 창설하고 운영하게 된다. 남북 연합기구로는 최고 의사결정기구인 '남북 정상회의', 쌍방정부의 대표로 구성되는 '남북 각료회의'와 남북의 의원들로 구성되는 '남북 평의회' 등을 구성하게 된다. '남북 평의회'는 통일헌법을 제정하게 된다.

따라서 통일을 평화적으로 이룩하기 위해서는 남북한이 각각 제안한 통일방안에 대해 일정 부분을 수정할 필요가 있다. 그러나 북한이 받아들일 수 없다고 하더라도 수정을 가할 수 없는 부분도 있다. 수정을 할 수 없는 부분은 통일한국은 자유민주주의 체제로 되어야 한다는 점이다. 일당 독재 지배나 세습에 의해 정권을 계속 유지하기 위한 방안이나 내용은 우리 국민이 결코 받아들일 수 없기 때문이다. 주권이 국민에게 주어지는 자유민주주의 체제로의 통일과 더불어 사회주의가 아닌 자본주의를 기본으로 하는 체제이어야 한다. 이러한 전제

표 9. 남북한 통일방안 단계

구분	남 한	북 한	참고 (3단계 통일방안, 김대중)
명칭	민족공동체통일방안	고려민주연방공화국 창립방안	3단계 통일방안(김대중)
원칙	자주, 평화, 민주	자주, 평화, 민족대단결	자주, 평화, 민주
통일 단계	1단계: 화해와 협력 - 1민족, 2국가, 2체제, 　2독립정부		
	2단계 : 남북연합 - 1민족, 2국가, 2체제, 　2독립정부 - 정부 : 군사/외교권 　유지	1단계 : 낮은 단계 　　　연방제 - 1민족, 1국가, 2체제, 　2지역자치정부 - 지역자치정부: 군사 / 　외교권 유지	1단계 : 남북연합 - 1민족, 2국가, 2체제, 　2독립정부 - 정부: 군사/외교권 　유지
		2단계 : 높은 단계 　　　연방제 - 1민족, 1국가, 2체제, 　1연방정부(군사/ 　외교권 보유)	2단계 : 남북연방 - 1민족, 1국가, 1체제, 　2지역자치정부, 1연방정 　부(군사/외교권 보유)
	3단계 : 통일국가 - 1민족, 1국가, 　1체제, 1정부		3단계: 완전통일국가 - 1민족, 1국가, 　1체제, 1정부

측면에서 볼 때 우리의 통일방안은 큰 무리는 없게 설정되어 있는 것으로 평가된다. 그럼에도 각 단계에서 실현하고자 하는 과업들이 과연 이루어질 수 있을지 그 실현 가능성에 대해서는 의문이 제기되고 있다.

　먼저 노태우·김영삼 정부가 제안한 통일방안 중 첫 단계인 교류와 협력단계에서 설정한 업무들이 이루어질 수 있다면 더 이상 바랄 바는 없다. 교류와 협력을 위한 지렛대는 남한은 경제력, 북한은 군사력을 이용한 한반도 긴장 조성이 될 것이다. 따라서 남북한 간 교류와 협력은 우리의 경제력이 북한으로 하여금 군사적 도발을 하지 못하도록 어떻게 기능할 것인지가 관건이 될 것이다. 북한에서 큰 변화가 없는 가운데 경제 지원을 한다면 또다시 퍼주기 논란이 일어날 수 있다. 반면, 북한이 먼저 변해야 한다는 주장은 북한의 변화를 실질적으로 기대할 수 없을 것이다. 왜냐하면 북한의 입장으로서는 한반도의 긴장상태를 유지하고 이를 통해 외부로부터 지원을 얻어내겠다는 측면에서 아무런 대가 없이는 받아들이려고 하지 않을 것이기 때문이다.

남북한 간에 교류가 활성화되면 북한 정권이나 체제의 와해는 시간 문제가 될 것이므로 북한 정권은 남북한 간에 긴장관계를 유지하면서 주민들을 철저히 통제하는 현재의 체제를 계속 유지하려고 할 것이다. 그러나 우리 입장에서는 북한의 근본적인 변화 없이 경제적 지원을 선행하는 경우는 김대중·노무현 정부의 대북정책을 통해서 별 효과가 없음이 이미 입증되었다. 또한 북한이 먼저 변해야 경제 지원을 할 수 있다는 방안 또한 이명박 정부의 대북정책의 결과 남북관계 단절이라는 결과를 낳았다. 대북 정책을 수립하는 데 있어 양 방안 모두 문제가 있음을 보여주고 있는 것이다. 따라서 남북한이 현재 견지하고 있는 기본 개념을 약간씩 양보하지 않는다면 시간이 아무리 경과하더라도 평행선을 달릴 뿐 실질적인 교류와 협력을 이루기는 어려울 것으로 보인다.

남북한 간 실질적인 교류와 협력이 이루어지기 위해서는 북한의 비핵화 조치, 군사적 도발 방지 대책 강구, 대규모 군사훈련의 상호 참관 및 연락사무실 운용 등 군사적인 신뢰조치 등이 어느 정도 마련되어야 한다. 이후에는 비록 교류와 협력이 우리가 바라는 수준에는 못미친다고 하더라도 남북 협력을 위한 제도화 단계로 넘어갈 수 있도록 할 필요가 있다. 이러한 측면에서 우리가 바라는 대로 교류와 협력이라는 큰 개념이 달성된 이후에 다음 단계로 진행하기보다는 신뢰구축을 하는 데 목표를 둘 필요가 있다. 제1단계에서 추진 목표는 기존에 제안한 방안보다는 축소할 필요가 있다는 뜻이다. 군사적 긴장관계를 완화하는 데 중점 목표를 두고 이러한 목표가 어느 정도 해소되면 연합을 통해 양측이 보다 더 협력하고 교류하는 관계로 만들어 가야 평화통일을 위한 장을 마련할 수 있을 것이다.

아울러 신뢰구축을 위해서는 남북한이 통일과 관련하여 합의를 해 놓은 통일 3원칙을 수용할 필요가 있다. 남북한은 7·4공동성명을 통해 자주, 평화, 민족대단결의 원칙하에서 평화적인 절차를 거쳐 통일하기로 했다. 그런데도 이후에 발표된 통일방안에서 자주, 평화, 민주라는 3원칙을 통일의 가이드라인으로 설정한 것은 기본적인 취지는 같을지라도 북한이 이를 받아들이는 데 있어서는 거부감을 표출할 수 있다. 3원칙에 민주를 포함할 것인지 아니면 민족대단결을 포함할 것인지의 문제인데 사실상 민족대단결은 현재와 같은 다문화 시대에는 맞지 않은 측면이 있다. 그렇다 하더라도 이미 합의한 사항을 파기하기보다는 그대로 수용하고 다음 논의 시 이를 수정해 가는 방향으로 추진하는 것이 바람직할 것이다. 한편, 통일 3원칙의 의미에 대해 북한은 남한과 해석을 달리하고 있는데 대화를 통해 우리가 의미하는 뜻대로 해석하고 받아들일 수 있도록 해야 할 것이다.

두 번째 단계인 남북연합 단계에 대한 문제점이다. 남북연합은 남북관계가 제도화되고 분야별로 다양한 협의체로 발전된 형태이다.128) 남북한이 독립된 정치적 단위로서 화해, 협력, 평화정착을 추구하며 제한되지만 일부 영역에서 정책협의와 공동의 정책집행을 하는 국가

---

128) 박종철·허문영·김보근, 『남북연합 형성·운영의 거버넌스』(서울: 통일연구원, 2008), 3쪽.

간 협의체라고 할 수 있다. 남북연합의 목표는 통일을 지향하는 과정에서 이질성을 줄이고 공동의 이해관계를 지닌 이익 공동체를 만드는 데 있다. 남북한 통일을 하기 위한 접근을 한다고 하고서 북한을 국가로 인정하지 않겠다는 주장은 공개적으로 흡수통일을 하겠다고 천명하는 것과 다름이 없다. 남북한은 대외적으로는 특수 관계에 있고 남북한 통일문제는 우리 민족끼리의 사안이라는 점을 강조하되 남북한은 상호 체제와 정권을 인정하는 테두리에서 접근이 필요하다. 북한 측도 북한의 헌법과 당규약에 얽매인다면 결국 남북한 평화통일을 위한 진전은 기대할 수 없다. 따라서 통일을 논함에 있어서는 북한을 하나의 국가개념으로 인정하고 통일 논의를 할 필요가 있다.

'남북연합 단계'에서 운영될 기구는 최고 의사결정기구인 '남북 정상회의', 쌍방정부의 대표로 구성되는 '남북 각료회의', 그리고 남북 의원들로 구성되는 '남북 평의회' 등으로 민족공동체통일방안에서 제시된 것과 같이 하면 큰 무리는 없을 것이다. 우리의 통일방안에 의하면 이 단계 다음은 완전한 통일국가 완성단계이므로 이 단계에서 통일국가로서 체제가 정비되고 어느 정도 통합이 이루어져야 한다. 이를 위해서는 통일헌법을 제정하는 일이 가장 중요한 과업이 될 것이다. 그런데 문제는 남북연합 단계에서 국가이념과 제도상의 차이를 어떻게 좁힐 수 있을 것인지가 관건이다. 결코 쉽지 않은 과업으로 북한이 자유민주주의와 자본주의를 기본으로 하는 통일국가 형성 방안에 대해 쉽게 합의에 나서지는 않으려 할 것이다. 그리고 남북한이 정상회의와 각료회의를 통해서 통일을 위한 업무 추진 방안에 대해 논의를 하고 합의를 한다고 해도 그 이행에는 상당한 진통과 북한의 반발이 우려된다.

어려운 과정을 거쳐 북한이 자유민주주의의 자본주의 체제로 전환하기로 해도 실질적인 이행을 위해서는 내부적으로 수행해야 할 과업들이 많고, 이 과정에서는 자본주의 시장경제체제를 채택하고 있는 남한의 지원이 절대적으로 필요할 것이다. 그러나 북한은 체제를 전환하고 자유민주주의 이념에 입각한 통일된 조국을 만들겠다는 결심이 확고히 서지 않는 한 어떠한 경우에도 남북한 주민들이 자유롭게 왕래하거나 교류하도록 하지는 않을 것이다. 또한 '남북연합 단계'까지는 남북 연합기구들만을 창설하고 운영하게 되는 단계이기 때문에 외교와 군사권은 남북한 각각의 정부가 갖고 있게 된다. 특히, 남북한 통일과정에서 대규모의 북한군을 관리하고 통합하는 문제는 가장 중요한 과업이 될 것이며 이를 어떻게 추진하느냐에 따라 통일 성패가 달려 있다고 해도 과언이 아닐 것이다.

이를 종합해보면 남한이 제시하고 있는 통일방안의 기본 개념에는 큰 문제가 없는 것으로 평가된다. 그러나 남북한이 처한 현실과는 동떨어진 것으로 남북한이 통일을 위한 접점을 찾기 매우 어려워 실현 가능성은 낮을 것으로 판단된다. 북한지역이 자유민주주의 이념과 시장경제의 자본주의 체제로 전환하는 일은 결코 단순한 과업이 아니다. 이를 위해서는 하드웨어적인 것뿐만 아니라 소프트웨어적인 측면에서도 대전환이 필요하다. 먼저 이념과 사상을 통일하기 위해서는 북한이 주체사상과 선군사상을 버려야 하는데 이는 김일성 가계를 정면으로 부정하는 첫걸음이 된다. 그리고 당에 의한 국가지배체제도 수정해야 하며 다당제를 실현하고 주권을 주민에게 돌려주어야 한다. 무엇보다 중요한 과업은 사유화를 인정하고 국가 소유로 되어 있는 부동산의 상당부분을 주민들에게 분할하는 과정이 필요하다. 여기에는 남북 분단 이전 북한에 부동산을 소유하고 있던 북한지역 이외에 살고 있는 사람들에 대한 권리의 인정 여부도 동시에 검토되어야 한다. 이러한 업무를 추진하기 위해서는 정교하고도 큰 계획이 필요하며, 자칫 잘못하면 이행과정에서 큰 혼란이 일어날 수도 있을 것이다. 자본주의를 경험하지 못한 북한 관료에 의해서 이 업무를 추진하는 데에는 한계가 있는 상황에서 통일을 앞둔 북한 주민들은 더 이상은 관료들을 믿고 따르려 하지 않을 것이기 때문이다.

남북연합 단계는 비록 남북한이 독립된 국가형태로 존속을 하게 되지만 남북한이 합의에 의해 통일을 할 수 있느냐 없느냐를 결정짓게 되는 매우 중요한 단계이다. 남북한이 국가연합을 결성한다고 해도 통일의지와 노력이 없다면 합의 사항을 이행할 가능성은 높지 않다. 그리고 이러한 경우에 남북연합이 결성된다고 해도 연합이 오랫동안 지속될 가능성 또한 높지 않다. 남북한이 협력적 마인드를 가지고 공존공영을 위한 진정한 노력을 하지 않는 한 이 단계의 목표가 달성될 가능성은 낮다.

남북연합 단계에서 통일의 기반을 다지기 위해서는 북한에 대한 남한의 지원이 필요한데 북한으로부터 요청이 없는 한 남한이 북한의 체제 전환에 따른 과업을 직접 지원하기는 어렵다. 따라서 남한이 북한을 제도적으로 직접 지원할 수 있도록 하기 위해서는 북한의 과감한 인식 전환과 더불어 통일국가 초기 단계에 적용할 수 있는 과도적인 국가형태가 필요하다는 결론에 이르게 된다. 과도 단계는 앞에서 논한 바와 같이 연방제 형식이나 단일국가체제하에서 북한지역을 특별행정구역으로 지정하여 관리하는 방안 등이 고려될 수 있다.

통일국가의 최종 국가형태를 상정하되, 일정기간의 과도 단계를 설정하여 갑작스런 통일로 인한 혼란과 흡수통합에 대한 북한 정권의 거부감을 어느 정도 해소할 수 있는 방안이 고려되어야 하겠다.[129] 급속하게 흡수통합이 진행되는 경우에도 과도적 조치나 단계를 거칠 수 있다면 급작스런 통일로 인한 부작용을 상당 부분 줄일 수 있을 것이다. 정치적 통일과 동시에 남북한 간의 분단선이나 지역이 일시에 개방된다면 북한 주민의 폭발적인 남한 이주로 인한 사회적 혼란은 명약관화하다. 주택과 생필품 수급, 노동시장의 교란, 그리고 개인 소유에 대한 북한 주민의 이해력 부족으로 인한 부작용 등 사회적 여파가 걷잡을 수 없을 것이다. 정치적 통일이 되어도 북한 주민을 일정 기간 통제하여 남한과 같은 수준의 이해력과 사회 적응을 높이는 과정이 필요하다.

참고로 여기에서 말하는 연방제는 북한이 주장하는 연방제 개념이 아니라 완전한 통일국가로 가는 중간 단계에서 통합을 위해 필요로 하는 과도기 단계의 연방제를 지칭한다. 현재의 북한 당국으로서는 통일되는 경우에 북한지역이 단방국가의 특별행정구역으로 일정 기간 관리되는 것보다는 지방정부에 독립적인 권한이 상대적으로 많이 부여되는 연방제를 선호할 가능성이 높다 하겠다. 반면, 남한의 입장에서는 북한을 단방국가의 특별행정구역으로 설정하여 통합을 이루는 방안을 더 선호할 가능성이 높다. 따라서 통일의 중간 단계로 북한지역을 단방국가의 특별행정구역으로 설정할 것인지 아니면 연방제를 채택할 것인지는 통일 당시의 남북한 간 협의와 상황에 따라 결정될 것이다. 유의할 것은 중간 단계를 연방제로 채택하더라도 하나의 체제로 통일되는 것이 전제되어야 하며, 가능한 한 중앙정부의 지침이 지방정부에 강력하게 침투될 수 있도록 지방정부에 한정된 권한과 임무를 부여하는 방안이 고려되어야 할 것이다.

노태우 대통령은 1991년 UN 방문 후 가진 기자회견을 통해 "단계를

---

129) 권영성, 「남북통합과 국가형태·국가체제 문제」, 51쪽.

밟아 나가다 보면 우선 국가연합형태에서 연방으로 진척되고 궁극적
으로 정치적 통합이 될 수 있다[130]"고 하여 사실상 연방제를 수용한
통일방안을 시사한 바 있다. 김대중의 '3단계 통일론'은 남북연합 단
계에서 완전통일단계로 진입하기 이전에 과도기 단계로서 연방제가
필요한 이유에 대해 다음과 같이 정리하고 있다.[131] 첫째, 통합을 추
진할 경우 남과 북의 경제·사회·문화구조 등의 전반적 상황을 고려
해야 한다는 것이다. 즉 남북한 주민들이 일상 생활영역에서부터 가
치관에 이르기까지 겪게 될 체제통합의 충격을 완화하기 위해서 연방
제가 필요하다는 논리이다. 둘째, 북한 체제의 특수성과 북한 주민의
자존을 존중하여 지역 자치를 실시할 필요성이 있다는 것이다. 셋째,
연방정부가 북한지역을 상당기간 '특별 지원'해야 할 필요성이 있다는
것이다. 특히, 북한지역에 사회간접자본 건설을 위한 투자를 집중함
으로써 통합된 노동 시장의 교란을 최소화하고 사회복지 예산을 합리
적으로 배분하기 위해서는 북한지역에 대한 특별한 배려가 필요하다
는 것이다.

　이러한 논리와 남북관계를 고려 시 한국의 "민족공동체통일방안"과
같이 중간 단계를 거치지 않고 남북연합 단계에서 바로 완성된 통일
국가 단계로 들어가기는 현실적으로 어렵고 혼란도 가중될 것으로 보
인다. 이 경우 완전한 통일국가를 형성하기 전까지 남북 간에 공동체
형성은 어려울 것으로 전망된다. 따라서 통일이 어떠한 환경에서 이
루어지든지 간에 과도적인 조치가 필요한데, 문제는 두 개의 다른 체
제를 하나의 체제로 만드는 작업을 어떠한 과도기를 설정하여 마무리
짓느냐이다.

130)『동아일보』, 1991년 9월 26일.
131) 김대중,『김대중의 3단계 통일론-남북연합을 중심으로』, 24·41쪽.

북한의 사회주의 체제를 자본주의 체제로 전환하는 과업은 결코 단순치가 않으며 북한 당국에만 맡겨서는 성공을 보장할 수 없을 것이다. 한 예로 부동산이나 국가 소유의 일부를 사유화하는 과정에서 기존 권력자들이 자기 배 채우기식 행태를 자행할 가능성 또한 배제할 수 없는데, 이 경우 불신이 증폭하고 통일의 저해요인으로 작용할 것이기 때문이다. 동독에서 고위직을 지냈던 사람들이 통일 후 많은 부를 축적하여 사회통합의 저해 요인이 된 바 있었다. 이러한 불합리성을 제거하거나 최소화하기 위해서는 체제전환과업은 남한 당국자가 주관할 필요가 있다.

북한지역을 단방국가의 특별행정구역으로 잠시 운영하는 방안은 통일을 위한 밑그림이 명확해졌다는 측면에서 연방제보다는 남북한 간에 충돌 여지를 상대적으로 낮출 수 있을 것이다. 그러나 남북한 통일과정에서 바로 이러한 단계로 진입할 가능성은 높지 않아 보인다. 이는 통일 당시의 북한 당국자들이 자기들의 기득권을 일시에 내려놓아야 하는 방안에 응하려고 하지 않을 것이기 때문이다. 따라서 우리 내부에 연방제에 대한 거부감이 있기는 하지만, 북한 당국자들을 회유할 수 있는 대안으로 연방제를 중간 단계로 설정하는 방안을 고려해 볼만 하다. 남북한 통일과정이 순탄치 않을 것이라는 측면에서 보면 통일의 중간 단계로 어떠한 형태를 채택하든지 문제점들이 나타나기 마련이다. 특히 우리 국민에게 거부감이 있는 연방제를 채택하게 되는 경우에 어떠한 문제점들이 나타날지를 살펴볼 필요가 있다.

연방제는 중앙정부와 지방정부 간의 권력배분 정도에 따라 중앙집권적 연방, 지방분권적 연방, 균형배분적 연방 등으로 구분되고 있다. 구 소련방은 중앙집권적 연방국가의 대표적인 예라고 할 수 있다. 소련방은 15개의 연방공화국들로 구성되어 있었고, 헌법에 따라 일정한 권한행사를 할 수 있고 언제든지 연방에서 탈퇴가 가능하도록 되어 있었다. 그렇지만 이는 형식상 인정되었을 뿐 중앙정부의 강력한 통제하에 있었다. 이 외에도 연방제를 채택하고 있는 국가 중에서 미국, 스위스, 독일 등은 연방정부가 상대적으로 많은 권한을 갖고 있고, 캐나다, 남아프리카연방 등은 지방정부인 주에 권한이 많이 이양되어 있다.

남북한이 통일 시 중간 단계로 고려되는 연방제는 중앙정부가 권한을 많이 갖게 되는 중앙집권적 연방형태가 바람직할 것이다. 왜냐하면 이 단계에서 연방제는 완전한 통일국가를 지향하는 가운데 채택되는 하나의 과정으로 주로 북한지역을 남한과 같은 체제로 전환하고 통합을 위한 기반을 닦아야 하고 이를 위해서는 중앙정부의 강력한 통제와 조정이 필요하기 때문이다. 통일의 중간 단계로 연방제를 채택할 경우에 통일단계는 제1단계(신뢰구축 단계) ⇒ 2단계(남북연합 단계) ⇒ 3단계(남북연방 단계) ⇒ 4단계(통일국가 완성단계)로 설정된다. 이는 남북통일을 평화적으로 실현할 수 있는 하나의 유력한 방안이 될 수도 있을 것이다.[132]

필자는 이러한 단계를 거친 통일방안을 '공존공영의 공동체통일방안'으로 명명하고자 한다. '공존공영의 공동체통일방안'은 노태우 정부의 '한민족공동체통일방안', 김영삼 정부의 '한민족공동체 건설을 위한 3단계 통일방안(민족공동체통일방안)'의 기본 틀을 유지한 가운데 북한이 주장하는 것과는 추진 목표나 기능 면에서 확연히 다르지만 연

---

132) 양동안은 남북한 공동체 형성은 동북아 지역공동체 → 남북 국가연합 → 남북한 연방 → 한반도 단방국가 순으로 단계적으로 추진되어야 한다고 주장하고 있다. 양동안, 「남북한 공동체 형성을 위한 정치통합」, 『통일시대 남북 공동체』(서울: 백산서당. 2008), 130쪽.

방제를 중간 단계로 설정하는 방안이다. 어찌 보면 북한의 입장으로서도 그들이 줄곧 주장해온 연방제라는 국가형태가 중간 단계로 들어가 있기 때문에 어느 정도 이해를 하고 협상 테이블에 앉을 수도 있을 것이다. 아울러 이 방안은 박근혜 정부가 추진하고 있는 '신뢰와 평화'를 기반으로 하는 대북접근 방향과도 맥을 같이 한다고 할 수 있다.

그리고 기존 통일방안에서는 '민족'을 강조하는 측면이 있었는데, 우리는 이미 다문화 시대에 살고 있으므로 다민족을 포용하는 의미에서 민족이라는 용어를 삭제하는 것이 바람직할 것으로 보았다. 특히, 이 방안은 북한을 일방적으로 흡수하거나 급격한 통일을 추진하는 것이 아니라 남북이 평화를 유지한 가운데 공동 번영을 지향하는 점진적 통일 추진의지를 표명하고 있다는 특징이 있다. 앞에서 논한 바와 같이 남북이 통일과 동시에 완전한 개방을 하게 되면 많은 문제가 발생할 것이라고 지속적으로 제기되어 오고 있고, 그동안 주로 좌익에서 사용해 오던 '연방제'라는 용어에 대해 거부 반응을 보여 왔으나 이제부터는 좌우익을 떠나 우리가 허용하는 범위 내에서 실현 가능한 방안을 마련하고 협의를 위한 장을 적극적으로 만드는 노력이 필요하다.

제3절 통일단계별 목표와 핵심 과제 추진 방향

1. 남북한 평화통일 단계별 추진과제와 방향

'공존공영의 공동체통일방안'은 자주, 평화, 민족대단결을 기본 원칙으로 하고, 통일단계별 국가형태와 체제, 그리고 정부형태는 다음 〈표 10〉과 같이 요약된다.

표 10. 통일 단계별 국가/체제/정부 형태

통일 단계	국가 / 정부 형태
1단계 (신뢰구축)	- 1민족, 2국가, 2체제, 2독립정부
2단계 (남북연합)	- 1민족, 2국가, 2체제, 2독립정부 - 정부 : 군사 / 외교권 유지
3단계 (남북연방)	- 1민족, 1국가, 1체제, 2지역자치정부, 1연방정부 - 연방정부 : 군사 / 외교권 보유
4단계 (완전 통일국가)	- 1민족, 1국가, 1체제, 1정부

가. 제1단계 신뢰구축 단계

제1단계인 신뢰구축 단계에서는 현재의 남북한이 독립된 국가형태를 존속하면서 상호 신뢰를 구축하는 단계다. 이 단계의 핵심은 상호체제를 인정한 가운데 위협을 가하지 않는 즉, 안보가 보장되어야 한다는 점이다. 남북한 간 신뢰구축을 위해서는 무엇보다 정치적 신뢰를 쌓는 일인데 군사적 긴장완화 조치가 핵심이며 그 기저에는 북한의 비핵화 의지와 실질적이고 가시적인 조치가 있어야 한다. 따라서 이를 위해서는 남북한이 다음과 같은 몇 가지 사항들에 대해 합의하고 조치를 해야 한다. 첫째, 남북 간에 신뢰구축 및 교류를 위해 합의된 사항에 대해 재확인하고 필요시 양측이 협의해 일부 문구를 수정하고 바로 실행에 들어가야 한다. 둘째, 정치적 신뢰구축을 위해 가시적인 군사긴장완화 조치가 이루어져야 한다. 셋째, 북한이 비핵화를 선언하고 국제사회의 일원으로 회귀하여 국제통제규범을 준수해야 한다.

먼저 남북 합의사항 이행 문제이다. 북한은 시대 상황에 따라 남북한 간 합의 문서들을 일방적으로 파기한다고 임의적으로 선언하곤 했는데 이러한 행태가 반복되면 신뢰를 할 수 없게 된다. 1991년 12월 13일 제5차 남북고위급회담에서 체결한 "남북 사이의 화해와 불가침 및 교류·협력에 관한 합의서(남북 기본합의서)"는 쌍방의 최고 책임자가 비준한 최초의 남북 정부 간 포괄적 합의 문서로 남북 관계의 성격에 대한 쌍방의 공통인식을 반영한 것이다. 그리고 사회주의권 붕괴와 이어진 탈냉전 시대를 맞아 남북관계를 규정하는 한편, 평화공존과 통일문제에 대해 남북한이 접점을 찾았다는 데에도 큰 의미가 있었다. 그러나 북한의 핵개발 문제로 인해 합의 사항을 구체적으로 협의하고 실천할 각종 실행 기구를 구성하지 못했다. 그 결과 갈등관계를 청산하고 진정한 협력관계로 발전시키기 위한 세부적인 협의와 합의가 이루어지지 않아 결국 기본 합의가 제대로 이행되지 않고 있다.

더구나 북한은 2009년 1월 30일 조국평화통일위원회의 성명을 통해 "민간단체들의 전단 살포, 급변사태론, 선제공격론 등 북남 합의 사항들을 무참히 파괴 유린한 형편에서 정치군사적 대결상태 해소와 관련한 북남 합의는 아무런 의미도 없게 되었으므로 우리는 그 합의들이 전면 무효화되었다"고 선포한 바 있다. 북한이 어떠한 문서를 무효화하겠다는 것인지를 적시하지는 않았지만 사상과 제도 존중, 비방 중상 중지, 무력충돌방지 문제 등을 주요 내용으로 하고 있는 남북 기본합의서를 지칭하고 있는 것으로 분석되고 있다. 남북한 간에 체결된 가장 기본적인 문서가 남북 기본합의서인데 북한이 일방적으로 파기를 선언하여 현재는 거의 사문서화되어 있다.

대신 북한은 6·15공동선언, 10·4선언의 이행을 촉구하면서 남북한 간에 실질적인 화해와 협력보다는 경제적 지원을 받는 데에 목표를 두고 있다. 그러나 이 두 선언은 남북 기본합의서에 비하면 그 내용이나 범위에서 제한적이며 단편적이다. 그리고 이들 선언이 기본적으로 남북 기본합의서에 바탕을 두고 있으므로 북한은 기본합의서를 인정하고 협력을 해 나가야 할 것이다.[133] 우리 정부는 기회가 있을 때마다 북한에 남북기본합의서 체제로의 복원을 강조했지만 북한은 무효화 입장만을 견지하고 있다.

남북한이 기본적인 신뢰를 구축하기 위해서는 남북한 간 갈등과 대립을 청산하고 화해와 협력을 추구하고자 했던 남북 기본합의서를 준

---

133) 박종철, 「남북기본합의서 체제의 평가와 유산」, 남북기본합의서 20주년 기념 학술회의 발표자료(Konas, 2012년 2월 17일).

수하는 것 외에 다른 대안은 없어 보인다. 따라서 남북한 간 통일 논의의 진정성은 북한이 이 합의를 인정하고 준수하느냐에 달려있다고 해도 과언이 아니다. 남북관계를 개선하고 신뢰를 회복하려면 분쟁관리, 군축 등을 위한 접촉의 확대가 필요한데, 기본합의서에 의거해 설립되었던 군사공동위원회가 재가동된다면 훌륭한 접점이 될 것이다.[134]

둘째, 군사긴장완화 조치문제는 남북한 신뢰를 쌓는 첩경이라 할 수 있다. 남북한 군사력은 외형상으로는 미국, 중국, 러시아에 이어 세계 4위로 경제력과 인구 등을 감안해 볼 때, 지나치게 큰 규모를 유지하고 있다. 남북한이 이렇게 많은 군사력을 보유하게 된 것은 남북한 긴장국면 속에서 북한이 무력에 의한 통일을 지향하고 이에 대응하기 위해서 남한이 군비를 강화해 왔기 때문이다. 현재도 무력에 의한 통일의지를 버리지 않고 있는 북한의 공세적인 군사정책 때문에 실질적인 군축이 이루어지지 않고 있다. 결국 양측 간의 대결과 불신이 군비경쟁의 악순환으로 이어졌고 과도한 군사력을 보유하는 결과를 낳게 되었다.

이러한 상황에서 군사정전위원회마저 무력화되고 있고, 군사대화는 단절과 접촉을 반복하면서 오고 있지만 군사적 긴장을 완화할만한 이렇다 할 실질적인 조치가 이루어지지 않고 있다. 그동안의 군사회담은 금강산 관광, 개성공단 조성과 같은 경제 이슈를 지원하기 위한 최소한의 조치로 본질적으로 긴장완화를 위한 행위는 이루어지지 못했다. 그런데 남북관계는 김정일 사후 김정은이 집권하면서 더 악화되었다. 현재 남북한은 일촉즉발의 긴장상태에 있고 불신이 최고조에

---

134) 김태우 외,『한반도 평화체제 구축을 위한 신뢰구축 방안 연구』(서울: 한국국방연구원, 2003), 73쪽.

달해 있다. 김정은이 '남북 관계가 전시상황', "이제 한반도는 평화도 전쟁도 아닌 상태는 끝났다" 등의 발언을 한 바 있는데 현재의 남북관계를 잘 대변하고 있다.

따라서 군사적 긴장완화를 위해서는 군사정전위원회 회복 등 가시적인 조치들이 이루어져야 한다. 1953년 7월에 체결된 정전협정은 5조 63항으로 되어 있는데, 1조는 군사분계선과 비무장지대 설정문제, 2조는 정화 및 정전기구의 설치, 3조는 전쟁포로에 관한 조치, 4조는 쌍방 정부들의 건의, 5조 부칙 등이다. 그러나 현재는 정전 관련 기능만 작동하고 있으나, 이마저 정전관리기구로서의 군사정전위원회와 중립국 감시위원회는 사실상 유명무실화된 상태이다. 중립국 감시단은 이미 철수한 상태이고, 군사정전위원회는 1991년 3월 25일 460차 본회담 개최 예정을 끝으로 아직까지 정상화되지 않고 있다. 북한이 1994년 5월 정전위에서 탈퇴선언을 하여 사실상 정전관리기구가 제 기능을 하지 못하고 있다. 휴전 상태에서 남북 간 군사문제가 발생하는 경우 이를 처리하기 위한 제도적 장치가 없는 상황이 되어버리고 말았다.

정전위를 무실화시킨 북한은 1995년 5월 미국에 휴전선 관리를 위한 장성급회담을 제의했고, 이듬해 2월에는 정전위원회를 대신하는 북·미공동군사기구를 설치할 것을 제의하기도 했다. 북한이 이렇게 정전위 회복보다는 미국과 새로운 정전 관련 기구를 구성하고자 한 것은 어떠한 경우에도 남한을 상대로 정전문제를 협의하지 않겠다는 의지를 표명한 것으로 해석된다. 그리고 종내에는 미국과 평화협정을 체결하고 미군을 한반도에서 철수시키려는 속내가 숨겨져 있다.[135]

135) 북한은 2013년 6월 21일 신선호 유엔 주재 북한 대사의 기자회견을 통해 '미국이 한국 주둔 유엔군사령부를 해체하고 정전협정을 평화협정으로 전환하지 않으면

이를 종합해 보면 남북한 간에 신뢰를 구축하기 위해서는 북한이 남한을 종전협상의 대상으로 보고 정전위원회를 정상화시켜야 한다. 정전위에서 정전문제를 논의하다보면 전쟁을 종결하기 위한 평화체제도 구축할 수 있고 더 나아가 통일의 발판을 마련할 수도 있을 것이다. 따라서 북한이 국제사회의 일원으로서 정상국가화하려고 하면 한국은 먼저 정전위의 기능 회복을 북한에 요구해야 한다. 휴전선 일대를 중심으로 양측 군대가 밀집되어 있고 평화체제가 구축되지 않는 상태에서 정전체제의 안정적 관리는 최우선을 두고 추진해야 할 안보과제이다. 따라서 남북한 간에 실질적인 신뢰구축의 출발은 정전위 부활로부터 시작된다고 해도 과언은 아니다. 정전위가 정상화되고 한반도 정세가 안정되면 종전을 위한 노력도 병행되어야 한다. 종전을 하기 위해서는 종전 관리기구가 구성되어야 하고 임무와 권한이 명시될 것이다. 아울러 전쟁의 상흔을 치유하기 위해 전쟁포로의 교환, 자료의 공동 이용, 유해 발굴 및 송환 문제 등이 실질적으로 이루어져야 한다.

그리고 기존 남북한 군사합의 사항에 대해 구체적인 이행방안을 강구하고 실행에 옮겨야 한다. 남북 간 군사적 신뢰구축은 기존 군사 분야 합의를 구체적으로 어떻게 이행해 갈 것인지를 논의하다보면 큰 진전이 있을 수 있다. 남북 기본 합의서 '제2장 남북불가침'에 그 내용이 구체적으로 명기되어 있다. "남과 북은 상대방에 대하여 무력을 사용하거나 침략하지 아니하며, 의견대립과 분쟁문제들을 대화와 협상을 통하여 평화적으로 해결"하기로 하였다. 그리고 "불가침 경계선과

정세가 격화될 것'이라고 위협을 했다. 그리고 이어서 로동신문을 통해 한반도 정세를 격화시키는 진범은 미국이라며 미국을 향한 비난을 퍼붓기도 했다. 『연합뉴스』, 2013년 6월 21일, 6월 24일.

구역은 1953년 7월 27일자 군사정전에 관한 협정에 규정된 군사분계
선과 지금까지 쌍방이 관할하여 온 구역으로 한다"는 데에도 합의했
다. 그러나 합의 내용 중 실천을 시도했던 것은 남북군사공동위원회
의 구성·운영과 남북군사분과위원회 구성뿐이었다. 이후 장관급과
실무 회담 등이 있었으나 합의 사항에 대해서마저 북한이 일방적으로
파기 선언을 했기 때문에 이행보다는 합의 그 자체에 의미가 부여된
것들이 대부분이었다. 남북한이 긴장을 완화하기 위해서는 합의한 사
항에 대해 이행방안을 강구하고 구체화하는 것이 기본이다. 구체적인
이행방안들이 수립되어 추진된다면 남북한 간 신뢰도는 한층 높아질
것이다.

　셋째, 비핵화 문제는 북한이 세 번에 걸쳐 핵실험을 하고 더구나 세
번째 핵실험이 우라늄 농축 기술을 이용했을 수도 있고, 이 기술을 이
란에 이전할 가능성이 있다는 점 때문에 국제사회의 우려가 극에 달
하고 있다.[136] 북한은 핵무기를 대외 협상의 지렛대로 사용하기 위한
것이란 해석도 있지만, 분명한 것은 핵이란 재래식 전력의 균형을 단
번에 무너뜨릴 수 있는 치명적인 무기라는 점에 주목해야 한다. 북한
은 대남 우위의 군사력을 유지하는 것을 정책의 최우선 목표로 삼고
있으며 강성대국을 위해 군사강국 건설과 이미지 형성을 위해 노력해
왔다. 군사강국이라는 이미지 강화는 대내적으로는 불안감을 불식시
켜 국민들이 자신감을 갖도록 할 뿐만 아니라 김일성 가계에 대한 군
의 충성을 유도하는 데 있으며, 대외적으로는 전쟁능력 제고와 더불
어 대외 협상력을 높이는 데 그 목적이 있다.

　북한은 강성대국 건설을 위해서는 강군 건설이 필수적임을 역설하

....
136)『조선일보』, 2014년 7월 24일.

면서 이를 위해 두 가지 방향에 역점을 두고 있다. 먼저 사상의 강군 건설을 독려함으로써 군을 당과 정권보위 전위대로 남게 하는 것이고, 다른 하나는 핵과 미사일 등 대량살상무기를 개발하여 외부로부터 군사강국임을 인정받고자 하는 것이다. 한국의 단년도 국방비는 지속적인 경제발전에 힘입어 1970년대 말부터 북한을 상회하게 되었고, 90년대 말에 이르러서는 국방비 누적 규모도 북한보다 많아져 상대적으로 질적으로 우수한 재래식 무기체계를 구비할 수 있게 되었다. 따라서 북한은 비록 재래식 전력이 양적으로는 남한보다 월등하나 해를 거듭할수록 그 격차는 줄어들고 단기간 내에 한국의 전력이 북한보다 우위에 있게 될 것이라는 판단을 한 것으로 나타나고 있다.

이러한 추세를 감안하여 북한은 핵, 화생무기, 미사일, 특수부대 등 소위 비대칭전력의 확보와 증강에 주력해오고 있다. 이러한 노력 결과, 장거리 미사일 개발에 이어 핵무기를 보유하게 됨으로써 한국과의 군사력 경쟁에서 우위를 유지할 수 있게 되었다. 북한은 '핵보유는 곧 전쟁억제력 확보'라는 개념으로 포장하고 있으나 억제 목적뿐만 아니라 절대 우위의 대남 군사력을 유지할 수 있게 되었다. 아울러 미국을 포함한 주변국과의 협상력도 크게 제고되었다고 자체 평가하고 있는 것으로 나타나고 있다.

북한은 2006년 제1차 핵실험을 마친 후 2007년 신년사를 통해 "지난해 주체95(2006)년은 사회주의 강성대국의 려명이 밝아온 위대한 승리의 해, 격동의 해로 수놓아졌다. …… 우리가 핵 억제력을 가지게 된 것은 그 누구도 건드릴 수 없는 불패의 국력을 갈망하여온 우리 인민의 세기적 숙망을 실현한 민족사적 경사"였다고 강조한 바 있다. 1980년대 말부터 사회주의권이 붕괴되면서 북한도 같은 처지에 놓이지 않을까 하는 우려가 팽배해 있었다. 북한이 선택한 것은 사회주의

권이 붕괴한 이유가 군사문제가 아닌 경제문제였음에도 북한은 이를 바로 보지 못하고 군사강국으로서의 면모를 갖추는 데 역점을 두었고 그 결과 핵실험을 해 성공하게 되었으니 그들로서는 큰 기쁨이 아닐 수 없었을 것이다.

그러나 북한의 핵실험은 한반도에 더 없는 긴장을 초래했고 북한은 국제제재로 곤경에 처해 있다. 이와 같이 북한이 어떻게든 대남 우위의 군사력을 유지하고 기회가 되면 무력으로라도 적화통일을 하겠다는 정책을 유지하는 한 평화적 통일의 길은 요원하다고 할 수 있다. 북한이 분명하게 인식해야 할 것은 현재 동북아 정세를 볼 때, 북한의 붕괴를 원하는 국가는 우리를 포함해서 단 한 나라도 없다는 점이다. 그들이 핵무기를 보유하든 포기하든 결국 북한이 정권과 체제를 유지하는 길은 주변국과의 관계를 복원하고 지원을 받을 수 있느냐에 달려 있으며 이의 관건은 비핵화라는 점을 직시해야 한다.

나. 제2단계 남북연합 단계

남북한이 신뢰구축을 통해 어느 정도 적대관계가 해소되고 상호 간 안보적 위험이 제거된 상태가 되어야 남북연합이 가능할 것이다. 즉 남북연합은 남북한이 평화롭게 공존할 수 있는 상태가 되어야 형성될 수 있는 단계다. 남북연합 단계는 남북한이 현 체제와 제도를 유지한 가운데 경제, 사회, 문화 등 각 분야에서 교류와 협력을 활성화함으로써 남북 간 협력적 상호 의존관계를 강화해야 한다. 통일을 위한 가시적인 조치들이 이루어져야 하는 단계로 북한 당국의 의지가 절대적으로 필요하다. 남북한이 비록 남북연합을 형성한다고 해도 북한의 통일의지와 진정성이 없으면 이 단계에서의 목표는 달성될 수 없고 곧 해체되고 말 것이다. 통일 추진과정에서 실질적으로 매우 중요한 첫 단계로 남북한이 평화적으로 통일하기 위해서는 이 단계에서 북한이 어떤 변화를 보이고 통일을 향한 실질적인 정책을 추진할지가 관건이 된다.

남북연합은 국제법적으로는 국가연합의 성격을 띠고 있지만 주권국가 간의 관계 속에서 결합되는 국가연합과는 다른 특수성이 있다. 한편 이 단계에서 남북은 각각 대외적 측면에서 국제법적 주권국가로 존재하기 때문에 연방과는 다르다.[137] 이 단계의 목표는 남북한이 상호 안보적 불안감을 완전히 종식하고, 통일국가로 진입하는 데 따른 제도 정비, 공동체 형성을 위한 기반조성을 하는 데 있다. 다시 말하면 평화를 기반으로 공존하면서 교류하고 통일국가로 진입하기 위한 기반을 닦는 단계이다. 이를 위해서는 의사결정기구와 이를 집행할 기구들이 필요하고 통일과업들을 선정하여 협의를 통해 추진방향을 결정해야 한다. 독립국가들의 경우 국가연합을 형성하기 위해서는 조약을 체결하거나 헌장을 채택하게 된다. 그런데 남북한 간 연합구성은 남북한 간의 관계가 동일민족이 분단되어 있는 상태이며 남북한 양측 모두 상대를 독립된 국가로 보지 않고 있기 때문에 독립국가 간 결합 시 사용되는 조약보다는 헌장을 채택하는 편이 바람직할 것이다.[138]

남북연합헌장에는 연합의 결성 목적, 남북 관계의 기본원칙, 연합의 중앙 상설기구 설치와 임무, 운영방법, 그리고 연합을 유지하고 발전시키기 위한 남북한 의무 사항 등이 규정되어야 할 것이다. 무엇보다 중요한 점은 남북연합은 연합구성 그 자체에 목적이 있는 것이 아

---

137) 박종철·허문영·김보근,『남북연합 형성·운영의 거버넌스』, 13쪽.
138) 이서행 외,『통일시대 남북공동체』, 119쪽.

니라 완전한 통일을 위해 첫 번째로 취해진 과도기적 결합이라는 점
이다. 우선 필요한 기구는 남북한이 독립된 국가개념으로 있기 때문
에 의사결정과 집행기구는 회의체나 협의체, 추진기구 등이다. 그러
나 이러한 기구에서 어떠한 결정이 되더라도 승인 여부는 남북한이
독립적으로 각각 정한 절차에 따를 수밖에 없다.

　최고의 의사결정기구는 양국 정상 간 정상회담이 된다. 정상회담은
남북한의 정상이 정례적으로 만나는 정례 회담과 긴급 현안이 발생했
을 때 이루어지는 수시 회담으로 구분해 볼 수 있다. 남북연합 단계에
서 정례회담은 꼭 필요하다. 양 정상이 정례적으로 만나는 것은 통일
을 위한 어려움들을 해결할 수 있는 좋은 기회가 될 것이며 통합과정
에서 나타난 난제를 협의를 통해 돌파구를 마련하는 좋은 기제가 될
것이다. 특히, 남북한과 같이 교류가 원활하지 않은 상황에서 남북한
정상이 남북을 교차해 오가면서 회담을 하게 되면 양측에 미치는 영
향은 생각보다 크게 나타날 수 있다.

　그리고 입법기관의 업무를 수행하게 될 대의 기구가 필요하다. 대
의 기구인 남북연합회의는 양측 의회에서 선출된 동수로 구성하고,
의결은 사안에 따라 달리할 수 있을 것이다. 연합정상회의와 연합회
의의 예하에는 실무적으로 지원하고 집행을 담당할 기구인 남북연합
각료회의, 분야별 연합각료회의실무위원회와, 남북연합회의사무국 등
이 필요하다. 남북연합회의의 의결은 연합헌장과 같이 국민의 승인과
정을 거쳐야 하는 중요한 사안은 만장일치를 원칙으로 하되, 기타는
적어도 2/3 이상의 찬성을 얻도록 할 필요가 있다. 이렇게 하여 연합
회의에서 의결된 사항은 각각의 정부가 정한 절차에 따라 국민의 승
인을 받아야 할 것이다. 각 정상은 승인을 위한 일정한 절차를 밟기
전에 거부권을 행사할 수 있다. 따라서 남북연합회의의 의결은 충분

한 토의와 공감대가 형성되지 않은 상태에서 이루어지게 되면 의미가 없게 된다.

연합회의에서 가장 중점을 두고 우선 추진해야 할 사항은 남북연합 단계를 규정하는 연합헌장을 만드는 것이다. 남북연합회의에서 협의를 통해 연합헌장을 의결하게 되면 남북연합정상회의에서 채택 여부를 결정하고 이후에 남북한 각각의 승인절차를 밟으면 유효하게 된다. 이후에는 이 헌장에 기초하여 남북정상은 통일국가로 진입하기 위한 제반문제를 논의하고 결정하게 된다. 최종 결정되거나 승인된 사항은 각료회의를 통해 구체화하고 실행계획을 수립하여 집행하게 된다. 이 과정에서 각 분야별 실무회의에서는 각료회의 지침과 방침 하에서 세부 시행계획을 수립하고 남북한이 이행에 들어가게 된다.

남북연합 단계에서는 통일국가 초기 단계로 진입하기 위해 과업을 선정하고 과업별 목표를 수립해서 추진해야 한다. 이러한 과업들의 목표가 달성되면 통일국가 초입단계로 넘어가게 되는데 역으로 과업 목표가 달성되지 않으면 초기단계로의 진전은 그만큼 지연될 것이다. 이 단계에서 남한은 안보 불안의 제일 요인으로 보고 있는 공격적이고 도발적인 북한의 군사력에 대한 가시적인 조치가 이루어지기를 바랄 것이다. 반면 북한은 실질적인 경제 지원을 기대할 것이다. 이러한 기본적인 조건들은 통일이 되는 경우에 동등의 권한과 책임을 지는 하나의 국민으로서 살아갈 수 있겠다는 믿음을 갖도록 할 것이다.

이를 위해 추진해야 할 몇 가지 중요한 과업은 다음과 같이 요약해 볼 수 있다. 먼저 가장 중요한 과업은 통일 추진 과정에서 군사적 도발이나 분쟁이 발생하지 않도록 조치하는 것이다. 이를 위해서는 기본적으로 전력의 균형을 이루어야 한다. 우리는 예멘이 정치적 결단에 의해 통일국가를 만들었음에도 불구하고 군사부문에 대한 조치를 소홀히 함으로써 다시 전쟁을 치르고서야 재통일의 과정을 밟을 수 있었음을 잘 알고 있다. 예멘은 양측이 각각 3만여 명에 불과한 매우 작은 규모의 군이 충돌을 했기 때문에 큰 피해는 없었으나 남북한은 같은 경우에 그 피해가 상상을 초월할 것이라는 점을 재인식해야 한다. 예멘의 과오를 타산지석으로 삼아야 하겠다.

남북한 간 긴장완화와 국제사회의 우려를 불식하는 첩경은 WMD를 제거하고 재래식 전력을 감축하는 일이다. 남북한이 통일을 순조롭게 하기 위해서는 국제사회의 규범을 따라 통일된 한반도에 대한 오해를 불식시키는 노력이 필요하다. 이러한 측면에서 국제 규범을 무시하고서 보유해 온 북한의 WMD는 조기에 처리되어야 한다. 북한의 핵은 이 단계에서 완전히 해체되지는 못하더라도 통제되어 전력 발휘를 할 수 없도록 관리되어야 한다. 이 과정에서 국제통제기구로부터의 오해를 받지 않도록 공동의 조치가 필요하고 남한으로부터의 적극적인 지원과 주도적인 역할이 요구된다.

그리고 재래식 전력은 군축을 통해 남북한이 동등한 수준으로 감축하는 한편 공격적인 태세를 방어체제로 바꾸도록 하고, 상호 간 통제와 감시대책을 수립해야 한다. 병력은 남북한이 동등한 수로 감축할 수 있도록 하되, 북한이 주장하고 있는 것처럼 매우 작은 규모로의 감축은 통일 후 주변국에 대한 억제력 유지, 유사시 남북한 동원 체제 등을 고려 시 받아들이기는 어렵다. 따라서 남북한이 현재 우리 군이 감축을 하려고 하는 50만여 명을 기준으로 동등하게 일차 감축하고 여건에 따라 추가 감축하는 방안이 바람직할 것이다.

두 번째 과업은 기본적으로 첫 번째 과업과 연계되어 있는데 정치적 신뢰를 구축하는 것이다. 첫 번째 과업이 남한이 우려하는 것을 불식시키는 데 중점을 둔 것이라면, 두 번째 과업은 북한이 두려워하는

북한의 군축 관련 제안 내용

- 김일성은 1960년 8월 14일 '조선인민의 민족적 명절 8·15해방 15돌 경축대회에서 한 보고'에서 처음으로 미군을 남조선에서 물러가게 하고 군대를 각각 10만 또는 그 아래로 줄이자고 제안하였다.

- 김일성은 1972년 6월 21일 워싱턴포스트지와의 기자회견을 통해서는 남북 병력을 미군의 철수에 관계없이 각각 15만~20만 명으로 감축하고, 미군이 철수하면 10만 명 이내로 감축하자고 주장했다.

- 김일성은 1980년 10월 10일 제6차 당대회에서 10대 시정방침을 제시하면서 군대를 각각 10만~15만 명으로 줄이자고 했다.

- 북한은 1990년 5월 31일 중앙인민회의·최고인민회의·정무원 연합회의에서 '조선반도의 평화를 위한 군축제안' 10개항을 선택했는데 ④항에서 3~4년간 3단계로 나누어 1단계는 쌍방 각각 30만 명 선, 2단계는 각각 20만 명 선, 3단계 종료 시는 각각 10만 명 이하로 감축하고, 단계별 병력 감축에 상응하게 군사장비 축소·폐기, 모든 민간 군사조직 및 민간무력은 정규무력 감축 1단계에서 해체하자고 주장했다 현재는 이 안이 북한의 군축제안이다.

사항을 해소하는 측면이 될 수 있다. 북한은 현재 김일성 가계를 잇는 정권과 체제를 어떻게 하면 안정적으로 유지할 것인지가 최대의 관심사가 되어 있다. 따라서 남한이 강제적으로 북한을 흡수하여 통일하지 않겠다는 믿음을 주어야 한다. 이를 위해서는 서로 비방이나 중상, 내정 간섭행위를 중단하고, 북한 정권을 인정하고 존중해 주어야 한다. 그리고 통일된 후에도 평화적으로 함께 살아갈 수 있겠구나 라는 믿음을 갖도록 해야 한다.

한편, 북한 내부적으로는 체제가 전환되어야 한다. 통일과정에서 제도통합은 선택의 문제가 아니라 당연한 과제로 논란의 여지가 없다. 북한지역에 거주하고 있는 수많은 주민들이 잘못 정착된 제도로 인해 고통을 당해 왔기 때문이다. 이러한 고통이 통일 이후까지 연장 된다는 것은 상상도 할 수 없고 결코 받아들일 수도 없을 것이다. 체제 전환은 다방면에서 이루어져야 하나 단기간에 이루어질 수 없는 사안이다. 따라서 여기에서는 정치와 경제 분야에 중점을 두고 논하고자 한다.

먼저 정치 측면에서 제도 전환이다. 지금과 같이 조선로동당 일당에 의한 국가 지배체제를 탈피하여 복수정당제를 받아들여야 한다. 그리고 주민들에게 실질적인 주권을 돌려주고, 동등한 권한을 가지고 자유롭게 선거에 참여할 수 있는 환경과 체제가 마련되어야 한다. 이렇게 되는 경우에 정치적 측면에서 하나의 국가로 통일되기 위한 기본적인 조건이 마련되었다고 할 수 있을 것이다. 경제 측면에서는 시장제도 도입과 재산권 관련 제도 변경이 우선시 되어야 할 분야다. 북한이 체제 전환을 하기 위해서는 당국자의 의지가 무엇보다 중요하다. 따라서 우리는 북한당국으로 하여금 왜 체제 전환이 이루어져야 하는지에 대해 설명하고 이해를 촉구해야 한다. 북한이 상대적으로 우월한 남한과 같은 제도로 전환을 할 것이냐 여부는 전적으로 북한이 결정해야 할 문제이며, 이 단계의 성패와 실질적으로 통일가능성을 가늠하는 잣대가 될 것이다.

셋째, 경제공동체 형성을 위한 기반을 다지는 일이다. 남북한이 통일하는 주된 목적 중의 하나는 한반도에 살고 있는 우리 모두가 경제적으로 더 윤택해지고 국가 전반적으로 발전하는 것이다. 이를 위해서는 북한의 낙후된 경제수준을 하루빨리 남한 수준으로 끌어올려야 한다. 그런데 문제는 이 단계에서는 북한의 지원 요청이 없으면 남한으로서는 북한의 경제 상황을 개선하는 데 직접 참여할 수 없게 되어 있다. 이 단계에서 다시 딜레마에 빠지게 된다. 이 단계에서는 남한이 재정 지원을 하고 북한 자체로 이를 사용하게 되는데, 정치·군사적 조치가 우리가 뜻하는 바대로 이루어지지 않으면 또다시 퍼주기 논란에 빠지게 될 것이다. 따라서 재정지원에 맞춰 정치·군사적 조치가 더불어 이루어지고 교류와 협력이 활성화되어야 한다. 아울러 시장경제체제를 받아들여 장마당을 공식화하고 북한 내에서 거주 이전의 자유가 보장되어야 한다. 또한 사회주의 계획경제체제를 자본주의 시장경제체제로 전환하고, 생산수단의 소유를 국가와 사회단체, 그리고 개인이 할 수 있도록 해야 한다.[139)]

넷째, 남북한 각각의 정부가 국민들로 하여금 통일에 대한 당위성에 대해 공감대를 형성하도록 하여 공존공영의 공동체를 형성할 수 있는 사회적 분위기를 만들어 가야 한다. 이를 위해서는 정부차원에서 뿐만 아니라 종교단체를 포함한 비정부기구들이 적극적으로 활동할 수 있도록 여건이 만들어져야 한다. 이러한 과정을 통해 체제나 제도, 사회, 문화적인 이질성이 어느 정도 해소되어 통일된 국가의 국민으로서 더불어 살아도 되겠다는 믿음이 생겨야 할 것이다.

마지막으로 연합헌장 제정에 맞춰 이에 반하는 남과 북의 법과 규정을 정비하고 대외 관계를 조정해야 한다. 이를 위해 남북한 간 교류협력에 관한 합의 사항을 재확인하고 통일에 필요한 법과 규정을 만들어 각 분야의 교류와 협력 활동을 지원해야 한다. 대외 관계는 남북 양측이 외국과 맺은 조약이나 동맹 등을 헌장의 기본 골격에 맞게 조정해야 한다. 대외 관계 조정은 양측의 체제나 정권을 위태롭게 하는

---

139) 북한은 1946년 3월 '무상몰수 무상분배' 원칙을 설정하고 토지개혁을 전격적으로 실시하고, 동년 10월에는 주요 산업시설들을 몰수하여 국유화하는 조치를 취했다. 이러한 과정을 거쳐 1958년 말에 이르러서는 생산수단에 대한 사회주의적 개조를 완료했다.

정도로까지 요구하게 되면 연합체제가 해체될 수 있으므로 당시의 상황에 맞게 적절한 수준에서 이루어져야 할 것이다.

연합단계가 정착되면 통일 초기 단계인 연방단계로 넘어가기 위한 첫 단추인 연방헌법을 제정해야 하는데 가장 중요한 과업이라고 할 수 있다. 연방국가는 통일국가이므로 연방대통령이 선출되고 연방의회가 구성되어야 하므로 연방국가의 대통령과 연방의회 의원 선출, 정부기구 구성 방안 등에 대해 합의를 도출해야 한다.

다. 제3단계 남북연방 단계

'공존공영의 공동체통일방안'의 남북연방 단계는 북한이 주장하는 연방제와는 다음과 같은 점에서 큰 차이가 있다. 먼저 연방단계가 통일된 완성국가 형성을 위한 하나의 단계이지 통일국가 형태는 아니라는 점이다. 둘째는 내용 면에서 통합을 지향하는 연방이지 분열과 경계선을 긋는 연방이 아니라는 점이다. 북한지역을 자본주의의 시장경제체제로 전환하기 위해 시간이 필요하고 이를 위한 공간을 마련하기 위해서 필요한 과도 형태인 것이다. 셋째, 연방단계로 진입을 하더라도 정치·군사적으로 급격한 변화를 전제하는 것이 아니라 연방정부의 권한을 점진적으로 강화하여 통일국가로 가기 위한 틀을 마련하기 위한 것이다. 따라서 이 연방단계에서는 느슨한 연방에서 점진적으로 중앙정부의 권한이 강화된 방향으로 만들어 가는 것이다.

이러한 절차와 단계가 필요한 이유는 남북연합 단계는 통일국가 형태가 아니라 남북한이 독립된 국가로서 존속을 하기 때문에 하나의 국가로서 수행해야 할 사항들에 대해 양측 중 한 측이라도 의지가 약한 경우 파기될 가능성이 있기 때문이다. 반면, 연방제 단계가 성립되는 경우에는 하나의 국가형태를 갖추게 되는 것이므로 연방초입 단계에서도 어느 정도의 강제력을 행사할 수 있다. 군과 치안을 담당하는 경찰력이 통합되어 중앙정부의 통제를 받게 되므로 지방정부의 독단적인 정치적 활동은 연방헌법에 따라 어느 정도 제어가 가능하다. 통일단계에서 연방제를 채택한 것은 북한지역을 일반적인 국가형태의 하나의 연방으로 고착화시키기 위한 것이 아니다. 완전한 통일국가로 가기 위해 북한지역을 남한과 같은 체제로 바꾸어 남북이 동일한 법과 규정, 제도를 적용했을 때 나타날 문제를 최소화하는 데 있다.

따라서 통일과정에서 혼란이 발생하거나 대립하지 않도록 하는 데 중점이 두어져야 하며 이를 위해서는 관련 과업들이 선정되고 우선순위가 정해져야 한다. 과업의 우선순위에 따라 과업의 목표가 달성되는 경우에 다음 과업으로 진행이 되는 점진적인 절차를 밟을 필요가 있다. 과업의 첫 단계는 연방헌법을 제정하고 법과 규정을 정비해야 한다. 연방헌법에는 연방정부와 지방정부의 권한 배분, 통일한국을 통치할 연방기구의 구성과 역할 및 임무, 운영방법, 연방정부와 지방정부 간 정책 충돌 시 이를 조정할 헌법 해석기관, 연방군 창설과 지휘 및 운영체제, 주민들의 권한과 의무에 관한 사항 등을 포함한다.

이 단계에 들어서면 남북한이 각자 독자적인 통제체제를 가동하게 되나 북한이 체제를 전환하여 하나의 체제로 통일되었기 때문에 연방헌법을 만드는 일은 보다 더 쉬워질 수 있을 것이다. 그러나 기나긴 협의와 논쟁이 있을 수밖에 없을 것이다. 다른 체제 즉, 자본주의와 사회주의에 입각해 제정된 남북한의 헌법을 하나의 체제로 융합하여 헌법을 만드는 작업은 결코 쉬운 일이 아니다.[140] 따라서 하나의 체제

----

140) 권영성, 「남북통합과 국가형태 · 국가체제 문제」, 52쪽.

가 우위에 설 수밖에 없고 다른 체제는 삭제되거나 배려하는 수준에
서 일부지역에 과도기적으로 혼용되는 상황이 될 것이다. 특히, 군사
부문을 통합하는 문제를 놓고 결정을 내리기는 결코 쉽지 않을 것이
다. 이러한 장애물이 산재한 상황에서 두 나라를 합쳐 하나의 국가를
만들기 위한 기본적인 조치가 연방헌법을 만드는 일이고, 가장 어려
운 과정이 될 것이다.

둘째, 연방헌법에 따라 연방대통령을 선출하고 연방의회, 연방기구
를 구성해야 한다. 연방대통령과 연방의원 선출은 민주적인 절차를
거쳐야 하며, 연방의원 구성은 인구비례에 의한 지역대표와 각 직능
대표들로 구성될 수 있도록 할 필요가 있다.

셋째, 북한지역을 몇 개의 연방으로 분할할 것인지의 문제이다. 북
한은 통일방안을 통해 북한 전 지역을 하나의 연방으로 구성하는 '거
시 연방'을 주장하고 있으나 이는 맞지 않다. 남과 북 두 연방이 대치
하거나 대립하게 될 경우에 현재 남북한의 대치 상황에서 뾰족한 해
결방안을 찾기 쉽지 않았듯이 또한 대안을 모색하기가 어려워 최악의
경우 다시 갈라설 가능성을 배제할 수 없다. 한 쪽이 의도적으로 불안
정한 상황을 조성할 가능성도 있다. 따라서 한반도를 독일이나 스위
스같이 10여 개의 연방으로 만드는 방안이 고려되어야 한다. 기존의
북한정권이 북한 전 지역을 통합하는 개념이 아니라 분할하여 각 지
방정부가 연방정부의 지시를 받는 체제가 되어야 할 것이다.

넷째, 외교와 군사권을 통합하여 연방정부로 귀속시켜야 한다. 남
북한이 남북연합 단계에서 협의를 해 외교와 군사권을 통합하고 남북
연방을 구성할 수 있게 된다면 더할 나위 없이 좋을 것이다. 그러나
남북한이 기존의 체제를 그대로 유지한 가운데 이렇게 통합을 하기는
어려울 것으로 보인다. 따라서 남북연방 초기 단계에서 이 사안을 우

선 해결하는 방향으로 추진할 필요가 있다.

남북연방 단계 초기에는 지역자치정부가 기존의 권한을 대부분 갖도록 하되 남북연합 단계에서 연방헌법을 제정하지 못했다면 협의하여 조기에 제정하고 외교와 군사 부문을 통합하는 데 노력을 집중해야 한다. 특히, 군사통합이 제대로 이루어지지 않고 기존의 지휘체제를 계속 유지할 경우에는 하나의 국가라기보다는 독립된 국가들이 협력관계에 있는 정도밖에 되지 않으므로 이의 중요성을 인식하고 이에 집중해야 한다. 하버드 대학 교수인 스탠리 호프만(Stanley Hoffmann)은 '군사통합이 제대로 이루어지지 않으면, 제반 분야의 기능적 통합은 어려움에 봉착하게 되고, 나아가 전체적 통합 또는 통일 자체가 수포로 돌아갈 위험이 크다'고 경고한 바 있다. 이와 같이 통일과정에서 군사부문의 통합은 가장 큰 우선순위를 두고 이루어져야 하며 다른 부문의 통합은 군사통합이 이루어진 이후에 점진적으로 추진될 필요가 있다. 그렇지 않을 경우 큰 혼란에 빠질 수 있고 재분단될 가능성마저 배제할 수 없다. 이렇게 하여 연방헌법이 제정되고 연방대통령 선출, 연방의회 구성, 외교와 군사권 통합 등이 되면 유엔과 각종 국제기구에는 단일 회원국으로 가입(변경)하여 활동하게 될 것이다.

다섯 번째 과업은 남북공동체를 심화하는 일이다. 한 예로 북한지역은 부동산이 국가 소유로 되어 있으므로 이의 상당 부분을 개인 소유로 바꾸는 작업이 필요하다. 이 과업은 연방하에서 북한지역의 각 지방정부가 주도하되 연방정부에서 지침을 주고 남한의 인력이 행정 등을 지원하는 형태로 추진될 필요가 있다. 그리고 공장이나 회사의 처리 방침을 정해야 하는데, '국가소유로 계속 유지', '민간에 이양', '해체 대상'으로 분류하고 이에 따라 추진해야 한다. 이렇게 하여 북한지역이 자본주의 형태의 시장경제체제로 완전히 전환되면 화폐·금융·

재정 등의 부문을 통합하도록 해야 한다.

아울러 연방단계 초기에는 북한지역의 부동산 거래를 국가가 통제할 수 있도록 통제대책을 강구하고 자유로운 거래를 제한함으로써 북한 주민을 보호할 수 있도록 하여 통일 후 불만 세력화되지 않도록 해야 할 것이다. 또한 북한지역 주민의 남한지역으로 이동과 남한 주민의 북한으로 이동을 일정기간 허가제로 만들어 통제함으로써 경제활동과 이에 근거한 사회 및 노동질서가 혼란에 빠지지 않도록 할 필요가 있다.

통일의 중간 단계로 연방제를 채택할 경우에 남한지역도 연방제를 채택할 것인지 아니면 북한지역만 연방을 할 것인지를 우선 결정해야 한다. 통일의 초기 단계를 단일국가로 하면서 북한지역을 특별행정구역으로 설정하여 관리하게 되면 큰 문제는 없겠으나 북한지역을 연방제하의 지방정부로 하면 남한지역은 어떻게 할 것인지의 문제가 대두될 수밖에 없다. 그리고 앞에서 논한 바와 같이 북한지역을 하나의 연방으로 해도 관리가 가능할 것인지 아니면 수 개의 연방으로 분할해야 하는지에 대한 결정도 필요하다. 북한의 연방제가 북한지역을 하나의 연방으로 하여 통일한국을 두 개의 연방으로 하는 체제를 구상한 것은 통일 이후에 기득권이나 현재의 북한 체제를 그대로 유지하겠다는 의도가 내포되어 있다. 따라서 연방제를 채택하는 경우에는 북한지역을 수 개로 나누어 지방정부를 두는 방안을 채택하는 것이 바람직할 것이다. 연방단계의 연방국가는 남과 북의 2개의 지방정부를 갖는 연방이 아니라 북한지역을 5개 정도로 분할하는 연방제를 구상해 볼 수 있다.141)

---

141) 정용길, 「통일로 가는 과도체제의 제 형태」, 『한국정치학회 통일문제 특별 심포지움 발제문』(서울: 한국정치학회, 1989), 10쪽.

통일을 이룩한 국가들을 보면 주도국의 체제와 국가형태로 통일이 이루어졌다. 통일독일이 연방제를 채택한 것은 통일단계에서 연방제가 필요해서가 아니라 통일 전에 서독이 연방제를 채택하고 있었고 서독이 동독을 흡수하여 통일을 하게 됨에 따라 연방국가 형태로 통일이 된 것이다. 한반도가 통일되는 경우 사회주의 체제를 유지할 수 없는 점을 고려하면 남북한이 평화적으로 통일을 한다고 해도 남한의 주도하에 통일작업이 이루어질 수밖에 없다. 따라서 기 통일국가의 사례와 우리가 단방국가 형태를 채택하고 있는 점 등을 감안하면 단방국가로의 통일이 자연스러울 것이다. 다만 이에 이르는 과정에서 북한지역을 효율적으로 관리하기 위해 연방제를 고려해 볼 수 있을 것이다.

라. 제4단계: 통일국가 완성단계

통일한국은 내부적으로는 어떠한 체제를 갖추어야 하고 주변국과의 관계, 세계의 일원으로서 높아진 위상에 맞게 어떠한 역할을 어떻게 추진해 가야 하는지가 핵심 사안이다. 그리고 무엇보다 중요한 것은 이질화된 이념, 문화 등을 하나의 공동체로 형성하는 것이다. 필자가 '독일군사연구소'를 방문했을 때 독일 통일에 참여했던 한 연구원이 '통합에는 분단된 기간만큼의 시간이 소요된다고 보아야 한다'고 말했다. 이는 비록 제도적으로는 통합되었다고 해도 분단되어 있던 양측이 완전한 공동체를 형성하고 하나의 국민으로서 살아가기 위해서는 장고한 기간이 소요되고 많은 노력이 뒤따라야 함을 시사한다.

그렇다면 통일한국의 기본 체제는 어떠한 것이어야 하는가? 이 부분에 대해서는 기본적으로 공감대가 형성되어 있다고 본다. 정치적으로는 민주주의에 기초하고, 경제적으로는 시장경제체제여야 한다는 것이다. 그리고 자본주의를 바탕으로 하되 국민의 복지와 행복을 추구하는 사회가 조성되어야 한다. 통일된 한국은 인구가 7,500만~ 8,000만 명에 이르고 남한의 현재 경제규모를 고려 시 경제적으로는 세계 10대국에 들어 있게 될 것이다. 따라서 6 · 25전쟁의 폐허 속에서 세계 각국들로부터 지원을 받아 오늘 세계의 대국으로 성장할 수 있었듯이 세계의 평화와 번영, 질서유지를 위한 보다 더 적극적인 역할을 할 수 있어야 하겠다. 특히, 주변국들과의 관계 정립은 불필요한 긴장을 해소하고 이 지역의 평화정착을 위해 꼭 필요한 과업이다. 이는 우리의 외교정책과 더불어 군사력 규모와 배비 문제에도 신중을 기울여야 함을 함의한다.

2. 남북 공동체 형성

남북한이 분단의 아픔을 치유하는 길은 공동체를 형성하는 것이므로 통일과정에서 공동체 형성은 중요한 과업이며, 이를 이룰 때 진정한 통일이 되었다고 할 수 있겠다. 남북한 통일의 각 단계는 평화체제 구축과 남북한이 하나의 공동체를 형성하는 것과 깊이 연관되어 있다. 통일방안의 각 단계는 결국 그 단계에서 이질화되고 분단된 생각과 체제를 하나의 공동체로 묶어가기 위한 과정의 큰 단락이라고 할 수 있다. 따라서 이명박 정부가 구상하는 3대 공동체통일방안이든 박근혜 대통령이 후보시절 구상한 신뢰구축 - 평화정착 - 경제공동체나 드레스덴 통일 구상이든 전반적으로 목표는 같다고 할 수 있다. 신뢰구축 즉, 평화체제나 공동체를 이루고 경제를 우선으로 하여 정치통합을 순차적으로 이루어 통일할 수만 있다면 더 이상 바람직스러울 수 없을 것이다.

그런데 불행하게도 북한의 대남정책과 적화통일 의지, 체제유지에 대한 집착 등을 종합해 볼 때, 그렇게 순차적이고 점진적이며 평화적으로 이루어질 가능성은 그리 높지 않은 편이다. 현재까지도 북한은 한반도에 긴장을 조성하고 이를 바탕으로 외부로부터 원조를 받아내는 기존의 전략과 행태를 반복하고 지속하려고 하고 있다. 남한의 입장에서 북한을 조정할 수 있는 유일한 지렛대는 재정지원이다. 따라서 북한이 남한으로부터 경제적 지원 없이 평화공동체를 만들려고 하지는 않을 것이고 그렇다고 남한이 북한의 막무가내 식 방식을 그대로 보아 넘길 수도 없는 상황이다. 결국 평화공동체 형성의 기반은 남한의 경제지원으로부터 기인하며 이를 잘 조절해 가는 것이 평화정착의 길이 될 것이다. 남북한이 처한 상황을 감안하면 평화정착과 경제공동체 형성은 맞물려 돌아갈 수밖에 없는 구조이다.

평화정착을 위해서는 경제적으로 뒷받침되어야 하고 경제적인 지원이 지속적으로 이루어지려면 진정한 평화체제가 만들어져야 하기 때문이다. 남북한 경제공동체 형성의 목표는 단기적으로는 긴장완화와 평화체제 정착이고 장기적으로는 남북한 통일로 요약될 수 있다. 경제 분야로부터 교류와 협력을 추진하여 경제적 유대관계를 형성함으로써 정치·군사적으로 긴장을 완화하고 결국 한반도에 평화를 정착하는 것이다. 그리고 통일한국의 미래는 경제적으로 얼마나 효율적으로 통합을 달성할 수 있느냐에 달려 있다.

경제통합은 상품 및 생산요소의 자유 이동을 제한하는 요인들을 제거하여 시장을 확대하고 공동의 이익을 증진하는 데 있다. 이를 위해서는 경제체제가 이질화된 상태에서는 불가능하거나 소기의 효과를 거두기가 어렵다.[142] 따라서 남북한이 경제적으로 하나의 공동체로 만들어지기 위해서는 북한의 경제체제가 바뀌져야 한다. 미국의 경제학자인 발라사(Bela Balassa)는 경제통합을 정도에 따라 ① 자유무역지대(Free Trade Area), ② 관세동맹(Customs Union), ③ 공동시장(Common Market), ④ 화폐 및 경제동맹(Monetary & Economic Union), ⑤ 완전한 경제통합(Complete Integration) 등으로 구분했다.[143] 이는 경제통합을 이루려는 양측이 동일한 경제체제를 채택하고 있을 때를 전제한 것이다. 북한이 주장한 것과 같이 한쪽은 자본주의 시장경제, 다른 한쪽은 사회주의 계획경제 체제를 유지하고 있다면 경제통합의 첫 단계인 자유무역지대 구성에서부터 어려움에 봉착하게 될 것이다. 자유무역지대를 이루려면 관세와 무역제한이 철폐되고 상품과 자본의 자유로운 이동이 보장되어야 한다. 그리고 이를 위해 교통, 통신, 전력망 연결이 확대되어야 하고 남북 정부의 고위층이 포함된 경제통합기구가 구성되어야 하기 때문이다. 이러한 내용을 중심으로 남북한 간에 협의가 되고 자유무역협정을 체결해야 이행에 들어가게 되는데 결코 쉽지 않은 사안이다. 따라서 경제통합을 통한 공동체 형성은 두 체제가 하나의 체제로 통일되어야 진척될 수 있음을 시사한다.

---

[142] 박종철·허문영·김보근, 『남북연합 형성·운영의 거버넌스』, 39~40쪽.

[143] 자유무역지대란 가맹국 상호 간에 상품이동에 대한 무역제한조치를 철폐함으로서 역내 자유무역을 보장하나, 역외 비가맹국에 대해서는 각국이 독자적인 관세정책과 무역제한조치를 하는 형태의 경제통합이며, 관세동맹은 역외 비가맹국에 대해서 공동 관세를 부과하는 것을 지칭한다. 그리고 공동시장은 재화뿐만 아니라 생산요소의 자유이동이 보장되는 형태이고, 화폐 및 경제동맹은 이에 추가하여 각 가맹국 간 경제정책의 조정과 협력이 이루어져 공동 경제정책이 수행되는 형태이며, 완전한 경제통합은 초국가적 기구를 설치하여 이 기구가 가맹국의 제반 경제정책을 조정, 통합, 관리하는 공동체를 의미한다. Bela Balassa, *The Theory of Economic Integration*, London: George Allen & Unwin Ltd., Fourth Impression, 1973; 김영윤, 「남북연합과 경제공동체 형성방안」, 『국가연합 사례와 남북한 통일과정』(서울: 도서출판 한울, 2004), 261쪽.

경제공동체 형성은 순수한 경제적 이유뿐만 아니라 정치, 사회 요인들도 지대한 영향을 미치게 된다. 국가 간 산업기술과 소득 수준 등이 유사하고, 경제정책이나 경제활동 등에서 공통점이 많을수록 공동체 형성 가능성은 많아진다. 반대로 관련국 간 경제수준이나 기술수준 등에 많은 차이가 나는 경우에는 상대적으로 실현되기가 어렵다. 북한과의 경제공동체 형성은 현재 경제수준이나 기술수준 등을 종합해 볼 때 쉽지 않은 상태이다. 남북한 간 경제력의 현격한 차이로 인해 경제활동의 연계는 매우 약한 편이다. 북한은 경제적 종속을 우려하게 되고 남한은 경제적으로 실익을 얻을 수 없어 자칫 퍼주기 논란으로 점화될 가능성을 배제할 수 없다. 북한은 경제공동체 형성 그 자체보다는 이를 형성해 가는 과정에서 경제적 실리를 얻는 데에 집중할 것이나, 이로 인해 발생하게 될 체제나 정권의 변화에 대해서는 강하게 저항할 것이다. 진정한 경제공동체가 형성되기 위해서는 관련국들이 하나의 경제체제로 되어야 하는데 북한의 통치행태를 보면 이러한 결단을 내리기는 결코 쉽지가 않을 것이다.

경제통합은 정치통합이 이루어진 이후 급진적으로 이루어질 수도 있고 경제통합이 선행되면서 정치통합으로 발전될 수도 있으며 경제통합과 정치통합이 상호 작용을 하면서 하나의 공동체로 발전할 수도 있다. 남북한이 평화적이고 점진적으로 통일을 한다면 정치와 경제는 상호 작용을 할 것으로 판단된다. 이러한 개념에 따라 발라사의 경제통합단계와 『공존공영의 공동체 형성방안』을 접목시켜 보면 다음과 같이 이루어질 가능성이 높다. 화해와 협력을 통한 신뢰구축 단계는 경제통합을 위한 준비기로 볼 수 있다. 남북연합 단계에서는 자유무역지대와 관세동맹을, 연방단계에서는 공동시장과 경제동맹을, 그리고 통일 완성단계에서는 완전한 경제통합을 목표로 추진하면 큰 무리

가 없을 것이다.[144)]

경제공동체를 형성하는 부분에 대해서는 외부로부터 지원이 절실한 북한으로서도 반대하지는 않을 것이다. 경제공동체 형성과정에서는 남북한 간 교류와 협력이 활성화될 수밖에 없고 이는 곧 북한의 변화를 유도할 것으로 전망된다. 북한의 대남 경제의존도가 심화되고 경제적 활력을 찾는다는 것은 시장경제에 어느 정도 익숙해 간다는 것을 뜻한다. 북한은 점진적으로 체제 전환의 필요성을 느끼게 될 것이다. 그러나 완전한 경제공동체 형성은 북한의 체제 전환이 선행되어야 하는데, 남북한이 경제 부문에서 협력을 강화하게 된다면 자연스럽게 북한의 체제 전환을 유도할 수도 있을 것이다. 경제 부문 협력, 체제 전환, 경제공동체 완성의 수순을 밟는 순차적 개념으로 접근할 필요가 있다.

경제공동체를 형성하기 위한 경제통합의 유형은 제도적 통합(institutional integration)과 기능적 통합(functional integration)으로 구분된다. 제도적 통합은 관련국들이 통합의 조건과 형태 등에 대해 합의를 하고 통합을 추진하는 방안이며, 기능적 통합은 제도적인 장치가 마련되어 있지 않은 상태에서 산업이 상호 연계되어 경제적으로 강하게 결속되어 있는 상태를 말한다. 남북한이 경제공동체를 형성하기 위해서는 현재 남북한 간에 자유로운 교류나 경제활동이 이루어지지 못하고 있는 점을 감안할 때 제도적 통합의 형태를 따를 가능성이 높다. 초기의 제도적 합의가 이루어지고 경제활동이 실질적으로 이루어지면 한 걸음 더 나가는 제도적 보완이 뒤따르는 수순을 밟을 가능성이 높다.

----

144) 양문수 외, 『경제분야 통일인프라 구축 및 개선방안』(서울: 통일연구원, 2004), 152~154쪽.

그리고 이러한 수순을 밟기 위해서는 남북한 간 어느 정도 안정된 평화체제가 구축되어야 본격적으로 경제공동체 형성 추진이 가능할 것이다. 다음 그림에서 보는 바와 같이 신뢰구축과 남북연합을 통해 평화체제가 형성되도록 하여 안보 불안감이 완전히 해소되는 상태를 만들어야 한다.

표 11. 통일단계와 공동체 형성 관계

구분	통일단계	공동체 형성
단계	신뢰구축	↕ 평화정착 / ↕ 경제공동체
	남북연합	↕ 정치통합
	남북연방	
	통일국가	

그리고 어느 정도 신뢰가 형성되면 경제적 지원과 더불어 경제체제를 남한 식으로 바꾸면서 기반시설 확충과 더불어 먹고사는 문제를 포함하여 삶의 질을 향상시켜야 한다. 이 단계에서는 북한 주민들의 의식전환과 통일지원 세력화를 위한 각종 교육과 홍보가 뒤따라야 한다. 그리고 남북연합을 기점으로 정치통합을 이루어 나가도록 하여 완전한 통일국가를 이루는 개념으로 진전되어야 할 것이다. 그러나 평화정착과 경제, 정치문제는 상호 작용을 할 수밖에 없고 적절한 조화가 이루어져야 그야말로 평화적인 통일이 가능할 것이다.

3. 군 감축과 통합

남북한 간에 평시 신뢰구축을 위해 가장 좋은 방안은 남북한의 군 사력을 합당한 수준의 동수로 감축하는 것이다. 군 감축은 병력 감축과 무기체계 감축으로 대별할 수 있으며 남북한 신뢰구축을 위해서는 병력 감축과 더불어 무기체계도 동시에 감축할 필요가 있다. 병력 감축만 이루어질 경우 북한은 군사국가로서 동원능력이 남한보다 잘 발전되어 있고 태세가 완벽하여 병력팽창은 매우 단기간에 이루어질 수 있기 때문이다. 군축 개념은 남한이 병력이나 무기체계 수량 면에서 적으므로 우선 남한수준으로 감축한 다음, 상황에 따라 더 감축하는 방향으로 추진하면 무리가 없을 것이다. 이와 더불어 보유 군사력의 배치를 공격형에서 방어형으로 바꿔 나가야 한다.

그런데 군축은 정치적 신뢰가 선행되지 않고는 이루어질 수 없으나 정치적 신뢰구축의 행동으로 군사부문이 이용될 수 있다. 가시적인 군사적 신뢰구축조치는 정치적 신뢰를 쌓는 과정이 될 수 있다. 남북한 간의 군축문제는 80년대 중반까지는 북한이 주로 무력적화통일의 위장전술 차원에서 제기하여 왔으므로 우리 내부에서는 금기시되어 왔다. 북한은 군축을 우리가 받아들일 수 없는 10만 명 이내로 감축하자고 하면서 주한 미군 철수를 전제조건으로 내세워 왔다. 북한은 군사국가화되어 있고 예비군인 교도대가 현역을 능가하는 전력발휘를 할 수 있으며 동원체제가 잘 구비되어 있다. 이러한 상황에서 갑자기 병력을 10만 명 이하로 감축하게 되는 경우 북한이 의도하는 바대로 남북한 간 전력균형은 단기간에 무너질 수도 있다. 따라서 우리로서는 북의 제안을 도저히 받아들일 수 없었던 것이다.

그러나 통일을 지향하는 시점에서 군축은 절대적으로 필요하다. 북한은 6·25전쟁 후 30만 명 수준이던 군을 지속적으로 확장해 현재는 120만 명에 육박해 있다. 실제 전투력을 발휘할 수 있는 준군사부대 40만여 명을 고려하면 상비병력이 160만 명을 넘어서고 있다. 그리고 세계적으로 병력밀집도가 가장 높은 한반도에서 극도로 대치하고 있는 군을 통합하여 하나의 군으로 만드는 일은 그 자체로도 어려운 과정이지만 통일기 국가의 안정성과도 직결되는 과업이다. 통일에 들어가기 전에 군을 줄이지 않으면 불안정 요인을 그대로 안고 가게 될 뿐만 아니라 군사통합 그 자체에도 상당한 진통이 뒤따를 것이다.

현재 남북한 통일방안에서 나타난 군의 통합단계를 보면 다음 〈표 12〉에서 보는 바와 같이 군은 통일기에는 하나의 군으로 통일되는 것으로 되어 있다.[145]

표 12. 남북한 통일방안 비교[146]

구 분	한 국	북 한
명 칭	민족공동체통일방안	고려민주련방공화국 창립방안
통일 과정	1단계 : 화해와 협력 -1민족, 2국가, 2체제, 2정부	
	2단계 : 남북연합 -1민족, 2국가, 2체제, 2정부 -정부 : 군사 / 외교권 유지 -정상회의, 연합회의 등 국가 연합기구 설립	1단계 : 낮은 단계 연방제 -1민족, 1국가, 2체제, 2지역 정부, 1연방정부 -지역정부 : 군사 / 외교권 유지 -민족통일기구(연방정부) 창립
		2단계 : 높은 단계 연방제 -1민족, 1국가, 2체제, 2지역 정부, 1연방정부 -연방정부 : 군사 / 외교권 보유
	3단계 : 통일국가 -1민족, 1국가, 1체제, 1정부	

---

145) 권양주,『남북한 군사통합 구상(증보판)』, 259~261쪽.
146) 안병욱·정병준,「남북한의 통일정책과 통일의 과제」, 73쪽.

〈표 12〉에서 보는 바와 같이 남북한이 추구하는 통일국가의 기본 형태가 다름에도 불구하고 남북한 통일방안의 각 마지막 단계에서 군은 하나로 통합되도록 되어 있다. 한국의 '화해·협력 단계'와 '남북연합 단계', 그리고 북한의 '낮은 단계의 연방제'에서 군대는 통합되지 않고 현재대로 유지된다. 그러나 '높은 단계의 연방제'나 '통일국가 완성단계'에서는 군사통합이 이루어지는 것을 상정하고 있다. 「김대중의 3단계 통일론」에 의하면, 북한의 연방제는 한국의 제2단계 '남북연합 단계'와 3단계인 '통일국가 완성단계' 사이의 과도기 단계로 구분되고 있다.147)

국가형태 면에서 보더라도 「민족공동체통일방안」의 '남북연합 단계'는 1민족, 2국가, 2체제, 2정부를 설정하고 있는데 반해, 북한의 '낮은 단계의 연방제'는 1민족, 1국가, 2체제, 2정부를 상정하고 있다. 따라서 '낮은 단계의 연방제'가 한국이 제시하고 있는 '남북연합 단계'보다는 완성형의 통일국가를 향해 한 걸음 더 나아간 것으로 볼 수 있다. 이러한 개념에 의해 남북한의 통일방안을 하나의 표로 묶어서 단계화하면 다음 〈표 13〉과 같다. 표의 1, 2, 5단계는 한국의 통일방안이고 3, 4단계는 북한의 통일방안이다.

표 13. 남북한 통일방안 단계별 군사권 보유 주체

단 계	국가 체제	군사권 보유 주체
1. 화해·협력 단계	1민족, 2국가, 2체제, 2정부	각 정부
2. 남북연합 단계	1민족, 2국가, 2체제, 2정부	각 정부
3. 낮은 단계 연방제	1민족, 1국가, 2체제, 2정부	각 정부
4. 높은 단계 연방제	1민족, 1국가, 2체제, 2지역정부, 1연방정부	연방 정부
5. 통일국가 완성단계	1민족, 1국가, 1체제, 1정부	통일 정부

147) 김대중, 『김대중의 3단계 통일론-남북 연합을 중심으로』, 47~51쪽.

통일방안의 각 단계에서 군사권이 어디에 소속되느냐는 군사통합이 이루어지느냐 여부와 직결되어 있다. 한국의 '화해·협력 단계', '남북연합 단계'와, 북한의 '낮은 단계의 연방제'가 실현될 때까지는 군사통합이 이루어지지 않기 때문에 군사권은 현재와 같이 남북한이 각각 보유하게 되어 있다. 즉 군사권 보유 주체 면에서 변화는 없다.

남북한 간에 군사통합은 북한이 주장하고 있는 '높은 단계의 연방제'가 형성되는 단계와 '민족공동체통일방안'의 제3단계인 '통일국가 완성단계'에서 이루어지도록 되어 있다. 따라서 이 단계에서 군사권은 하나로 통합되어 통일된 정부가 갖게 된다. 참고로 독일 통일 5개월 전인 1990년 5월 2일 동독 국방장관은 주요 지휘관회의에서 1국가 2군대론을 주장한 바 있다. 북한이 연방제하에서 2체제를 주장하면서도 군은 하나로 통일되어야 한다고 한 것은 평화통일 논의를 위해 그나마 다행스러운 일이라고 할 수 있다. 만약 동독 국방장관처럼 2군대론을 제기했다면 통일 논의의 접점은 그만큼 어려워 질 것이기 때문이다.

이러한 개념을 『공존공영의 공동체 형성방안』에 적용해 보면 군사권은 남북연합 단계까지는 남북한 각각의 정부가 보유하게 된다. 그리고 남북연방 단계로 들어가면 외교권과 더불어 군사권이 통합되어 연방정부가 관장하게 된다. 그러나 군사통합은 과정이 매우 중요한데 남북한이 신뢰구축을 하려면 군사적으로 대치상태에 있거나 군사적 도발을 감행할 수 없도록 되어야 한다. 군사적 위협은 능력과 의지가 결합되어야 한다는 측면에서 보면 북한이 군사적 도발을 하지 못하도록 하기 위해서는 군사력을 축소하고 그 배비를 조정해야 한다. 그리고 군사도발에 대한 의지를 약화시키는 노력이 필요하다. 북한의 도발의지는 남북한 간 신뢰구축 정도와 반비례한다고 볼 수 있다. 신뢰

관계가 높으면 높을수록 도발의지는 약화되고 신뢰가 깨지면 상대적으로 도발할 가능성은 더 높아진다고 할 수 있다.

그러나 남북한 간 신뢰정도를 정확히 평가하기는 분단 상황에서는 사실상 어렵다. 이는 그들이 군사력을 어떻게 유지하고 활용하려고 하며 우리가 어떠한 감시체제를 구축하여 감시할 수 있느냐에 의해 평가될 수밖에 없다. 따라서 북한이 군사적 도발을 하지 못하도록 하려면 원천적으로 북한의 군사력을 대폭 감축하고, 그 배비를 공격적이 아닌 방어·수동적으로 바꿔야 한다. 그리고 남북한이 상호 군사 연락단을 파견하는 등의 가시적 조치를 통해 실시간 감시가 가능해야 한다. 먼저 북한은 남한을 상대로 하여 군사정전위원회를 정상화해야 한다. 정전에 관한 논의를 위원회나 혹은 다른 별도의 회의체를 구성하여 논의함으로써 평화정착을 위한 실질적인 논의에 들어가야 한다.

군사 면에서 신뢰구축을 위한 실질적인 논의는 남북 간 기존 군사 분야 합의 사항을 재확인하고 이행방안을 구체화하며 실행하는 데로부터 시작해야 한다. 이러한 부문에는 군사력 감축, 대규모의 부대이동과 군사연습의 통보 및 통제, 비무장지대의 평화적 이용 및 공동 운용, 군 인사 교류 및 정보교환, WMD와 공격능력의 제거를 비롯한 단계적 군축 실현문제 등을 들 수 있다. 아울러 상호 연락단을 파견하여 이를 검증하고 감시할 수 있도록 제도적인 뒷받침이 이루어져야 한다. 그리고 북한이 비핵화를 하지는 않더라도 기존의 핵무기에 대한 무력화와 비핵화 선언을 하고 국제통제기구의 감시가 실질적으로 이루어지도록 해야 할 것이다.

병력 감축은 통일과정에 따라 점진적으로 이루어질 필요가 있다. 신뢰구축 단계에서는 남북한 병력을 남한의 개혁 목표 연도 병력규모인 50만여 명으로 각각 감축하고 그 태세를 방어로 바꾸는 방향으로 이루어지는 것이 바람직하다. 연합단계에서는 북한군 병력을 남한의 약 1/2 수준으로 감축할 필요가 있다. 왜 남북한 군을 동시에 감축하지 않고 이 단계에서 북한군을 남한군의 절반 수준으로 줄여야 하는지에 대한 이유는 간단하다. 왜냐하면 남북한이 평화적으로 통일한다고 하더라도 군은 남한군을 중심으로 북한군을 흡수하는 개념으로 통합할 수밖에 없기 때문이다. 그 이유를 조금 더 살펴보면 다음과 같다.

북한은 70년대 말기부터 경제적으로 어려움에 처해져 재래식 전력 증강이 둔화되기 시작했다. 1980년대 말 사회주의경제체제가 붕괴되면서 북한도 그러한 처지에 놓이지 않을까하는 두려움에 휩싸였다. 그런데 김일성과 김정일은 북한이 처한 정세를 바로보지 못하고 대남 우위의 군사력 유지 정책을 지속적으로 확대 추진했다. 이 시기에 북한은 병력규모를 증가하고 재래식 전력 증강을 도모하는 한편, 국제적인 통제에도 불구하고 비용 대 효과가 큰 WMD를 중심으로 한 비대칭전력을 대폭 강화했다. 남북한의 경제력 격차가 커지고, 북한의 경제난과 재정난으로 인해 자연히 재래식 전력에 있어서는 남한의 첨단전력 확보 비중이 높아졌다. 따라서 북한의 재래식 전력의 질은 해가 가면 갈수록 남한에 비해 뒤떨어질 수밖에 없는 상태이다. 현재도 WMD를 제외한 재래식 전력의 첨단무기 편성 비율은 남한에 비해 현저하게 낮은 편인데, 이러한 현상은 향후에는 더 심화될 것으로 예상된다.

한편, 통일한국은 현재의 북한과는 다르게 정상국가로서 동북아 지역의 평화와 안정을 위해 주변국들과 잘 협조해 나가야 한다. 이를 위해서는 기본적으로 WMD에 대한 국제통제체제를 준수해야 한다. 2013년 6월 한·중 정상이 국제 규범을 준수하기로 한 것은 현재 북한이 보유하고 있는 핵무기나 핵무기 개발을 용인하지 않겠다는 강력한 의지의 표현과 더불어 남북한이 통일되더라도 통일한국이 핵무기 보유 노력을 해서는 안 된다는 메시지가 담겨 있다. 통일한국이 핵 등 WMD를 보유하려는 정책을 펴 나간다면 외교적으로 상당한 곤경에 처할 것이고, 통일에 있어 가장 큰 장애요소로 작용할 수도 있다. 따라서 통일한국군은 WMD는 폐기하고 재래식 전력 위주로 편성해야 할 것이다. 아울러 고려해야 할 사항은 병력을 가급적 줄여야 한다는 점이다.

이를 종합해 보면 통일한국군은 통일시점에 양군이 보유하고 있는 가장 우수한 재래식 장비들만을 선별하여 편제해야 한다는 결론에 이른다. 그런데 첨단장비를 운용하기 위해서는 교리, 편성, 교육훈련, 종합군수지원 등의 전력화지원요소[148]가 동시에 구비되고 획득되어야 한다. 따라서 통일한국군은 첨단 무기와 장비 편제율이 상대적으로 높은 남한군 위주로 편성될 수밖에 없을 것이라는 결론에 이르게 된다. 즉 통일 시 주요한 무기체계와 장비는 남한군의 것을 주로 사용할 수밖에 없고, 자연적으로 이에 익숙한 남한군이 많이 편성될 수밖에 없다. 무기체계와 장비를 운용하기 위해서는 지휘, 운용, 정비인원들이 필요한데, 통일한국군에 상대적으로 남한의 무기와 장비들이 많이 편제되면 그만큼 인력도 많이 소요되도록 되어 있다. 이러한 개념에 따라 통일한국군에서 필요한 북한군 출신은 북한이 보유하고 있는 일부 첨단 무기와 장비를 운용할 수 있는 일부 인원과 군사통합 지원인력 등이 될 것이다. 무기와 장비 운용 인력에는 이를 직접 운용하는 사람 외에 정비요원도 포함되어야 한다.

------

[148] 전력화지원요소는 무기체계가 획득되어 배치됨과 동시에 운용될 수 있도록 하기 위한 요소를 말하며 ① 부대시설, 무기체계의 상호운용에 필요한 하드웨어 및 소프트웨어, ② 군사교리, ③ 부대편성을 위한 조직·장비, ④ 교육훈련 및 주파수, ⑤ 필요한 수리부속 및 사용설명서 등의 종합군수지원요소 등을 총칭한다. 「방위사업법 시행령(대통령령 제25003호)」 제28조.

따라서 통일한국군 구성 시 북한군 출신 비율은 높지 않을 것이므로 연합단계에서 북한군을 대폭 줄여도 통일한국군 구성에는 문제가 없고, 대폭 줄일수록 통합은 쉬워질 것이다. 이는 북한의 우발적 도발을 억제하고 통일을 평화적으로 이룰 수 있는 기본 전제가 되며 군사통합 과업을 줄이는 일이기도 하다. 그렇다고 해서 통일한국군이 통일 이후에도 남한 출신 위주로 계속 충원되어야 한다는 것은 아니며 인력충원 시나 교육생 선발 시 북한 출신들도 포함하여 교육하게 되면 장기적으로는 자연스럽게 남북한 출신 구분 없이 편성될 것이다. 그리고 북한군은 상대적으로 추운 지역에 위치해 내한성이 강하고 산악지역에 익숙하므로 함경도나 한·중, 한·러 국경선 경비부대는 북한지역 출신을 많이 활용하는 방안도 고려되어야 할 것이다.

남북연방 단계에서는 남북한 군이 통합되어 하나의 군으로 되어야 하는 매우 중요한 과업이 진행된다. 따라서 연방단계 초기에는 급격한 병력 감축보다는 안정적인 통합에 우선을 두고 지휘체계를 일원화해야 한다. 남북연합 단계에서는 감축된 인원 중 일부는 전역을 시키고, 일부는 무기 및 탄약 등 불용대상에 대한 처리병력으로 전환하는 등의 인원을 제외하고 일단 통합하는 방향으로 추진되어야 할 것이다. 이러한 개념에 의하면 연방 초기의 통일한국군 규모는 연합단계의 남한군보다는 많아질 수밖에 없을 것이다. 그리고 점차 통일한국군의 적정규모로 병력을 줄여가는 방향으로 통합업무를 추진하는 것이 무리가 없을 것이다. 이러한 병력감축 개념은 다음〈그림 3〉과 같이 도시될 수 있다.

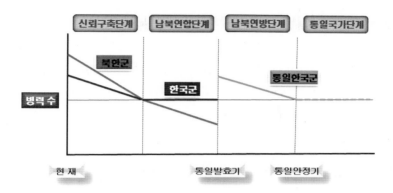

그림 3. 남북한 통일 시 병력 감축 개념도

군사통합은 주도국의 군제, 무기체계 등으로 일원화되어야 함을 의미한다. 그런데 현재 북한이 추진하고 있는 대외 정책과 체제 고수 노력을 고려해 볼 때, 북한이 현 정권하에서 스스로 자본주의 체제로 전환할 가능성은 희박하다. 그리고 경제난으로 인해 무기체계의 첨단화·최신화율, 대병주의가 아닌 기술 중심의 군사전략·전술 면에서도 한국군보다 뒤져 있어 통일한국군은 자연스럽게 남한군의 무기체제와 이를 운용하는 교리 등을 적용할 수밖에 없는 실정이다. 북한이 체제를 전환하고 통일 논의를 점진적으로 하게 될 경우에는 군사통합 분야도 상호 협의와 논의를 통해 양군의 장점을 취하는 방향으로 추진이 가능할 것이다.

그러나 북한이 현 체제를 유지하다가 급작스럽게 통일이 이루어지게 되면 이를 위한 시간이 절대적으로 부족하게 될 것이다. 단기간에 상이한 군사사상 및 제도, 무기체계, 전술 등을 어느 하나로 통일하는 것은 어렵다고 보아야 한다. 이 분야들에 대한 의견의 일치가 쉽지 않고 또한 일치를 보았다고 하더라도 교육기간이 장기간 소요될 것이다. 아울러 통일한국군에 대규모의 북한군 출신이 포함되는 경우에 이념과 각종 제도 극복에 상당한 시간과 노력이 소요되고, 군 내 불신이 증폭될 가능성이 높다. 이로 인해 군의 사기가 저하되고 적응 곤란 및 갈등이 유발될 가능성 또한 높을 것으로 보인다. 또한 북한주민의 군부에 대한 반감이 팽배해 있기 때문에 통일한국군에 북한군 출신 병력을 대규모로 흡수 시에는 통일한국군 전체에 대한 불신과 부정적 이미지로 북한지역에서의 군의 활동 제한과 바람직한 민군관계 형성에도 어려움을 초래할 것으로 보인다.

제6장

맺음말

현재 한반도 상황은 남북한이 분단된 채로 평화롭게 살아 갈 수도 없고 그렇다고 주변국들이 남북한 통일을 적극적으로 지지하거나 지원하고 있는 것도 아니다. 따라서 우리는 세계에서 가장 비정상적인 행태를 보이고 있는 북한을 안정적으로 관리하면서 주변국들이 통일을 지지하고 지원할 수 있도록 외교 노력을 병행해 가야 하는 상황에 있다. 그리고 내부적으로는 실현 가능한 평화통일방안을 마련하고 이를 내실 있게 차분히 추진해야 하는 과제가 부여되어 있다. 그럼에도 우리 국민의 통일에 대한 열의, 특히 젊은 층의 통일 필요성에 대한 인식은 그리 높지 않게 나타나고 있다.149) 이는 통일은 언젠가는 해야겠지만 통일로 인한 당장의 고통을 감내할 만큼 여유롭지 않고 있기 때문으로 이해된다.

그러나 통일과정에서 다소 고통이 수반된다고 하더라도 평화로운 한반도가 되기 위한 단 하나의 길은 통일밖에 대안이 없다. 통일과업을 조속히 추진해야 하고 통일될 수밖에 없는 주요인은 북한이 우리와 국제사회에 대해 끊임없이 도발을 하고 있고, 북한 내부의 불안정성이 점증하고 있기 때문이다.

먼저 우리가 통일을 원하지 않는다고 해서 분단된 채로 살아갈 수 없는 주요인은 북한의 대남정책으로부터 기인한다. 남북한 분단 상태

---

149) 현대경제연구원이 실시한 통일관련 여론조사 결과에 의하면 우리 국민의 78%가 통일이 필요하다고 보고 있어 약 1/4은 통일을 원치 않은 것으로 나타나고 있다. 특히 20대는 66.8%, 30대 74.9%, 40대 84.6%, 50대 이상 84.2%로 젊은 층일수록 통일에 대한 필요성을 덜 느끼고 있는 것으로 나타나고 있다. ChosunBiz.com, 2013년 11월 20일.

가 고착화되고 있는 가운데 북한의 도발 또한 갈수록 격화되는 양상이다. 북한은 이전과는 다르게 천안함 폭침, 연평도 포격, 국제적인 제재에도 아랑곳하지 않고 핵과 장거리 미사일 시험 등을 과감하게 실행에 옮기고 있다. 심지어 김정은은 2013년 향후 3년 내 무력으로 통일하겠다고 호언하고 있는 것으로 알려지고 있다.

북한이 이렇게 대남강경정책을 늦추지 않고 있는 것은 남한 내 분열을 유도하고 한반도 긴장조성을 통해 체제와 정권유지를 위한 국제사회의 관심을 촉구하여 지원을 받고자 하는 데 있다. 따라서 그들의 목적이 달성되지 않는 한 대남 도발행태는 우리가 상상한 이상으로 전개될 수도 있을 것이다. 수도권에 생화학무기를 이용한 테러를 감행할 수도 있고, 최악의 경우는 전면전까지도 불사할지도 모를 일이다.

둘째, 북한 내 불안정성이 점증하고 있어 급변사태 발생과 붕괴 가능성이 높아지고 있으므로 급작스런 통일에 대비한 준비를 서둘러야 한다. 남한이나 북한은 하나같이 북한에서 급변사태가 발생하거나 붕괴되는 상황을 원하지 않고 있다. 그럼에도 작금의 북한의 정책방향을 보면 그 방향으로 돌진해 가고 있는 모습이다. 그런데 우리를 포함한 관련국들은 이러한 북한을 바른 방향으로 유도할 수 있는 뾰족한 대책도 없고 또 이에 집중하지도 못하고 있다. 북한은 현재 좌초하는 선박과 같다고 할 수 있다. 서서히 가라앉다가 어느 순간에는 급전직하하는 형태로 걷잡을 수 없이 침몰할 수도 있는 상태이다.

북한은 경제위기로 인해 사회주의 체제의 기본인 계획경제체제가 사실상 와해되었다. 주민들에 대한 배급체제가 붕괴되자 주민들은 식량과 생필품을 농민시장에 의존할 수밖에 없게 되었다. 생존의 위협을 느낀 주민들은 직장을 이탈하여 제각기 살길을 찾기 시작했는데 이에 따라 노동력과 주민들에 대한 통제력도 약화되고 있다. 북한 당국은 1998년 초 장사활동을 규제하고 노동자들을 노동현장으로 복귀시키기 위한 여러 조치를 취해 봤지만 기대의 성과를 거두지는 못했다. 복귀율도 낮았지만 복귀해도 마땅히 할 일이 없었다는 데에 더 큰 문제가 있었다.

북한은 2002년 7·1 경제관리개선조치, 8월 환율조정, 그리고 2003년에는 농민시장을 종합시장으로 확대 개편하는 일련의 조치를 취했다. 이로써 북한 경제의 기본인 계획경제는 시장부문의 도움이 없이는 생존할 수 없는 지경에 이르렀다. 시장에서 벌어들인 돈으로 계획부문의 유지에 필요한 재정수요를 충당하고 그토록 제거하려고 했던 시장 기능에 기생하여 살아갈 수밖에 없게 되었다.[150]

김정은 시대에 들어 북한은 6·28경제관리개선 조치를 발표했지만 제대로 실행에 옮기지 못하고 있는 것으로 알려지고 있다. 이러한 조치는 근본적으로 체제개혁이 아니라 기존의 기본 체제를 유지한 가운데 관리 개선만을 하고자 한 것이다. 경제회생에 절대적으로 필요한 개혁 및 개방과는 거리가 먼 정책이다. 이나마 추진력도 미흡한 편이다. 현재 북한의 자생력은 제로인 상태이며, 북한이 1990년 이전의 체제로 돌아가기 위해서는 외부로부터 지원이 대규모로 이루어져야 한다. 이를 위해서는 개혁과 개방이 필요하나 이를 거부하고 있어 북한 경제가 회생되기는 극히 희박해 보인다. 이대로 가면 붕괴될 수밖에 없는데 북한이 붕괴되는 경우에 우리에게 미칠 파장은 너무도 클 것이다. 북한 주민뿐만 아니라 우리 민족 모두가 다시 한 번 큰 고통을 겪어야 할 것이다.

---

150) 양문수, 「2000년대 북한경제의 구조적 변화」, 『KDI 북한경제리뷰』 2007년 5월, 9쪽.

한편, 북한에서 생활고로 인한 조직적인 민중봉기는 현재와 같은 엄격한 감시 체제하에서는 어려울 것으로 보인다. 동독의 경우에도 시민사회가 조직화되지 못했으나, 통일 10여 년 전인 1980년대에 들어서면서 교회를 중심으로 생성되기 시작했다. 동독의 경우 주민들은 정권을 지지하지는 않았지만 자본주의 체제로 흡수 통일되는 것은 반대하는 경향을 보였다. 그러다가 주민들은 점차 사회주의 체제를 포기하고 신속한 통일을 원했다. 이러한 시민의식은 정권의 정통성이 타격을 받게 되자 순식간에 조직화되어 행동으로 표출되었다. 이를 보면 북한에서도 정권에 대한 당·군 관료의 불신과 주민들의 불평이 팽배해져 정권 자체가 중대한 위기에 봉착하게 되면 주민들이 들고 일어설 가능성을 배제할 수 없다.

이 경우에 중간 계층의 군부가 합세하게 되면 그 결말은 예측하기 어려울 것이다. 전 조선로동당 비서 황장엽 씨는 1997년 "현 북한의 사정을 감안할 때 북한에서는 결국 군대가 일어날 것"이라고 전망했다.[151] 그리고 이를 주도하는 것은 여단장급 이하일 것이라고 했는데 대령급 이하의 불평과 불만이 누적되고 있다는 의미가 내포되어 있다. 장령급은 살만한 생활을 영위하고 있으나 돈줄과 연관되지 않은 순수 군인들의 생활여건은 날로 악화되어 가고 있다. 만일 북한에서 주민들이 봉기하거나 집단적으로 정권에 항거하게 되면 중간계층의 군부는 주민들의 편에 설 가능성도 배제할 수 없는 상황이다.

셋째, 북한이 핵능력을 보유하게 됨으로써 현상유지가 불가능하게 되었다. 우리가 북한을 핵무기 보유국으로 인정하지 않는다해도 북한은 이미 핵능력을 보유하고 있고 그들을 이를 무기로 활용하고자 하

---

151) 『중앙일보』, 1997년 11월 13일.

고 있다. 즉 북한은 핵무기를 무기로 남한을 억압하여 그들이 원하는
것을 얻어내려 하고 있다. 따라서 북한이 핵무기를 보유하는 한 북한
의 도발적인 행태는 중단되지 않을 것이고 이로 인해 남북관계는 계
속 긴장상태이거나 도발과 대응의 연속일 수밖에 없다. 북한의 핵무
기가 제거되지 않는 한 현상유지를 통한 평화는 보장받을 수 없게 된
것이다.

서독은 1989년 11월 9일 베를린 장벽이 붕괴된 이후에도 동독과의
현상유지를 대외 정책으로 삼았다. 그러나 그 후 동독상황의 급속한
변화, 통일에 대한 독일인들의 기대감 고조, 소련 개혁정책의 발전전
망에 대한 불확실성 등을 감안해 서독 정부는 현상유지 정책을 조기
통일정책으로 수정하여 결국 통일을 이루어냈다. 남북한이 현상을 유
지할 수 없는 상황이라면 통일정책으로 급선회할 필요가 있다. 이러
한 측면에서 박근혜 대통령이 통일의 필요성을 강조하고 준비에 박차
를 가한 것은 만시지탄이 있으나, 매우 바람직스럽고 다행한 일이다.

세계적으로 가장 비합리적이고 막무가내식 행태를 서슴없이 자행
하고 있는 북한을 이대로 두고 평화를 바라는 것은 마치 곪은 부위를
그대로 두면서 아프지 않기를 바라는 것과 같다고 할 수 있다. 수술
외에 고통을 사라지게 할 방법이 없듯이 통일 외에 대안이 없다. 그런
데 더욱 문제가 되는 것은 북한의 대내외 사정으로 인해 통일시기조
차 우리가 선택할 수 없는 상황이 전개될 수도 있다는 점이다. 북한은
장차 우리가 상상할 수 없는 도발을 해 오거나 손을 쓸 수 없는 가운
데 내부적으로 급변사태가 발생하여 큰 혼란에 빠질 수도 있다. 따라
서 서둘러서 통일작업에 집중해야 할 때이다. 우리 국민의 통일 필요
성에 대한 공감대 형성과 의지 고양, 그리고 통일방안에 대한 국민적
합의와 강력한 추진이 병행되어야 하겠다.

통일과정 측면에서만 보면 통일작업 자체는 평화적인 통일이 강압에 의한 일방적인 통일보다 더 어려울 수도 있다. 평화적으로 통일하려면 무엇보다 남북한 간에 화해와 협력, 통일과정에서 무력충돌 방지를 위한 신뢰구축과 가시적인 조치가 필요하며 이것이 전제되지 않는 한 평화통일에 대한 기대는 하지 말아야 할 것이다. 그리고 주변국들의 지지와 지원도 필요하다. 따라서 우리가 평화적인 통일을 달성하기 위해서는 이 점에 중점을 두고 남북한 통일의 과정과 세부적인 절차를 마련해야 한다. 남북한이 통일하는 데 있어 가장 바람직한 방안은 가장 적은 비용을 들여 충격이 최소화되는 가운데 완전한 통합을 이루는 것이다. 통일을 통해 한반도에 거주하고 있는 우리 국민 모두의 자유가 보장되고 인간의 존엄성이 존중되는 다 같이 더 나은 삶을 영위할 수 있는 사회로 발전될 수 있어야 한다.

남북한 간의 통일은 통일 그 자체를 이루기도 어렵지만 더욱더 중요한 것은 남북한 간 갈등요인이 각 분야에 산재되어 있어 이를 어떻게 치유하고 통합하느냐가 관건이 될 것이다. 통일에 대한 북한주민의 기대치는 높은 반면, 남한주민들은 막대한 통합 비용에 대한 분담과 희생을 최소화하고자 할 것이므로 이를 어떻게 좁혀 가느냐가 문제이다. 결국 통일의 성패 여부는 이러한 기대치와 우려를 어떻게 줄여 갈등을 해소해 갈 수 있을 것이냐에 달려 있다. 따라서 통일과 국가적 통합은 저항세력의 돌출을 방지하면서 불만을 최소화하는 방향으로 효율적으로 이루어져야 할 것이다.

이러한 측면에서 합의에 의한 평화통일을 하게 되는 경우 통일에 합의하고 통일이 발효되기 전까지는 국가의 안정성을 확보하는 데 중점이 두어져야 한다. 이의 근저에는 대규모의 군을 통합하는 문제가 있다. 대규모의 군을 통합하는 것은 군사부문의 문제이기도 하지만 국가통합을 안정적으로 뒷받침하는 결정적인 요인이 되기 때문이다. 북한이 진정으로 평화통일을 원하느냐의 가늠대는 비핵화 여부가 될 것이다. 북한이 핵무기 보유 정책을 지속하는 한 평화통일을 위한 국내·국제적 상황은 좀처럼 나아지기가 쉽지 않을 것이다. 반대로 북한의 비핵화 노력은 평시 도발과 위협을 억제할 뿐만 아니라 평화통일을 위한 가장 중요한 조치가 될 것이다.

북한이 비핵화를 추진하게 되면 한반도 평화체제 구축, 남북관계 발전, 남북한 평화통일 가능성은 한층 높아질 것이다. 따라서 북한의 비핵화 조치는 평화통일에 대한 의지를 입증하고 주변국들의 지지와 지원을 이끌어 낼 수 있는 가장 확실한 조치라고 해도 과언이 아니다. 북한의 비핵화를 위해서는 1990년대 미국이 Nunn-Lugar 법안에 의거해 구 소련방 국가들에게 적용했던 협력적 위협감소(CTR) 프로그램152)을 적용하는 등 순차적 비핵화를 추진하는 것이 고려될 수 있다. 어쨌든 비핵화는 필요하고 비핵화가 추진되면 동북아의 안정은 물론 통일 분위기 조성에도 큰 모멘텀이 될 것이다.

남북한이 통일을 이룩하기 위해서는 주변국의 지지와 협력이 필요한 만큼 박근혜 정부가 추구하고 있는 동북아 연계발전 전략을 구사해 상생을 모색해야 할 것이다. 통일한반도는 주변국의 기대에 부응해야 하는 한편, 우려를 떨치는 노력을 병행해야 한다. 과거 중국인들은 한반도를 '중국의 머리를 강타하는 쇠망치'로 보았고, 일본인들은 '일본 열도의 심장부를 겨냥하는 단도'로 여겨 한반도를 점령하여 속국화하거나 적어도 배타적 위치에 놓이지 않도록 하려고 했다. 주변

---

152) 미국은 이 법안을 통해 1990년대 소련 붕괴 시 현 러시아, 우크라이나, 카자흐스탄, 벨라루스 등이 보유한 핵무기를 폐기하는 대신 이에 상응한 경제지원을 하였다.

국들의 이러한 대외 정책으로 인해 한반도는 지난 100여 년 이상을 분단된 채로 통일된 힘을 발휘하지 못했다. 일본의 식민지배(1910~1945)와 그 후 남북분단 상황이 지속되고 있는 것이다. 이러한 측면에서 보면 남북분단의 상황에서 한반도가 안정화되어 있고 불안정한 상황이 아니라면 주변국들이 한반도 통일을 적극적으로 지지하고 나설 이유는 없다.

그러나 현재 한반도는 냉전체제 해체 후에도 여전히 분단국으로 극한 대립 상태에 있는데, 동북아 긴장조성의 제1원인이 되고 있다. 우리를 포함해 주변국들은 하나같이 한반도의 안정을 원하고 있는데 긴장국면이 지속되고 있어 이를 풀어내야 하는 과제를 안고 있는 공동운명체가 되어 있다. 한반도는 이제 지리 · 정치적 중요성뿐만 아니라 한국의 경제규모 확대로 그 중요성이 더해지고 있다. 한국의 경제규모를 고려 시 한국에서 경제적 문제가 발생하게 되면 그 여파는 먼저 주변국들에게 큰 영향을 미치게 되어 있어 직 · 간접적으로 주변국들의 이해관계와 매우 긴밀히 얽혀 있다. 과거의 한반도에 대한 주변국들의 시각이 존재하는 한편, 안정화의 중요성이 더욱 부각되고 있는 시점이다.

따라서 통일한국은 통일한국에 대한 주변국들의 우려를 제거하고 기대치는 높이는 방향으로 나아가야 한다. 아울러 과거 한반도는 국력이 커진 경우에도 좀처럼 외국을 침략하지 않았다. 그러나 통일한국의 위상은 과거 그 어느 때보다도 한층 높아질 것이고 영향력 또한 크게 증대될 것이다. 무한 경쟁의 경제 전쟁 시대에 통일한국은 완충적 조정자적 역할을 해야 할 것이다. 주변국들은 통일한국 그 자체를 위협으로 보는 반면, 주변국들의 갈등을 완충시켜 줄 수 있는 지역이기를 희망할 것이다. 중국 관영 영자지 '차이나데일리'와 일본 비영리

단체 '언론 NPO'가 2013년 6～7월 양국 국민 2,540명을 대상으로 여론
조사한 결과에 의하면 양국민의 90% 이상이 상대국에 대해 좋지 않은
감정을 가지고 있는 것으로 나타나고 있다.[153] 동북아는 국제적으로
보면 경제적 경쟁력을 함께 증대시킬 필요가 있다. 현실적으로 수출
중심의 경제운영 체제를 지향하고 있고 세계에서 차지하는 비중이 큰
만큼 경쟁력 향상을 공동으로 도모할 필요가 있다. 물류비용을 절감
하는 노력, 주요 자원의 공급처로서 역할 등이 필요하다.

　한반도 주변정세는 점차 미소의 양극체제에서 중국을 포함한 다극
체제로 전환될 가능성이 높아지고 있다. 한반도 통일에 있어서 주변
국들의 공통적인 반대 요인은 군사대국화, WMD 보유 노력, 어느 특
정국에 편중되어 적대국화되는 것 등으로 요약된다. 그러한 반면 합
의통일에 적극적으로 반대할 국가도 없으나, 절대적으로 영향력을 행
사하여 통일을 주도해 줄 국가도 없다. 이는 한반도 통일은 우리의 노
력이 가장 중요하다는 점을 시사한다. 통일한국은 어느 특정국가의
배타적 영향권하에 편입될 가능성은 상대적으로 희박하다고 할 수 있
다. 따라서 주변국들은 한반도를 완충 지대화하여 국제분쟁의 도화선
이 되지 않기를 희망할 것이다.

　한편, 현재 남북한이 각각 제안해 놓고 있는 통일방안으로는 남북
한이 통일에 대한 접점을 찾기도 어렵고 남북한 통일을 위해 합리적
이지도 못하다. 그리고 실현 가능성도 낮고 구체화되지도 않은 것으
로 평가된다. 통일방안에 의해 통일하려면 현재 남북한이 처한 상황
을 고려하여 실현 가능성이 있어야 하는데 그렇지 못한 것이다. 북한
의 통일방안은 통일국가임에도 2체제 즉, 북쪽에는 사회주의 체제를,

---

153) 『조선일보』, 2013년 8월 7일.

남쪽에는 자본주의 체제를 유지하자는 것으로 통일국가의 형태로서 도저히 받아들일 수 없다. 북한은 하나의 연방에 두 개의 극단적인 이질 체제를 유지하려 하고 있는데, 이는 현실적으로 맞지 않다. 왜냐하면 각기 다른 체제하의 정부는 상대 체제 그 자체가 자신의 체제를 위협하는 주요인으로 작용할 가능성이 높기 때문이다.

따라서 북한의 통일방안은 전 한반도의 사회주의화를 위한 통일전략의 평화적 방안으로 자리매김될 뿐이다. 특히, 통일국가의 첫 단계인 낮은 단계의 연방제에서 지방정부는 군사와 외교권을 갖도록 하고 있다. 연방제의 통일국가에서 지방정부가 각각 군사권을 보유하겠다는 것인데 이는 연방제 국가에서 받아들일 수 없는 것이다. 더욱 문제는 통일한국이 남과 북의 지방정부가 각각 군사권을 보유하도록 하고 있다는 점이다. 연방정부가 군사권을 행사하지 못하게 되면 지역정부 간의 이견이나 분쟁을 해결하는 데 한계가 있을 수 있다. 이는 예멘과 같이 내란으로 비화될 가능성이 있어 통일된 국가라고 보기는 어렵다. 따라서 연방제든 단방국가체제든지 하나의 국가형태를 취하게 되는 경우에는 최소한 외교권과 군사권은 중앙정부가 갖도록 되어야 한다. 이것이 전제되지 않는 한 통일국가라고 할 수도 없고 늘 불안정한 상태가 연출되거나 지속될 것이다.

북한의 주장대로 하면 이 단계는 현재의 북한 체제와 정권을 보장해주는 매우 안전한 방안으로 높은 단계의 연방제로 넘어가지 않을 수 있고 넘어간다고 해도 수십 년이 걸릴지도 모를 일이다. 문제는 북한이 낮은 단계의 연방제에서 주민들의 거주이전과 경제활동의 자유가 주어지고, 주민의 투표권 행사 등이 여타 민주주의 국가들처럼 시행될 수 있을지가 의문시된다. 이것이 되지 않는 한 우리가 기대하는 통일은 기약할 수 없고 남한의 국력만 소진될 것이다. 북한이 주장하는 연방제 국가가 되기 위해서는 연방헌법 제정은 반드시 필요하나 연방헌법에 두 개의 이질적인 체제를 유지할 수 있는 방안은 없다. 연방국가를 형성하려면 하나의 체제로 통일되는 것이 우선되어야 하며 이것이 전제되지 않는 한 연방국가 형성은 불가능하다. 따라서 어떠한 통일방안이든지 통일국가가 되기 위해서는 하나의 체제로 통일을 위한 협의와 결단이 필요하다. 그리고 남북한 양측에서 이를 위한 사전 정지작업이 필요하다. 북한의 체제 전환은 비핵화와 더불어 평화통일을 위한 기본 전제라 할 수 있다. 북한도 이미 순수한 사회주의 국가는 아니다. 그들이 바라는 바는 아니었겠지만 경제난으로 인해 이를 위한 돌파구로서 합영기업과 무역회사 등을 도입하고 시장기능에 의존할 수밖에 없는 형태로 변모되어 있다. 자본주의경제 제도와 사회주의가 혼합된 경제체제가 되어 있는 것이다. 따라서 변모하지 않으면 생존의 위협까지 받고 있는 북한을 개방의 길로 이끌어 내 종내에는 체제를 완전히 전환할 수 있도록 해야 할 것이다.

한편, 남한이 제안하고 있는 방안은 남북한이 극한 대치 상황에서 어떠한 중간 단계도 거치지 않고 통일국가 완성단계로 진입하자는 것인데 현실성이 결여되어 있다고 할 수 있다. 북한지역을 사회주의 체제에서 자본주의 체제로 바꾸기 위해서는 남한의 도움이 필요한데 이는 남북한이 독자적인 국가형태를 유지하는 상황에서는 어렵다. 어떻게든 남북한이 하나의 국가형태로 되고 중앙정부의 강력한 통제가 북한지역에 작동해야 가능한 일이다. 북한이 주장하고 있는 연방제가 아니라 통일의 중간 단계를 설정하는 방안을 적극 검토할 필요가 있다. 통일과정에서 중간 단계로 설정해야 할 국가형태가 연방제이어야 하는지 아니면 북한지역을 단일국가의 특별행정구역으로 해야 할 것인지에 대해 실현 가능성과 효용성 측면에서 면밀한 연구가 진행되어야 할 것이다. 특히, 남북한이 평화적으로 통일하기 위해서는 북한의 의지가 중요한 만큼 북한의 입장에서도 수용할 수 있도록 실현 가능성에 무게를 둘 필요가 있다. 북한이 어느 날 갑자기 남한 주도의 단일국가로 흡수 통일되는 상황이 닥친다면 이것을 어떻게 받아들일 것이며, 또한 그렇게 할 가능성이 있는지도 문제이다. 따라서 북한은 어느 정도 자치권이 부여되고 점진적으로 완전한 통일국가로 가는 방안을 선호할 가능성이 있다.

남북한이 평화적으로 통일하기 위해서는 주변국들이 대립과 대치 국면보다는 상호 협조체제로 발전되어야 한다. 그리고 북한의 도발적인 행태도 중단되어야 한다. 아울러 남북한 양측이 평화통일에 대한 필요성에 공감하고 합의하여 실현 가능하고 합리적인 통일방안이 마련되어야 할 것이다. 이를 위해서는 상호를 이해하는 노력과 양보, 전향적인 자세 전환이 필요하다. 통일이 우리 민족이 피할 수 없는 과업이고 남북관계가 현상유지도 할 수 없는 상태인 지금 라면 소극적 자세를 지양하고 보다 더 적극적으로 통일을 위한 행보를 감행해야 할 것이다.

부 록

1. 조선인민의 민족적 명절 8.15해방 15돐 경축기념대회에서 한 보고(김일성, 1960.8.14)

… 남조선의 현 사태를 바로 잡으며 조선 문제를 종국적으로 풀기 위한 오직 하나의 길은 미국 군대를 내쫓고 나라를 평화적으로 통일하는데 있습니다. 우리 조국의 평화적 통일은 반드시 자주적으로 어떠한 외국의 간섭도 없이 민주주의적 기초 위에서 자유로운 남북 총선거를 실시하는 방법으로 해결되어야 합니다. 이것은 조국통일문제에 대한 우리의 시종 일관한 주장입니다. 평화적 조국통일에 대한 우리 당과 공화국 정부의 방안은 전체 조선인민의 한결같은 염원과 이익을 반영하고 있으며 따라서 그들의 절대적인 지지와 찬동을 받고 있습니다.

남조선에서 이승만의 '북진' 소동이 파산되고 평화적 통일에 대한 인민대중의 요구가 더욱더 높아 가고 있는 사실은 우리의 통일방안의 정당성과 생활력을 뚜렷이 증명하고 있습니다. 지금 남조선의 위정자들은 인민들의 압력에 이기지 못하여 말로는 평화적 통일을 운운하나 실지에 있어서는 그것을 계속 방해하고 있습니다. 그들은 '북조선에서만 선거를 해야 한다'느니 '유엔의 감시 밑에 선거를 해야 한다'느니 하면서 민주주의적 자유선거를 거부하고 있습니다.

이승만은 민족의 이익을 팔아먹으면서 자기의 개인독재나 유지하려고 하였기 때문에 남북조선의 자유선거를 무엇보다도 두려워하였지만 참말로 민족적 독립과 인민의 이익을 바라는 사람들이라면 왜 자유선거를 두려워하겠습니까? 무엇 때문에 조선문제를 우리 조선사람들 자신이 독자적으로 풀 수 없으며 거기에 반드시 다른 나라 사람이 끼어들어야만 하겠습니까? 이러한 주장은 우리 민족에 대한 참을 수 없는 모욕이며 우리 인민을 영원히 외래 제국주의의 예속에 두자는 것입니다. 조선민족은 수천 년의 유구한 역사와 문화전통을 가졌으며 오늘 나라의 절반 땅이 자기 손으로 훌륭히 새 사회를 건설하고 조국의 완전한 해방과 번영을 위하여 한결같이 떨쳐 일어난 민족이며 용감하고 근면하고 슬기롭고 애국적이고 단결력이 강한 민족입니다. 우리 인민은 자기의 운명을 그 누구의 간섭도 없이 능히 자주적으로 훌륭히 해결할 수 있습니다.

남조선의 위정자들은 또한 자유로운 남북 총선거는 '용공'으로 되며 '적화'의 위험이 있기 때문에 받아들일 수 없다고 합니다. … 우리는 조국의 평화적 통일을 위하여 나서는 인사들이라면 그들의 지난날을 묻지 않고 그들과 손을 맞잡고 나아갈 것입니다. 오직 민족의 이익을 팔아먹는 외래 제국주의의 앞잡이들만이 공산주의자들을 두려워할 수 있습니다. 어떠한 정당이나 사회단체나 개별적 인사들을 막론하고 만일 그들이 진정으로 민족의 운명을 우려하고 평화적 통일을 바란다면 결코 '용공'을 반대할 수 없을 것이며 남북 자유선거를 거부할 수는 없을 것입니다. 어떠한 외국의 간섭도 없이 민주주의적 기초 위에서 자유로운 남북 총선거를 실시하는 것이 평화적 조국통일의 가장 합리적이고 현실적인 길이라는 것은 논박할 여지가 없습니다. 우리는 남조선의 모든 정당, 사회단체들과 각계 각층 인민들에게 이러한 선거의 실시를 위하여 나설 것을 호소합니다.

만일 그래도 남조선 당국이 남조선이 다 공산주의화될까 두려워서 아직은 자유로운 남북 총선거를 받아들일 수 없다고 하면 먼저 민족적으로 긴급하게 나서는 문제부터 해결하기 위하여 과도적인 대책이라도 세워야 할 것입니다. 우리는 이러한 대책으로서 남북 조선의 연방제를 실시할 것을 제의합니다. 우리가 말하는 연방제는 당분간 남북 조선의 현재 정

치제도를 그대로 두고 조선민주주의인민공화국정부와 '대한민국' 정부의
독자적인 활동을 보존하면서 동시에 두 정부의 대표들로 구성되는 최고
민족위원회를 조직하여 주로 남북조선의 경제·문화 발전을 통일적으로
조절하는 방법으로 실시하자는 것입니다.

　이러한 연방제의 실시는 남북의 접촉과 협상을 보장함으로써 호상 이
해와 협조를 가능하게 할 것이며 호상간의 불신임도 없애게 될 것입니다.
그렇게 되었을 때에 자유로운 남북 총선거를 실시한다면 조국의 완전한
평화적 통일을 실현할 수 있으리라고 우리는 인정합니다. 특히 이러한
연방제의 실시는 비록 각계각층을 망라하는 통일적인 연합 정부가 못되
어서 통일적인 국가적 지도는 못하더라도 이 연방의 최고민족위원회에서
전 민족에게 이로운 경제 문화교류와 호상 협조를 보장함으로써 남조선
의 경제적 파국을 수습할 수 있게 할 것입니다.

　… 만일 남조선 당국이 우리가 내놓는 연방제까지도 아직 받아들일 수
없다고 하면 남북 조선의 실업계 대표들로 구성되는 순전한 경제위원회
라도 조직하여 남북 사이에 물자를 교역하며 경제건설에서 서로 협조하
고 원조하도록 할 것을 우리는 다시 제의합니다. 그리하여 정치문제를
제쳐 놓고라도 먼저 남조선 동포들을 굶주림과 가난에서 구원하여야 할
것입니다. 남북 사이의 경제교류와 함께 문화교류를 널리 실시하며 인민
들이 자유롭게 오고 갈 수 있게 되어야 합니다. … 남북 사이에 문화 사
절들이 오고 가게 하며 과학·문화·예술·체육을 비롯한 모든 분야에서
호상 교류를 실시할 것을 우리는 다시 한 번 제의합니다. … 남북사이의
관계를 개선하며 특히 남조선의 경제생활을 정상화하는 데 있어서 중요
한 문제의 하나는 군대를 줄이는 것입니다. 지금 남조선에서 방대한 군
대의 유지는 인민들에게 가장 큰 부담으로 되고 있습니다. 우리는 미군
을 남조선에서 물러가게 하고 남북 조선의 군대를 각각 10만 또는 그 아
래로 줄일 것을 계속 주장합니다. 이것은 조선에서 긴장상태를 완화하고

평화적 통일을 앞당기는 중요한 조치로 될 것이며 특히 남조선 인민들의 무거운 군사비 부담을 덜어 주게 될 것입니다. 우리나라에서 20만의 군대만 가지면 민족보위의 임무는 얼마든지 담당할 수 있습니다. … 문제를 풀기 위해서는 먼저 남북 조선대표들이 한자리에 모여 앉아 협의해야 합니다. 만나도 보지 않고 말도 안 해보고 덮어 놓고 나쁘다거나 할 수 없다거나 하는 것은 문제를 해결하려는 태도가 아닙니다. 이러한 태도는 우리 민족을 계속 갈라놓고 서로 물어뜯게 하며 남조선을 영구히 자기들의 식민지로 만들려는 미 제국주의자들에게만 이로운 것입니다. 우리가 계속 갈라져서 문을 닫아 매고 앉아 있는 다면 사태는 더욱 엄중하여질 것이며 남조선 인민들은 더 큰 불행과 고통을 겪게 될 것입니다.

우리는 평양이나 서울이나 또는 판문점에서라도 한시 바삐 남북 조선대표들이 모여 앉아 이상의 모든 문제들을 합의할 것을 남조선 당국과 정당 사회단체 및 개별적 인사들에게 제의합니다. 같은 조선사람끼리 모여 앉아 협의 못할 아무런 이유도 없는 것입니다. 무엇 때문에 우리나라 땅인 판문점에서 우리나라 문제를 가지고 북반부 사람들이 미국 놈들과 계속 담판해야 하겠습니까? 무엇 때문에 남조선 사람들은 미국 놈들에게 자기의 자리를 빼앗겨야 하겠습니까? 미국 놈들은 물러가야 하며 조선문제는 우리 조선사람끼리 모여 앉아 협의해야 합니다.

남조선의 모든 정당·사회단체들과 개별적 인사들은 남북이 하루빨리 협상할 것을 요구하여 나서야 할 것입니다. 남조선의 모든 애국적 인민들은 남북 사이의 경제 문화교류를 위하여 방대한 남조선 군대를 줄이기 위하여 자유로운 남북 총선거를 실시하기 위하여 투쟁하여야 할 것입니다. 우리 조국의 평화적 통일은 결코 쉽게 실현될 수 없습니다. 우리는 세계 반동의 원흉인 미 제국주의자들이 남조선을 강점하고 있다는 사실을 잠시도 잊어서는 안됩니다. 평화적 조국통일은 오직 전체 조선인민의 완강한 투쟁에 의해서만 쟁취될 수 있습니다.

2. 「조국통일의 3대 원칙에 대하여」
(김일성, 1972.5.3/11.3)

   조국을 통일하기 위하여서는 통일문제 해결의 기초로 될 수 있는 근본
원칙을 옳게 세워야 합니다. 이것이 가장 중요한 문제입니다. 쌍방이 합
의하여 새운 근본원칙이 있어야 북과 남이 조국통일을 위하여 공동으로
노력할 수 있으며 조국을 통일하는 데서 나서는 모든 문제를 성과적으로
풀어나갈 수 있습니다. 나는 우리나라의 통일문제는 반드시 외세의 간섭
이 없이 자주적으로, 민족대단결을 도모하는 원칙에서 평화적 방법으로
해결하여야 한다고 인정합니다.

   첫째로, 조국통일은 외세에 의존하거나 외세의 간섭을 받음이 없이 자
주적으로 실현하여야 합니다. … 민족적 대단결을 도모하려면 북과 남이
자기의 사상과 제도를 초월하여야 하며 서로 상대방을 적대시하는 정책
을 쓰지 말아야 합니다. 지금 우리나라의 북과 남에는 서로 다른 사상과
제도가 존재하고 있습니다. 이러한 조건에서 북과 남이 서로 자기의 사
상과 제도를 상대방에 강요하려 하여서는 안 됩니다. 우리는 남조선에
사회주의제도와 공산주의사상을 강요하려 하지 않습니다. 남조선당국자
들도《승공통일》을 하겠다고 하거나 공산주의를 하지 말라고 우리에게
강요하지 말아야 합니다. 다시 말하여《반공》의 구호를 버려야 합니다.
북과 남의 단결을 방해하는 적대시 정책을 버리고 공통점을 찾기 위하여
공동으로 노력하여야 합니다. …민족의 대단결을 이룩하는데서 또한 중

요한 것은 북과 남이 서로 상대방을 비방 중상하지 않도록 하는 것입니다. …민족의 대단결을 이룩하는데서 북과 남사이의 경제적 합작을 실현하는 문제도 매우 중요합니다. … 대외관계분야에서도 북과 남이 공동으로 나가야 합니다. …

셋째로, 조국통일은 무력행사에 의거하지 않고 평화적 방법으로 실현하여야 합니다. … 북과 남 사이에 싸움을 하지 않고 조국을 평화적으로 통일하려면 무엇보다도 북과 남이 가지고 있는 군대를 줄여야 합니다. … 우리는 공동의 노력으로 북과 남사이의 군사적 대치상태를 없애고 긴장상태를 완화함으로써 조선에서 다시는 전쟁이 일어나지 않게 하여야 하며 조국을 평화적으로 통일하여야 합니다.

3. 7 · 4 남북공동성명(이후락 · 김영주, 1972.7.4)

　최근 평양과 서울에서 남북관계를 개선하며 갈라진 조국을 통일하는 문제를 협의하기 위한 회담이 있었다. 서울의 이후락 중앙정보부장이 1972년 5월 2일부터 5월 5일까지 평양을 방문하여 평양의 김영주 조직지도부장과 회담을 진행하였으며, 김영주 부장을 대신한 박성철 제2부수상이 1972년 5월 29일부터 6월 1일까지 서울을 방문하여 이후락 부장과 회담을 진행하였다.

　이 회담들에서 쌍방은 조국의 평화적 통일을 하루빨리 가져와야 한다는 공통된 염원을 안고 허심탄회하게 의견을 교환하였으며 서로의 이해를 증진시키는데서 큰 성과를 거두었다. 이 과정에서 쌍방은 오랫동안 서로 만나보지 못한 결과로 생긴 남북사이의 오해와 불신을 풀고 긴장의 고조를 완화시키며 나아가서 조국통일을 촉진시키기 위하여 다음과 같은 문제들에 완전한 견해의 일치를 보았다.

　1. 쌍방은 다음과 같은 조국통일원칙들에 합의를 보았다.

　첫째, 통일은 외세에 의존하거나 외세의 간섭을 받음이 없이 자주적으로 해결하여야 한다.

　둘째, 통일은 서로 상대방을 반대하는 무력행사에 의거하지 않고 평화적 방법으로 실현하여야 한다.

　셋째, 사상과 이념 · 제도의 차이를 초월하여 우선 하나의 민족으로서 민족적 대단결을 도모하여야 한다.

2. 쌍방은 남북사이의 긴장상태를 완화하고 신뢰의 분위기를 조성하기 위하여 서로 상대방을 중상 비방하지 않으며 크고 작은 것을 막론하고 무장도발을 하지 않으며 불의의 군사적 충돌사건을 방지하기 위한 적극적인 조치를 취하기로 합의하였다.

3. 쌍방은 끊어졌던 민족적 연계를 회복하며 서로의 이해를 증진시키고 자주적 평화통일을 촉진시키기 위하여 남북 사이에 다방면적인 제반교류를 실시하기로 합의하였다.

4. 쌍방은 지금 온 민족의 거대한 기대속에 진행되고 있는 남북적십자회담이 하루빨리 성사되도록 적극 협조하는데 합의하였다.

5. 쌍방은 돌발적 군사사고를 방지하고 남북사이에 제기되는 문제들을 직접, 신속 정확히 처리하기 위하여 서울과 평양 사이에 상설 직통전화를 놓기로 합의하였다.

6. 쌍방은 이러한 합의사항을 추진시킴과 함께 남북사이의 제반문제를 개선 해결하며 또 합의된 조국통일원칙에 기초하여 나라의 통일문제를 해결할 목적으로 이후락 부장과 김영주 부장을 공동위원장으로 하는 남북조절위원회를 구성·운영하기로 합의하였다.

7. 쌍방은 이상의 합의사항이 조국통일을 일일천추로 갈망하는 온 겨레의 한결같은 염원에 부합된다고 확신하면서 이 합의사항을 성실히 이행할 것을 온 민족 앞에 엄숙히 약속한다.

서로 상부의 뜻을 받들어

이 후 락   김 영 주

1972년 7월 4일

4. 「민족의 분렬을 방지하고 조국을 통일하자」
(김일성, 1973.6.23)

오늘 나라의 통일을 앞당기는데서 중요한 의의를 가지는 것은 단일국호에 의한 남북 련방제를 실시하는 것입니다. .. 우리는 조성된 조건에서 대민족회의를 소집하고 민족적 단결을 이룩한 데 기초하여 북과 남에 현존하는 두 제도는 당분간 그대로 두고 남북 련방제를 실시하는 것이 통일을 실현하기 위한 가장 합리적인 방도로 된다고 인정합니다. 남북 련방제를 실시하는 경우 련방 국가의 국호는 우리나라의 판도 우에 존재하였던 통일국가로서 세계에 널리 알려진 고려라는 이름을 살려 고려련방공화국이라고 하는것이 좋을 것입니다. … 우리는 유엔에도 북과 남이 각각 들어가서는 안 된다고 주장하며 나라의 통일이 이루어지기전에 유엔에 들어가려고 한다면 적어도 련방제라도 실현된 다음 고려련방공화국의 국호를 가지고 하나의 국가로 들어가야 한다고 인정합니다. … 북과 남사이의 군사적대치상태의 해소와 긴장상태의 완화, 북과 남사이의 다방면적인 합작과 교류의 실현, 북과 남의 각계각층 인민들과 각 정당, 사회단체 대표들로 구성되는 대민족회의의 소집, 고려련방공화국의 단일국호에 의한 남북련방제의 실시, 단일한 고려련방공화국국호에 의한 유엔가입을 내용으로 하는 우리의 이 조국통일방안이 실현된다면 남북공동성명의 원칙에 따라 우리 인민과 세계 인민의 공통된 념원에 맞게 평화적 조국통일의 력사적 위업을 성취하는데서 위대한 전환을 가져오게 될 것입니다. … 이와 함께 우리는 미국이 급변하는 오늘의 정세를 똑바로 보고 남조선에서 하루빨리 자기의 군대를 철거시키며 우리나라에 대한 침략과 간섭 책동을 그만두어야 한다고 강력히 주장합니다.

5. 「조국통일 5대 방침에 대하여」
(김일성, 1973.6.25)

조국통일 5대방침은 북과 남사이의 군사적대치상태의 해소와 긴장상
태의 완화, 북과 남사이의 다방면적인 합작과 교류의 실현, 북과 남의 각
계각층 인민들과 각 정당, 사회단체 대표들로 구성되는 대민족회의의 소
집, 고려련방공화국의 단일국호에 의한 남북련방제의 실시, 단일한 고려
련방공화국 국호에 의한 유엔가입을 그 내용으로 하고 있습니다. 우리의
주장은 무엇보다 먼저 북과 남사이의 관계를 개선하고 조국의 평화적 통
일을 촉진시키기 위하여 북과 남 사이의 군사적 대치상태를 해소하고 긴
장상태를 가시자는 것입니다.…북과 남이 방대한 무력을 가지고 군사적
으로 대치하여 있는 그 자체가 우리나라의 평화를 위협하는 큰 요인으로
되고 있을 뿐 아니라 오해와 불신을 낳는 근원으로 되고 있습니다. 이 근
본적인 문제가 풀려야만 북과 남 사이의 긴장상태와 불신임을 없애고 신
뢰의 분위기를 조성할 수 있으며 호상 신뢰의 기초 우에서 모든 문제를
성과적으로 해결해 나갈 수 있습니다. … 평화통일을 이룩하기 위한 첫
걸음으로서 무력증강과 군비경쟁의 중지, 모든 외국군대의 철거, 군대와
군비의 축소, 외국으로부터의 무기반입의 중지, 평화협정의 체결을 내용
으로 하는 5개 항목의 제안을 여러 차례에 걸쳐 남조선 당국에 제기하였
습니다. …

다음으로 우리의 주장은 남북관계를 개선하고 나라의 통일을 촉진시

키기 위하여 북과 남사이에 정치, 군사, 외교, 경제, 문화의 여러 분야에 걸쳐 다방면적인 합작과 교류를 실현하자는 것입니다. … 북과 남사이의 다방면적인 합작과 교류가 실현되여야 북과 남 사이에 맺게 될 평화협정도 보다 공고히 할 수 있을 것입니다. …

　다음으로 우리의 주장은 나라의 통일문제를 우리 인민의

　의사와 요구에 맞게 해결하기 위하여 북과 남의 광범한 각계각층 인민들이 조국통일을 위한 거족적인 애국사업에 참여할 수 있도록 하자는 것입니다. … 우리는 북반부의 로동자, 농민, 근로인테리, 청년학생, 병사들과 남조선의 로동자, 농민, 청년학생, 지식인, 군인, 민족자본가, 소자산계급과 같은 북과 남의 각계각층 인민들과 각 정당, 사회단체 대표들로 구성되는 대민족회의를 소집하고 여기에서 나라의 통일문제를 광범히 협의하여 해결할 것을 제의하였습니다.

　다음으로 우리의 주장은 나라의 통일을 앞당기기 위하여 단일국호에 의한 남북련방제를 실시하자는 것입니다. … 남북련방제를 실시하는 경우 련방국가의 국호는 우리나라의 판도 우에 존재하였던 통일국가로서 세계에 널리 알려진 고려라는 이름을 살려 고려련방공화국이라고 하는 것이 좋을 것입니다. …

　다음으로 우리의 주장은 분렬이 고착되여 우리나라가《두개 조선》으로 영원히 갈라지는 것을 막고 대외관계분야에서도 북과 남이 공동으로 나가도록 하자는 것입니다. … 유엔에도 북과 남이 각각 들어가서는 안되며 나라의 통일이 이루어지기전에 유엔에 들어가려고 한다면 적어도 련방제라도 실현된 다음 고려련방공화국의 국호를 가지고 하나의 국가로 들어가야 합니다.

6. 조국의 자주적 평화통일을 이룩하자
(고려민주공화국 창립방안, 김일성, 1980.10.10)

조국의 자주적 평화통일을 이룩하기 위하여서는 남조선에서 군사파쑈 통치를 청산하고 사회의 민주화를 실현하여야 합니다. 남조선에서 오늘과 같이 민주주의가 여지없이 말살되고 가혹한 군사파쑈통치가 실시되는 조건에서는 민족적 화해와 단결을 이룩할 수 없으며 조국을 평화적으로 통일할 수 없습니다. 남조선에서 《반공법》과 《국가보안법》을 비롯한 파쑈적인 악법들을 폐지하고 모든 폭압통치기구들을 없애버려야 합니다. 이와 함께 모든 정당, 사회단체들을 합법화하고 정당, 사회단체, 개별적 인사들의 자유로운 정치활동을 보장하여야 하며 부당하게 체포 투옥된 민주인사들과 애국적 인민들을 석방하고 그들에게 가해진 모든 형벌을 무효로 하여야 합니다. 남조선에서 《유신체제》를 청산한 기초 우에서 군사파쑈 《정권》을 광범한 인민대중의 의사와 리익을 옹호하면 대변하는 민주주의적인 정권으로 교체하여야 할 것입니다. ….

우리는 조선정전협정을 평화협정으로 바꿀 데 대한 문제를 가지고 협상할 것을 미국에 다시 한 번 제의합니다. … 우리는 7·4남북공동성명에서 북과 남이 공동으로 천명한 숭고한 리념과 원칙에 기초하여 그리고 나라의 북과 남에 서로 다른 사상과 제도가 있는 우리나라의 구체적 현실로부터 출발하여 가장 빠르고 확신성 있는 조국통일방도를 찾아야 하며 적극적인 노력으로써 그것을 실현하여야 합니다. 우리 당은 조국을 자주적으로, 평화적으로, 민족대단결의 원칙에서 통일하는 가장 현실적이며 합리적인 방도는 북과 남에 있는 사상과 제도를 그대로 두고 북과 남이 련합하여 하나의 련방국가를 형성하는 것이라고 인정합니다. … 우리 당은 북과 남이 서로 상대방에 존재하는 사상과 제도를 그대로 인정하고 용납하는 기초 우에서 북과 남이 동등하게 참가하는 민족통일정부를 내오고 그 밑에서 북과 남이 같은 권한과 의무를 지니고 각각 지역자치제를 실시하는 련방공화국을 창립하여 조국을 통일할 것을 주장합니다. 련방형식의 통일국가에서는 북과 남의 같은 수의 대표들과 적당한 수의 해외동포대표들로 최고민족련방회의를 구성하고 거기에서 련방상설위원회를 조직하여 북과 남의 지역정부들을 지도하며 련방국가의 전반적인 사업을 관할하도록 하는 것이 합리적일 것입니다. 최고민족련방회의와 그 상임기구인 련방상설위원회는 련방국가의 통일정부로서 전민족의 단결, 합작, 통일의 념원에 맞게 공정한 원칙에서 정치문제와 조국방위문제, 대외관계문제를 비롯하여 나라와 민족의 전반적리익과 관계되는 공동의 문제들을 토의결정하며 나라와 민족의 통일적 발전을 위한 사업을 추진하고 모든 분야에서 북과 남사이의 단결과 합작을 실현하여야 할 것입니다. 련방국가의 통일정부는 북과 남에 있는 사회제도와 행정조직들, 각당, 각파, 각계각층의 의사를 존중히 여기며 어느 한쪽이 다른 쪽에 자기 의사를 강요하지 못하도록 하여야 할 것입니다. 북과 남의 지역정부들은 련방정부의 지도 밑에 전민족의 근본 리익과 요구에 맞는 범위에서 독자적인 정책을 실시하며 모든 분야에서 북과 남사이의 차이를 줄이고 나라와 민족의 통일적 발전을 이룩하기 위하여 노력하여야 할 것입니다.

　련방국가의 국호는 이미 세계적으로 널리 알려진 우리나라 통일국가의 이름을 살리고 민주주의를 지향하는 북과 남의 공통한 정치 리념을 반영하여 고려민주련방공화국으로 하는 것이 좋을 것입니다. 고려민주련방공화국은 어떠한 정치군사적 동맹이나 쁠럭에도 가담하지 않는 중립국가로 되여야 합니다. 서로 다른 사상과 제도를 가지고 있는 북과 남의 두 지역을 하나의 런방국가로 통일하는 조건에서 고려민주련방공화국이 중립국가로 되는 것은 필연적인 것이며 또 현실적으로 가장 합리적인 것입니다. 고려민주련방공화국은 우리나라의 전령토와 전민족을 포괄하는 통일국가로서 전체 조선인민의 근본 리익과 요구에 맞는 정책을 실시하여야 할 것입니다.

우리 당은 고려민주련방공화국이 다음과 같은 시정방침을 내세우고 집행하는것이 타당하다고 인정합니다. 첫째, 고려민주련방공화국은 국가활동의 모든 분야에서 자주성을 확고히 견지하며 자주적인 정책을 실시하여야 합니다. … 고려민주련방공화국은 그 어떤 나라의 위성국으로도 되지 않으며 그 어떤 외세에도 의존하지 않는 완전한 자주독립국가로, 쁠럭 불가담 국가로 되여야 할 것입니다. …

둘째, 고려민주련방공화국은 나라의 전지역과 사회의 모든 분야에 걸쳐 민주주의를 실시하며 민족의 대단결을 도모하여야 합니다. … 고려민주련방공화국은 독재정치와 정보정치를 반대하고 인민들의 자유와 권리를 철저히 옹호, 보장하는 민주주의적인 사회정치제도를 전면적으로 발전시켜나가야 합니다. 련방국가는 정당, 사회단체의 조직과 활동의 자유, 신앙의 자유, 언론, 출판, 집회, 시위의 자유를 보장하여야 하며 북과 남에 살고 있는 인민들이 나라의 모든 지역을 자유로이 오고가며 임의의 지역에서 정치, 경제, 문화 활동을 자유롭게 할 수 있는 권리를 보장하여야 합니다. 련방정부는 북과 남의 어느 한쪽에도 치우치지 않고 나라 안의 두 지역과 두 제도, 여러 당파와 계급, 계층의 리익을 다같이 보장하는 공정한 정책을 실시하여야 합니다.

셋째, 고려민주련방공화국은 북과 남 사이의 경제적 합작과 교류를 실시하며 민족경제의 자립적 발전을 보장하여야 합니다. … 북과 남사이의 경제적 합작과 교류는 북과 남의 서로 다른 경제제도와 기업체들의 다양한 경제활동을 인정하는 기초 우에서 실현되여야 합니다. 련방정부는 북과 남에 있는 국가소유와 협동단체소유, 사적소유와 개인소유를 다같이 인정하고 보호하여야 하며 자본가들의 소유와 기업활동에 대해서도 독점과 매판행위를 추구하지 않고 민족경제의 발전에 이바지하는 한에서는 그것을 제한하거나 침해하지 말아야 할 것입니다. …

넷째, 고려민주련방공화국은 과학, 문화, 교육 분야에서 북과 남사이의 교류와 협조를 실현하며 나라의 과학기술과 민족문화예술, 민족교육을 통일적으로 발전시켜야 합니다. …

다섯째, 고려민주련방공화국은 북과 남사이에 끊어졌던 교통과 체신을 련결하며 전국적 범위에서 교통, 체신 수단의 자유로운 리용을 보장하여야 합니다. …

여섯째, 고려민주련방공화국은 로동자, 농민을 비롯한 근로대중과 전체 인민들의 생활안정을 도모하며 그들의 복리를 계통적으로 증진시켜야 합니다. …

일곱째, 고려민주련방공화국은 북과 남사이의 군사적대치 상태를 해소하고 민족련합군을 조직하며 외래침략으로부터 민족을 보위하여야 합니다. 북과 남이 방대한 무력을 가지고 군사적으로 대치하여 있는 것은 호상 간에 오해와 불신을 조성하고 불화를 가져오며 평화를 위협하는 근원으로 됩니다. 련방국가는 북과 남사이의 군사적 대치 상태를 끝장내고 동족상쟁을 영원히 종식시키기 위하여 쌍방의 군대를 각각 10만~15만명으로 줄여야 합니다. 이와 함께 북과 남을 갈라 놓고 있는 군사분계선을 없애고 그 일대의 모든 군사시설을 제거하며 북과 남에 있는 민간군사조직들을 해산하고 민간군사훈련을 금지하여야 합니다. 련방국가는 조선인민군과 남조선《국군》을 통합하여 단일한민족련합군을 조직하여야 합니다. 민족련합군은 북과 남의 어느 쪽에도 속하지 않는 통일국가의 민족군대로서 련방정부의 통일적인 지휘 밑에 조국보위 임무를 수행하여야 합니다. 민족련합군을 유지하며 조국을 보위하는 데 필요한 모든 부담은 북과 남이 공동으로 져야 할 것입니다.

여덟째, 고려민주련방공화국은 해외에 있는 모든 조선동포들의 민족적 권리와 리익을 옹호하고 보호하여야 합니다. …

아홉째, 고려민주련방공화국은 북과 남이 통일이전에 다른 나라들과 맺은 대외관계를 옳바로 처리하며 두 지역정부의 대외활동을 통일적으로 조절하여야 합니다. … 고려민주련방공화국은 북과 남이 통일이전에 다른 나라들과 일방적으로 맺은 군사조약을 비롯하여 민족적단합에 배치되는 모든 조약과 협정들을 페기하여야 합니다. 북과 남이 다른 나라들과 맺은 대외관계 가운데서 경제관계를 비롯하여 민족공동의 리익에 어긋나지 않는 대외관계는 계속 유지하여야 할 것입니다. 련방국가는 북과 남이 사회제도에 관계없이 다른 나라들과 경제적으로 합작하는 것을 허용하여야 합니다. 련방국가는 나라가 통일되기 전에 남조선에 투자한 다른 나라의 자본을 다치지 말며 그 리권을 계속 보장하여야 할 것입니다. 고려민주련방공화국은 북과 남의 지역정부들이 다른 나라들과 쌍무적 관계를 가지는 것을 허용하여야 합니다. 련방국가는 북과 남의 대외관계를 잘 조절하여 두 지역정부가 대외활동서 공동보조를 취하도록 하여야 할 것입니다.

열째, 고려민주련방공화국은 전민족을 대표하는 통일국가로서 세계 모든 나라들과 우호관계를 발전시키며 평화애호적인 대외 정책을 실시하여야 합니다. …고려민주련방공화국은 중립로선을 확고히 견지하고 쁠럭불가담 정책을 실시하며 자주성과 내정불간섭, 평등과 호혜, 평화공존의 원칙에서 세계 모든 나라들과 우호관계를 발전시켜나가야 합니다. 특히 고려민주련방공화국은 린접한 나라들과의 선린관계를 적극 발전시켜나가야 할 것입니다. …

고려민주련방공화국이 실행하여야 할 10대시정방침은 전체 조선 민족의 공통된 지향과 요구를 정확히 반영하고 있으면 통일된 조선이 나아갈 앞길을 뚜렷이 밝혀주고 있습니다.

7. 민족공동체 회복으로 통일 앞당기자
(한민족공동체통일방안, 노태우 대통령, 1989.9.11)

··· 남북이 자주·평화·민주의 3원칙을 바탕으로 남북연합의 중간과정을 거쳐 통일민주공화국을 실현하는 '한민족공동체통일방안'을 밝히고자 합니다. ··· 통일된 우리의 조국은 민족성원 모두가 주인이 되는 하나의 민족공동체로서 각자의 자유와 인권이 보장되는 민주국가여야 합니다. 민족성원 모두의 참여와 기회균등이 보장되고 다양한 주의주장이 자유로이 표현되고 대변되는 민주공화체제는 온 겨레의 오랜 소망이며 민족의 대단결을 도모할 수 있는 통일된 나라의 유일한 선택일 것입니다. 이에 따라 통일된 조국에서 어느 특정인이나 어느 집단 어느 계급도 특권이나 주도적인 지위를 누리거나 독재로 전횡하는 일은 용인될 수 없을것입니다. ···

통일된 우리나라는 단일국가여야 하며 이것이 민족의 소망입니다. 이념과 체제가 다른 두개의 나라를 영속시키는 형태는 온전한 통일이라 할 수 없을 것입니다. 통일을 이루는 원칙은 어디까지나 민족 자결의 정신에 따라 자주적으로 무력행사에 의거하지 않고 평화적으로 그리고 민족 대단결을 도모하고 민주적으로 실현되어야 합니다. ··· 우리는 분단이 있기까지 5천 년의 긴 역사를 통하여 한 핏줄 같은 언어 같은 문화전통 그리고 같은 삶의 터전 위에서 하나의 민족공동체를 이루며 살아 왔습니다. 이 민족공동체야말로 현재도 남북으로 갈라진 민족을 하나로 묶고 있는 바탕이며 우리 민족의 통합을 이루어야 하는 당위이자 이를 보장하는 근본인 것입니다. … 민족공동체를 올바로 회복·발전시키는 일이야말로 통일을 앞당기는 길입니다. 통일로 가는 중간 단계로서 먼저 남과 북은 서로 다른 두 체제가 존재하고 있다는 현실을 바탕으로 서로가 서로를 인정하고 공존공영하면서 민족사회의 동질화와 통합을 촉진해 나가야 합니다. 남북간의 개방과 교류·협력을 넓혀 신뢰를 심어 민족국가로 통합할 수 있는 바탕을 만들어 가야 합니다. 이와 같이 하여 사회·문화·경제적 공동체를 이루어 나가면서 남북간에 존재하는 각종 문제를 해결해 간다면 정치적 통합의 여건은 성숙될 것입니다.

통일을 촉진할 이 과정을 제도화하기 위해 쌍방이 합의하는 헌장에 따라 남북이 연합하는 기구를 설치하는 것이 필요합니다. … 남북연합은 최고 결정기구로 '남북정상회담'을 두고 쌍방 정부대표로 구성된 '남북각료회의'와 남북국회의원으로 구성되는 '남북평의회'를 설치하는 것이 바람직합니다. 남북은 각료회의와 평의회 업무를 지원하고 합의사항 이행 등 실무를 위해 공동사무처를 두고 서울과 평양에 상주 연락대표를 파견할 수 있을 것입니다. … 남북각료회의는 남북의 총리를 공동의장으로 하여 각각 10명 내외의 각료급 위원으로 구성하고 그 안에 인도·정치·외교·경제·군사·사회·문화분야 등의 상임위원회를 둘 수 있을 것입니다. 남북각료회의는 남북간의 모든 현안과 민족문제를 협의·조정하고 그 실행을 보장하되 구체적으로는 각 상임위원회별로 다음과 같은 업무를 수행할 수 있습니다. 인도적으로는 1천만 이산 가족의 재결합 문제를 해결해 나가야 할 것입니다. 정치·외교분야에서는 남북 간에 정치적 대결상황을 완화시키고 국제사회에서 민족 역량의 쓸모 없는 낭비를 막으며 해외 동포의 권익은 물론 민족적 이익을 함께 신장시킬 것입니다. 경제 및 사회문화분야에서는 우선 남북사회의 다각적인 교류·교역·협력을 추진하고 민족 문화를 함께 창달시켜야 할 것입니다. 특히 공동번영의 경제권을 형성하면 남북 모두의 발전을 이루고 민족성원 모두의 삶의 질을 향상시킬 수 있을 것입니다. 군사분야에서는 과도한 군비경쟁을 지양하고 무력대치 상태를 해소하기 위하여 군사적 신뢰구축과 군비통제를 실현해 나갈 수 있을 것입니다. 또한 현재의 휴전협정체제를 평화체제로 바꿔 나가는 것도 가능할 것입니다.

'남북평의회'는 100명 내외로 쌍방을 대표하는 동수의 남북 국회의원으로 구성하되 통일헌법의 기초와 통일을 실현할 방법과 그 구체적 절차를 마련하고 남북 각료회의의 자문에 응할 수 있을 것입니다. '남북평의회'는 통일헌법의 기초 과정에서 통일국가의 정치이념·국호·국가형태 등을 논의하고 대내외 정책의 기본 방향이나 정부형태는 물론 국회 구성을 위한 총선거의 방법·시기·절차 등을 토의하여 합의해야 할 것입니다.

남북은 각기 구상하는 통일헌법 초안을 '남북평의회'에 내놓고 합리적인 단일 안을 만드는 데 노력해야 할 것입니다. 통일헌법안이 마련되면 민주적 방법과 절차를 거쳐 확정공포하고 이 헌법이 정하는 바에 따라 총선거를 실시하여 통일국회와 통일정부를 구성할 수 있습니다.

통일조국의 국회는 지역 대표성에 입각한 상원과 국민대표성에 입각한 하원으로 구성되는 양원제로 할 수도 있을 것입니다.

8. 1991년 북한 신년사
(느슨한 연방제, 김일성, 1991.1.1)

북과 남 사이의 군사적 대결상태가 해소되고 남조선에서 미군과 핵무기가 철수되면 우리나라에서는 공고한 평화가 보장될 것이며 조국통일을 평화적으로 실현하는 데 결정적으로 유리한 국면이 열리게 될 것입니다. … 북과 남에 서로 다른 두 제도가 존재하고 있는 우리나라의 실정에서 조국통일은 누가 누구를 먹거나 누구에게 먹히지 않는 원칙에서 하나의 민족, 하나의 국가, 두개 제도, 두개 정부에 기초한 연방제 방식으로 실현되어야 합니다. 하나의 민족, 하나의 국가, 두개 제도, 두개 정부에 기초한 연방제 방식의 통일방안은 북과 남에 존재하는 서로 다른 제도와 정부를 그대로 두고 그 위에 하나의 통일적인 민족국가를 세우는 방법으로 통일을 실현하자는 것입니다. 우리의 연방제통일방안은 하나의 민족국가 안에 서로 다른 두 제도와 두 정부가 함께 있을 수 있다는 데로부터 출발하고 있습니다. 지금 일부 사람들은 '이질화'되어 있는 북과 남을 통일하기 위하여서는 '동질성'을 회복하여야 한다고 하고 있으나 북과 남은 하나의 민족으로서 예나 지금이나 민족적 공통성에서는 변함이 없으며 민족적으로는 여전히 동질적인 것입니다. 북과 남 사이에 서로 다른 것이 있다면 지난 40여 년 동안 존재하여 온 두 제도와 관련된 이질성인데 그것은 수천 년에 걸쳐 형성되고 공고화된 민족적 동질성에 비한다면 크게 문제될 것이 없습니다. 두 제도의 차이는 결코 우리 민족이 서로 갈라져 살아야 할 조건으로 될 수 없으며 북과 남이 통일하는 데서 극복하지 못할 장애로 될 수 없습니다. 역사적으로 면면히 이어온 민족적 공통성을 기초로 한다면 두 제도는 얼마든지 하나의 민족, 하나의 통일국가안에서 공존할 수 있습니다. 이러한 가능성을 보지 않고 ‘동질성’ 회복이라는 구실밑에 제도가 단일화되기 전에는 두개 국가로 갈라져 있을 수밖에 없다고 하면서 하나의 국가, 하나의 제도에 의한 ‘제도통일론’을 주장하는 것은 나라의 분열을 끝없이 지속시키자는 것이며 결국 통일을 하지 않자는 것입니다. …

　하나의 민족, 하나의 국가, 두개 제도, 두개 정부에 기초한 련방제 방식으로 통일하는 것은 우리나라의 현 실정에 맞는 조국통일방도의 대원칙입니다. 나라의 분렬을 끝장내고 북과 남이 같은 민족으로서 서로 화해하고 단합하여 조국통일을 평화적으로 가장 빠르게 실현할 수 있는 길은 오직 이 대원칙을 구현하는데 있습니다. 우리는 하나의 민족, 하나의 국가, 두개 제도, 두개 정부에 기초한 련방제 통일방도로서 이미 고려민주련방공화국창립방안을 내놓았습니다. … 우리는 고려민주련방창립방안에 대한 민족적 합의를 보다 쉽게 이루기 위하여 잠정적으로는 련방중앙정부의 지역자치정부에 더 많은 권한을 부여하며 장차로는 중앙정부의 기능을 더욱더 높여가는 방향에서 련방제 통일을 점차적으로 완성하는 문제도 협의할 용의가 있습니다. 우리는 유엔에 들어가는 문제도 련방제 통일이 실현된 다음 단일한 국호를 가지고 가입하는 것이 가장 좋다고 인정하지만 하나의 의석으로 가입하는 조건에서라면 그전에라도 북과 남이 유엔에 들어가는 것을 반대하지 않을 것입니다.

　우리는 조국통일방도에 대한 전민족적합의를 이룩하기 위하여 빠른 시일 안으로 북과 남의 당국과 정당, 단체, 대표들이 한자리에 모여 조국통일방도를 확정하는 민족통일정치협상회의를 소집할 것을 제의합니다. 조국통일을 앞당기기 위하여서는 온 민족의 대단결을 실현하여야 합니다. 조국통일은 누구도 대신해 줄 수 없는 우리 민족의 자주적 위협이며 당국이나 특정한 계층의 힘만으로는 성취할 수 없는 전민족 위업입니다. 〈두개 조선〉을 반대하고 진실로 조국통일을 원하는 북과 남, 해외의 모든 정당, 단체들과 각계각층 인민들은 민족의 절박한 요구와 리익을 첫자리에 놓고 서로 뜻과 힘을 합쳐야 하며 민족대단결을 이룩하여야 합니다.

민족대단결을 위해서는 여당과 야당, 재야를 가리지 말고 다수와 소수를 차별하지 말아야 하며 정견의 차이와 과거의 허물도 묻지 말고 상대방에 대한 의심과 편견도 버려야 합니다. 나라의 통일을 바라는 각 당, 각 파의 정치세력과 각계각층 인민들은 조국통일을 위한 공동전선에서 주장과 행동을 일치시키고 서로 련대·련합하여야 평화와 통일을 위한 거족적인 대중운동을 힘 있게 벌려나가야 합니다.

민족대단결을 실현하는데서 오늘 특별히 중요한 의의를 가지는 것은 북과 남의 정치인들이 서로 접촉하고 대화를 하며 신뢰를 두터이 하는 것입니다. 당국자들 사이에도 대화가 진행되고 각 계층의 민간인들도 서로 만나 대화를 하자고 하는 오늘 민족의 운명과 나라의 전도에 대하여 중대한 책임을 지니고 있는 정치인들이 서로 담을 쌓고 앉아 있는 것은 부끄러운 일입니다. 우리는 쌍무적이든 다무적이든 대화의 형식에 구애됨이 없이 남조선의 여당인사들과도 만나고 야당과 재야인사들과도 만날 것이며 그 누구에게나 통일대화의 문을 활짝 열어놓고 있을 것입니다.

9. 남북사이의 화해와 불가침 및 교류·협력에 관한 합의서(정원식·연형묵, 1992.2.19)

남과 북은 분단된 조국의 평화적 통일을 염원하는 온 겨레의 뜻에 따라, 7·4남북공동성명에서 천명된 조국통일 3대원칙을 재확인하고, 정치 군사적 대결상태를 해소하여 민족적 화해를 이룩하고, 무력에 의한 침략과 충돌을 막고 긴장완화와 평화를 보장하며, 다각적인 교류·협력을 실현하여 민족공동의 이익과 번영을 도모하며, 쌍방 사이의 관계가 나라와 나라 사이의 관계가 아닌 통일을 지향하는 과정에서 잠정적으로 형성되는 특수관계라는 것을 인정하고, 평화통일 을 성취하기 위한 공동의 노력을 경주할 것을 다짐하면서, 다음과 같이 합의하였다.

제1장 남북화해

제1조 남과 북은 서로 상대방의 체제를 인정하고 존중한다.

제2조 남과 북은 상대방의 내부문제에 간섭하지 아니한다.

제3조 남과 북은 상대방에 대한 비방·중상을 하지 아니한다.

제4조 남과 북은 상대방을 파괴·전복하려는 일체 행위를 하지 아니한다.

제5조 남과 북은 현 정전상태를 남북 사이의 공고한 평화상태로 전환시키기 위하여 공동으로 노력하며 이러한 평화상태가 이룩될 때까지 현군사정전협정을 준수한다.

제6조 남과 북은 국제무대에서 대결과 경쟁을 중지하고 서로 협력하며

민족의 존엄과 이익을 위하여 공동으로 노력한다.

제7조 남과 북은 서로의 긴밀한 연락과 협의를 위하여 이 합의서 발효 후 3개월 안에 판문점에 남북연락사무소를 설치·운영한다.

제8조 남과 북은 이 합의서 발효 후 1개월 안에 본회담 테두리 안에서 남북정치분과위원회를 구성하여 남북화해에 관한 합의의 이행과 준수를 위한 구체적 대책을 협의한다.

제2장 남북불가침

제9조 남과 북은 상대방에 대하여 무력을 사용하지 않으며 상대방을 무력으로 침략하지 아니한다.

제10조 남과 북은 의견대립과 분쟁문제들을 대화와 협상을 통하여 평화적으로 해결한다.

제11조 남과 북의 불가침 경계선과 구역은 1953년 7월 27일자 군사정전에 관한 협정에 규정된 군사분계선과 지금까지 쌍방이 관할하여 온 구역으로 한다.

제12조 남과 북은 불가침의 이행과 보장을 위하여 이 합의서 발효 후 3개월 안에 남북군사공동위원회를 구성·운영한다. 남북군사공동위원회에서는 대규모 부대이동과 군사연습의 통보 및 통제문제, 비무장지대의 평화적 이용문제, 군인사교류 및 정보교환 문제, 대량살상무기와 공격능력의 제거를 비롯한 단계적 군축 실현문제, 검증문제 등 군사적 신뢰조성과 군축을 실현하기 위한 문제를 협의·추진한다.

제13조 남과 북은 우발적인 무력충돌과 그 확대를 방지하기 위하여 쌍방 군사당국자 사이에 직통 전화를 설치·운영한다.

제14조 남과 북은 이 합의서 발효 후 1개월 안에 본회담 테두리 안에서
　　　　남북군사분과위원회를 구성하여 불가침에 관한 합의의 이행과 준
　　　　수 및 군사적 대결상태를 해소하기 위한 구체적 대책을 협의한다.

제3장 남북교류 · 협력

제15조 남과 북은 민족경제의 통일적이며 균형적인 발전과 민족전체의
　　　　복리향상을 도모하기 위하여 자원의 공동개발, 민족 내부 교류로
　　　　서의 물자교류, 합작투자 등 경제교류와 협력을 실시한다.

제16조 남과 북은 과학 · 기술, 교육, 문화 · 예술, 보건, 체육, 환경과 신
　　　　문, 라디오, 텔레비전 및 출판물을 비롯한 출판 · 보도 등 여러분
　　　　야에서 교류와 협력을 실시한다.

제17조 남과 북은 민족구성원들의 자유로운 왕래와 접촉을 실현한다.

제18조 남과 북은 흩어진 가족 · 친척들의 자유로운 서신거래와 왕래와
　　　　상봉 및 방문을 실시하고 자유의사에 의한 재결합을 실현하며, 기
　　　　타 인도적으로 해결할 문제에 대한 대책을 강구한다.

제19조 남과 북은 끊어진 철도와 도로를 연결하고 해로, 항로를 개설한다.

제20조 남과 북은 우편과 전기통신교류에 필요한 시설을 설치 · 연결하
　　　　며, 우편 · 전기통신 교류의 비밀을 보장한다.

제21조 남과 북은 국제무대에서 경제와 문화 등 여러분야에서 서로 협력
　　　　하며 대외에 공동으로 진출한다.

제22조 남과 북은 경제와 문화 등 각 분야의 교류와 협력을 실현하기 위
　　　　한 합의의 이행을 위하여 이 합의서 발효 후 3개월 안에 남북경제
　　　　교류 · 협력공동위원회를 비롯한 부문별 공동위원회들을 구성 · 운
　　　　영한다.

제23조 남과 북은 이 합의서 발효 후 1개월 안에 본회담 테두리 안에서

남북교류 · 협력분과 위원회를 구성하여 남북교류 · 협력에 관한 합의의 이행과 준수를 위한 구체적 대책을 협의한다.

제4장 수정 및 발효

제24조 이 합의서는 쌍방의 합의에 의하여 수정 · 보충할 수 있다.

제25조 이 합의서는 남과 북이 각기 발효에 필요한 절차를 거쳐 그 문본을 서로 교환한 날 부터 효력을 발생한다.

1991년 12월 13일

남 북 고 위 급 회 담   북 남 고 위 급 회 담
남측대표단 수석 대표   북측대표단 단 장
대 한 민 국   조선민주주의 인민공화국
국무총리   정원식   정무원 총리   연형묵

10. 한반도 비핵화에 관한 공동선언
(정원식 · 연형묵, 1992.2.19)

    남과 북은 한반도를 비핵화함으로써 핵전쟁 위험을 제거하고 우리나라의 평화와 평화통일에 유리한 환경을 조성하며 아시아와 세계의 평화와 안전에 이바지하기 위하여 다음과 같이 선언한다.

1. 남과 북은 핵무기의 시험 · 제조 · 생산 · 접수 · 보유 · 저장 · 배비 · 사용을 하지 아니한다.
2. 남과 북은 핵 에너지를 오직 평화적 목적에만 이용한다.
3. 남과 북은 핵처리 시설과 우라늄 농축시설을 보유하지 아니 한다.
4. 남과 북은 한반도의 비핵화를 검증하기 위하여 상대 측이 선정하고 쌍방이 합의하는 대상들에 대하여 남북핵통제공동위원회가 규정하는 절차와 방법으로 사찰을 실시한다.
5. 남과 북은 이 공동선언의 이행을 위하여 공동선언이 발효된 후 1개월 안에 남북핵통제공동위원회를 구성 · 운영한다.
6. 이 공동선언은 남과 북이 각기 발효에 필요한 절차를 거쳐 그 문본을 교환한 날부터 효력을 발생한다.

11. 남북기본합의서의 남북불가침 관련 부속합의서(정원식·연형묵, 1992.9.17)

남과 북은 "남북사이의 화해와 불가침 및 교류·협력에 관한 합의서"의 "제2장 남북 불가침"의 이행과 준수 및 군사적 대결상태를 해소하기 위한 구체적 대책을 협의 한데 따라 다음과 같이 합의하였다.

제1장 무력불사용

제1조 남과 북은 군사분계선일대를 포함하여 자기측 관할구역 밖에 있는 상대방의 인원과 물자, 차량, 선박, 함정, 비행기 등에 대하여 총격, 포격, 폭격, 습격, 파괴를 비롯한 모든 형태의 무력사용행위를 금지하며 상대방에 대하여 피해를 주는 일체 무력도발행위를 하지 않는다.

제2조 남과 북은 무력으로 상대방의 관할구역을 침입 또는 공격하거나 그의 일부, 또는 전부를 일시라도 점령하는 행위를 하지 않는다. 남과 북은 어떠한 수단과 방법으로도 상대방 관할구역에 정규무력이나 비정규 무력을 침입시키지 않는다.

제3조 남과 북은 쌍방의 합의에 따라 남북사이에 오가는 상대방의 인원과 물자, 수송 수단들을 공격, 모의공격하거나 그 진로를 방해하는 일체 적대행위를 하지 않는다. 이밖에 남과 북은 북측이 제기

한 군사분계선 일대에 무력을 증강하지 않는 문제, 상대방에 대한 정찰활동을 하지 않는 문제, 상대방의 영해·영공을 봉쇄하지 않는 문제와 남측이 제기한 서울지역과 평양지역의 안전보장문제를 남북군사공동위원회에서 계속 협의한다.

제2장 분쟁의 평화적 해결 및 우발적 무력충돌 방지

제4조 남과 북은 상대방의 계획적이라고 인정되는 무력침공 징후를 발견하였을 경우 즉시 상대측에 경고하고 해명을 요구할 수 있으며 그것이 무력충돌로 확대되지 않도록 필요한 사전대책을 세운다. 남과 북은 쌍방의 오해나 오인, 실수 또는 불가피한 사고로 인하여 우발적 무력 충돌이나 우발적 침범 가능성을 발견하였을 경우 쌍방이 합의한 신호규정에 따 라 상대측에 즉시 통보하며 이를 방지하기 위한 사전대책을 세운다.

제5조 남과 북은 어느 일방의 무력집단이나 개별적인 인원과 차량, 선박, 함정, 비행기 등이 자연재해나 항로미실과 같은 불가피한 사정으로 상대측 관할구역을 침범하 였을 경우 침범측은 상대측에 그 사유와 적대의사가 없음을 즉시 알리고 상대측의 지시에 따라야 하며 상대측은 그를 긴급 확인한 후 그의 대피를 보장하고 빠른 시일 안에 돌려 보내기 위한 조치를 취한다. 돌려 보내는 기간은 1개월 이내로 하며 그 이상 걸릴 수도 있다.

제6조 남과 북 사이에 우발적인 침범이나 우발적인 무력충돌과 같은 분쟁문제가 발생 하였을 경우 쌍방의 군사당국자는 즉각 자기측 무장집단의 적대행위를 중지시키고 군사 직통전화를 비롯한 빠른 수단과 방법으로 상대측 군사당국자에게 즉시 통보한다.

제7조 남과 북은 군사분야의 모든 의견대립과 분쟁문제들을 쌍방 군사

당국자가 합의하는 기구를 통하여 협의 해결한다.

제8조 남과 북은 어느 일방이 불가침의 이행과 준수를 위한 이 합의서
    를 위반하는 경우 공동조사를 하여야 하며 위반사건에 대한 책임
    을 규명하고 재발방지대책을 강구한다.

제3장 불가침 경계선 및 구역

제9조 남과 북의 지상불가침 경계선과 구역은 군사정전에 관한 협정에
    규정한 군사분 계선과 지금까지 쌍방이 관할하여온 구역으로 한다.

제10조 남과 북의 해상불가침 경계선은 앞으로 계속 협의한다. 해상불가
    침구역은 해상불가침경계선이 확정될 때까지 쌍방이 지금까지 관
    할하여온 구역으로 한다.

제11조 남과 북의 공중불가침 경계선과 구역은 지상 및 해상불가침 경계
    선과 관할구역의 상공으로 한다.

제4장 군사직통전화의 설치 · 운영

제12조 남과 북은 우발적 무력충돌과 확대를 방지하기 위하여 남측 국방
    부장관과 북측 인민무력부장 사이에 군사직통전화를 설치 · 운영
    한다.

제13조 군사직통전화의 운영은 쌍방이 합의하는 통신수단으로 문서통신
    을 하는 방법 또는 전화문을 교환하는 방법으로 하며 필요한 경우
    쌍방 군사당국자들이 직 접 통화할 수 있다.

제14조 군사직통전화의 설치 · 운영과 관련하여 제기되는 기술실무적 무
    제들은 이 합의서가 발효된 후 빠른 시일안에 남북 각기 5명으로

구성되는 통신실무자접촉에서 협의 해결한다.

제15조 남과 북은 이 합의서 발효 후 50일 이내에 군사직통전화를 개통한
다.

제5장 협의 · 이행기구

제16조 남북군사공동위원회는 남북합의서 제12조와 "남북군사공동위원회
구성 · 운영에 관한 합의서" 제2조에 따른 임무와 기능을 수행한다.

제17조 남북군사분과위원회는 불가침의 이행과 준수 및 군사적 대결상태
를 해소하기 위하여 더 필요하다고 서로 합의하는 문제들에 대하
여 협의하고 구체적인 대책 을 세운다.

제6장 수정 및 발효

제18조 이 합의서는 쌍방의 합의에 따라 수정 보충할 수 있다.

제19조 이 합의서는 쌍방이 서명하여 교환한 날부터 효력을 발생한다.

1992년 9월 17일

12. 민족공동체통일방안(김영삼 대통령, 1994.8.15)

정부는 이미 하나의 민족공동체건설을 위해 '화해·협력 단계'와 '남북연합 단계'를 거쳐 '1민족 1국가의 통일국가를 완성'하는 3단계 통일방안을 제시한 바 있습니다. 우선 남과 북은 적대와 대립의 관계를 화해와 협력의 관계로 바꾸어 나가야 합니다. 예멘이 정치적 통일을 이루고도 내전을치를 수밖에 없었던 것은 화해와 협력의 과정을 거치지 않고, 성급하게 외형만의 통일을 이루었기 때문입니다. 남과 북은 화해와 협력을 바탕으로 공존공영하면서 평화를 정착시키는 남북연합 단계로 나아가야 합니다. 남북연합 단계에서는 남과 북이 경제·사회공동체를 형성해 발전시킴으로써 정치적 통합을 위한 여건을 성숙시켜 나가야 합니다. 정부의 '한민족공동체건설을 위한 3단계 통일방안'은 통일의 중간 과정을 거쳐 궁극적으로는 1민족, 1국가로 통일을 완성해 나가는 것입니다. …

남북한 사이의 체제경쟁도 이미 끝났습니다. 사회주의·공산주의의 실험이 실패로 귀결된 20세기의 역사가 그것을 증명하고 있습니다. … 북한당국은 구시대적 대남 적화전략을 마땅히 포기해야 합니다. 또한 인권을 개선하는 과감한 개혁을 시도해야 합니다. … 남북관계 개선의 첫걸음은 신뢰에서부터 출발해야 합니다. 신뢰는 서로가 약속한 것을 성실하게 실천에 옮기는 데서 생겨납니다. '남북기본합의서'와 '한반도 비핵화 공동선언'은 남과 북이 세계와 민족 앞에 그 실천을 약속한 화해와 협력의 대장전입니다. … 남북 간의 화해분위기를 위배하는 상호 비방은 중지되어야 하며 군사적 대결을 종식시킬 수 있는 군사적 신뢰구축이 하루 속히 이루어져야 합니다. … 우리는 점진적이고, 단계적인 통일을 희망하고 있습니다. … 통일이 언제, 어떻게 오더라도 통일은 결국 남과 북의 이질화된 민족사회를 하나의 공동체로 회복·발전시키는 일로부터 시작해야 합니다.

13. 6 · 15 남북공동선언(김대중 대통령 · 김정일, 2000.6.15)

조국의 평화적 통일을 염원하는 온 겨레의 숭고한 뜻에 따라 대한민국 김대중 대통령과 조선민주주의인민공화국 김정일 국방위원장은 2000년 6월 13일부터 6월 15일까지 평양에서 역사적인 상봉을 하였으며 정상회담을 가졌다.

남북정상들은 분단 역사상 처음으로 열린 이번 상봉과 회담이 서로 이해를 증진시키고 남북관계를 발전시키며 평화통일을 실현하는데 중대한 의의를 가진다고 평가하고 다음과 같이 선언한다.

1. 남과 북은 나라의 통일문제를 그 주인인 우리 민족끼리 서로 힘을 합쳐 자주적으로 해결해 나가기로 하였다.

2. 남과 북은 나라의 통일을 위한 남측의 연합제 안과 북측의 낮은 단계의 연방제 안이 서로 공통성이 있다고 인정하고 앞으로 이 방향에서 통일을 지향시켜 나가기로 하였다.

3. 남과 북은 올해 8 · 15에 즈음하여 흩어진 가족, 친척 방문단을 교환하며, 비전향 장기수 문제를 해결하는 등 인도적 문제를 조속히 풀어 나가기로 하였다.

4. 남과 북은 경제협력을 통하여 민족경제를 균형적으로 발전시키고, 사회, 문화, 체육, 보건, 환경 등 제반분야의 협력과 교류를 활성화하여 서로의 신뢰를 다져 나가기로 하였다.

5. 남과 북은 이상과 같은 합의사항을 조속히 실천에 옮기기 위하여 빠른 시일 안에 당국 사이의 대화를 개최하기로 하였다.

김대중 대통령은 김정일 국방위원장이 서울을 방문하도록 정중히 초청하였으며, 김정일 국방위원장은 앞으로 적절한 시기에 서울을 방문하기로 하였다.

2000년 6월 15일

대　한　민　국	조선민주주의인민공화국
대　　통　　령	국　방　위　원　장
김　　대　　중	김　　정　　일

14. 낮은 단계의 연방제(안경호, 2000.10.7)

우리의 낮은 단계의 연방제안은 하나의 민족, 하나의 국가, 두 개 제도, 두 개 정부의 원칙에 기초하되 북과 남에 존재하는 두 개 정부가 정치, 군사, 외교권 등 현재의 기능과 권한은 그대로 갖게 하고 그 위에 민족통일기구를 내오는 방법으로 북남관계를 민족공영의 이익에 맞게 통일적으로 조정해 나가는 것"이라고 했다. 안경호는 김일성이 1991년 신년사에서 밝힌 연방제안이 결국 '낮은 단계의 연방제'안이라고 덧붙였다. 1991년의 연방제 방안에서 "지역자치정부에 더 많은 권한을 부여하며"라고 모호하게 되어있던 부분을 '낮은 단계의 연방제'에서는 두 개 정부가 외교와 군사권을 갖는다는 점을 명확히 한 것뿐임을 강조했다. 북한이 말하는 '낮은 단계의 연방제'는 통일의 형태가 아니라 통일의 전 단계를 말하고 있다. 따라서 연방제라는 말 자체는 하나의 국가형태를 지칭하기 때문에 맞지 않다. 연방제를 사용하게 되면 구성국의 독립성은 인정되지 않는다. 여기에 또다시 북한의 교묘한 용어혼란 전술이거나 아니면 회담을 위한 궁색한 변명에 그치지 않는다고 할 수 있다.

15. 남북관계 발전과 평화번영을 위한 선언
(10 · 4선언, 노무현 대통령 · 김정일, 2007.10.4)

대한민국 노무현 대통령과 조선민주주의인민공화국 김정일 국방위원
장 사이의 합의에 따라 노무현 대통령이 2007년 10월 2일부터 4일까지 평
양을 방문하였다.

방문기간중 역사적인 상봉과 회담들이 있었다.

상봉과 회담에서는 6 · 15공동선언의 정신을 재확인하고 남북관계발전
과 한반도 평화, 민족공동의 번영과 통일을 실현하는데 따른 제반 문제들
을 허심탄회하게 협의하였다.

쌍방은 우리민족끼리 뜻과 힘을 합치면 민족번영의 시대, 자주통일의
새시대를 열어 나갈 수 있다는 확신을 표명하면서 6 · 15공동선언에 기초
하여 남북관계를 확대.발전시켜 나가기 위하여 다음과 같이 선언한다.

1. 남과 북은 6 · 15공동선언을 고수하고 적극 구현해 나간다. 남과 북은
   우리민족끼리 정신에 따라 통일문제를 자주적으로 해결해 나가며 민
   족의 존엄과 이익을 중시하고 모든 것을 이에 지향시켜 나가기로 하였
   다. 남과 북은 6 · 15공동선언을 변함없이 이행해 나가려는 의지를 반

영하여 6월 15일을 기념하는 방안을 강구하기로 하였다.

2. 남과 북은 사상과 제도의 차이를 초월하여 남북관계를 상호존중과 신뢰 관계로 확고히 전환시켜 나가기로 하였다. 남과 북은 내부문제에 간섭하지 않으며 남북관계 문제들을 화해와 협력, 통일에 부합되게 해결해 나가기로 하였다. 남과 북은 남북관계를 통일 지향적으로 발전시켜 나가기 위하여 각기 법률적·제도적 장치들을 정비해 나가기로 하였다. 남과 북은 남북관계 확대와 발전을 위한 문제들을 민족의 염원에 맞게 해결하기 위해 양측 의회 등 각 분야의 대화와 접촉을 적극 추진해 나가기로 하였다.

3. 남과 북은 군사적 적대관계를 종식시키고 한반도에서 긴장완화와 평화를 보장하기 위해 긴밀히 협력하기로 하였다. 남과 북은 서로 적대시하지 않고 군사적 긴장을 완화하며 분쟁문제들을 대화와 협상을 통하여 해결하기로 하였다. 남과 북은 한반도에서 어떤 전쟁도 반대하며 불가침의무를 확고히 준수하기로 하였다. 남과 북은 서해에서의 우발적 충돌방지를 위해 공동어로수역을 지정하고 이 수역을 평화수역으로 만들기 위한 방안과 각종 협력사업에 대한 군사적 보장조치 문제 등 군사적 신뢰구축조치를 협의하기 위하여 남측 국방부 장관과 북측 인민무력부 부장간 회담을 금년 11월중에 평양에서 개최하기로 하였다.

4. 남과 북은 현 정전체제를 종식시키고 항구적인 평화체제를 구축해 나가야 한다는데 인식을 같이하고 직접 관련된 3자 또는 4자 정상들이 한반도지역에서 만나 종전을 선언하는 문제를 추진하기 위해 협력해 나가기로 하였다. 남과 북은 한반도 핵문제 해결을 위해 6자회담 「9·19 공동성명」과 「2·13 합의」가 순조롭게 이행되도록 공동으로 노력

하기로 하였다.

5. 남과 북은 민족경제의 균형적 발전과 공동의 번영을 위해 경제협력사업을 공리공영과 유무상통의 원칙에서 적극 활성화하고 지속적으로 확대 발전시켜 나가기로 하였다. 남과 북은 경제협력을 위한 투자를 장려하고 기반시설 확충과 자원개발을 적극 추진하며 민족내부협력사업의 특수성에 맞게 각종 우대조건과 특혜를 우선적으로 부여하기로 하였다. 남과 북은 해주지역과 주변해역을 포괄하는「서해평화협력특별지대」를 설치하고 공동어로구역과 평화수역 설정, 경제특구건설과 해주항 활용, 민간선박의 해주직항로 통과, 한강하구 공동이용 등을 적극 추진해 나가기로 하였다. 남과 북은 개성공업지구 1단계 건설을 빠른 시일안에 완공하고 2단계 개발에 착수하며 문산-봉동간 철도화물수송을 시작하고, 통행·통신·통관 문제를 비롯한 제반 제도적 보장조치들을 조속히 완비해 나가기로 하였다. 남과 북은 개성-신의주 철도와 개성-평양 고속도로를 공동으로 이용하기 위해 개보수 문제를 협의·추진해 가기로 하였다. 남과 북은 안변과 남포에 조선협력단지를 건설하며 농업, 보건의료, 환경보호 등 여러 분야에서의 협력사업을 진행해 나가기로 하였다. 남과 북은 남북 경제협력사업의 원활한 추진을 위해 현재의「남북경제협력추진위원회」를 부총리급「남북경제협력공동위원회」로 격상하기로 하였다.

6. 남과 북은 민족의 유구한 역사와 우수한 문화를 빛내기 위해 역사, 언어, 교육, 과학기술, 문화예술, 체육 등 사회문화 분야의 교류와 협력을 발전시켜 나가기로 하였다. 남과 북은 백두산관광을 실시하며 이를 위해 백두산-서울 직항로를 개설하기로 하였다. 남과 북은 2008년 북경 올림픽경기대회에 남북응원단이 경의선 열차를 처음으로 이용하여

참가하기로 하였다.

7. 남과 북은 인도주의 협력사업을 적극 추진해 나가기로 하였다. 남과 북은 흩어진 가족과 친척들의 상봉을 확대하며 영상 편지 교환사업을 추진하기로 하였다. 이를 위해 금강산면회소가 완공되는데 따라 쌍방 대표를 상주시키고 흩어진 가족과 친척의 상봉을 상시적으로 진행하기로 하였다. 남과 북은 자연재해를 비롯하여 재난이 발생하는 경우 동포애와 인도주의, 상부상조의 원칙에 따라 적극 협력해 나가기로 하였다.

8. 남과 북은 국제무대에서 민족의 이익과 해외 동포들의 권리와 이익을 위한 협력을 강화해 나가기로 하였다. 남과 북은 이 선언의 이행을 위하여 남북총리회담을 개최하기로 하고, 제 1차 회의를 금년 11월중 서울에서 갖기로 하였다. 남과 북은 남북관계 발전을 위해 정상들이 수시로 만나 현안 문제들을 협의하기로 하였다.

2007년 10월 4일 평양

대 한 민 국 대 통 령 노 무 현

조선민주주의인민공화국 국방위원장 김 정 일

16. 광복 제65주년 기념 경축사
(3대 공동체통일방안, 이명박 대통령, 2010.8.15)

우선 한반도의 안전과 평화를 보장하는 '평화공동체'를 구축해야 합니다. 그러려면 무엇보다 한반도의 비핵화가 이루어져야 합니다. 나아가 남북 간의 포괄적인 교류·협력을 통해 북한 경제를 획기적으로 발전시키고 남북한 경제의 통합을 준비하는 '경제공동체'를 이루어야 합니다. 이를 토대로 궁극적으로는 제도의 장벽을 허물고 한민족 모두의 존엄과 자유 삶의 기본권을 보장하는 '민족공동체'를 향해 나아가야 합니다.

17. 한반도 평화통일을 위한 구상
(드레스덴 통일 구상, 박근혜 대통령, 2014.3.28)

이 자리에서 평화통일의 기반을 만들기 위해 북한 당국에게 세 가지 제안을 하고자 합니다.

첫째, 남북한 주민들의 인도적 문제부터 해결해 가야 합니다.

먼저 분단으로 상처받은 이산가족들의 아픔부터 덜어야 합니다. 당연히 함께 살아야 할 가족 간의 만남조차 외면하면서 민족을 말할 수는 없습니다. 내년이면 헤어진 지 70년입니다. 평생 아들 딸의 손이라도 한번 잡아보고, 가족들의 안부라도 확인할 수 있기를 간절히 원하면서 기다리다가 작년에만 한국에서 3천 8백여 명의 이산가족이 돌아가셨습니다. 북한에 살고 있는 이산가족들의 사정도 크게 다르지 않을 것입니다. 이것은 북한 측 이산가족들의 한을 풀어주는 일이기도 합니다. 과거 동서독은 이산가족 등 분단의 문제를 해소하기 위해 상호 방문을 허용했고, 꾸준한 교류를 시행했습니다. 남북한도 이제는 이산가족 상봉의 정례화 등으로 가족들의 한을 풀고 동시에 남북간에 신뢰를 쌓는 길에 나서야 합니다. 한국은 이를 위한 구체적인 방안을 북한측과 협의해 나갈 것입니다. 국제적십자위원회와 같은 국제기관과도 필요한 협의를 할 것입니다. 앞으로 한국은 북한 주민들에 대한 인도적 차원의 지원을 확대해 나갈 것입니다. UN과 함께 임신부터 2세까지 북한의 산모와 유아에게 영양과 보건을 지원하는 '모자패키지(1,000days) 사업'을 펼칠 것입니다. 나아가 북한의 어린이들이 건강하게 성장해 한반도의 통일 미래를 함께 열어갈 수 있도록 지원할 것입니다.

둘째, 남북한 공동번영을 위한 민생 인프라를 함께 구축해 나가야 합니다. 농업생산의 부진과 산림의 황폐화로 고통 받는 북한 지역에 농업, 축산, 그리고 산림을 함께 개발하는 '복합농촌단지'를 조성하기 위해 남북한이 힘을 합해야 합니다. 씨뿌리기에서부터 추수까지 전 과정에서 남북한이 협력한다면, 그 수확물뿐만 아니라, 서로의 마음까지 나눌 수 있을 것입니다. 남북 간에 신뢰가 쌓여감에 따라 앞으로 보다 큰 규모의 경제 협력도 추진할 수 있을 것입니다. 한국은 북한 주민들의 편익을 도모하기 위해 교통, 통신 등 가능한 부분의 인프라 건설에 투자하고, 북한은 한국에게 지하자원 개발을 할 수 있도록 한다면 남북한 모두 혜택을 받을 수 있을 것입니다. 이는 한국의 자본·기술과 북한의 자원·노동이 유기적으로 결합하는 것을 의미하며, 장차 한반도 경제공동체 건설에 기여할 수 있을 것입니다. 현재 추진 중인 나진·하산 물류사업 등 남북러 협력사업과 함께, 신의주 등을 중심으로 남·북·중 협력사업을 추진해서 한반도와 동북아의 공동발전을 이루어갈 것입니다. 대북 개발협력 사업을 효율적으로 추진하기 위해서는 국제사회의 관심과 협력이 필요합니다. 북한과의 농업 및 산림사업 경험이 많은 독일 및 유럽의 NGO 등의 동참, 그리고 UN, World Bank 등 국제기구의 지원과 협력을 부탁드립니다.

셋째, 남북 주민 간 동질성 회복에 나서야 합니다. 분단의 세월이 길어지면서, 현재 남북한 간에는 언어와 문화, 생활양식마저 달라지고 있습니다. 남북한 간 진정한 소통과 통합을 위해서는 가치관과 사고방식의 차이를 줄여야 합니다. 이를 위해서는 무엇보다 남북한 주민들이 자주 만

날 수 있는 기회를 만들어야 합니다. 정치적 목적의 사업, 이벤트성 사업
보다는 순수 민간 접촉이 꾸준히 확대될 수 있는 역사연구와 보전, 문화
예술, 스포츠 교류 등을 장려해 나갈 것입니다. 북한이 원한다면, 국제사
회와 함께 경제운용과 경제특구 개발 관련 경험, 금융, 조세 관리, 통계
등에 관한 체계적인 교육과 훈련도 지원해 나갈 것입니다. 장기적으로
통일 한반도의 성장 동력이 될 미래세대를 가르치고 인재를 키우기 위한
교육프로그램도 공동 개발할 수 있을 것입니다. 저는 이런 제안을 남북
한이 함께 실현할 수 있도록 '남북교류협력사무소' 설치를 북측에 제안하
고자 합니다.

내외 귀빈 여러분, 현재 분단된 한반도를 가장 상징적으로 보여주는
곳이 남북한을 가로지르는 휴전선과 그 사이에 있는, 세계에서 가장 중무
장된 비무장지대(DMZ)라고 생각합니다. 저는 바로 그곳에 남북한과 UN
이 함께 세계평화공원을 조성했으면 합니다. DMZ의 작은 지역에서부터
철조망과 지뢰를 걷어내고 생명과 평화의 공간을 만들어 가길 희망합니
다. DMZ 세계평화공원은 DMZ 긴장을 평화로, 한반도의 분단을 통일로,
동아시아의 갈등을 화합으로 이끄는 출발점이 될 것입니다. 남북한이 기
존의 대결 패러다임을 바꿔서 DMZ를 관통하는 유라시아 철길을 연다면,
남북한을 포함하여 아시아와 유럽을 진정한 하나의 대륙으로 연결하는
21세기 실크로드가 될 것이고, 함께 발전할 수 있게 될 것입니다. 하나 된
한반도를 만들기 위한 이런 노력이 하루 빨리 이루어질 수 있도록 북한
은 비핵화로 나아가야 합니다. 북한이 핵문제 해결에 대한 진정성 있는
자세로 6자회담에 복귀하고 핵을 포기하여 진정 북한 주민들의 삶을 돌
보기 바랍니다. 북한이 핵을 버리는 결단을 한다면, 이에 상응하여 북한
에게 필요한 국제금융기구 가입 및 국제투자 유치를 우리가 나서서 적극
지원하겠습니다. 필요하다면 주변국 등과 함께 동북아개발은행을 만들어
북한의 경제개발과 주변지역의 경제개발을 도모할 수 있을 것입니다. 우

리는 동북아 평화협력구상을 발전시켜 북한의 안보우려도 다룰 수 있는 동북아 다자안보 협의체를 추진해 나갈 수 있을 것입니다. 이는 남북한이 같이 번영하는 길이며, 동북아의 번영과 평화를 가져오는 길이 될 것이라고 확신합니다. 한국은 주변국과 조화롭고, 국제사회로부터 환영받으며 국제사회에 기여하는 통일을 추진하고자 합니다.

이런 한반도 평화통일 시대를 본격적으로 열어가기 위해 저는 곧 대통령 직속 "통일 준비위원회"를 출범시킬 것입니다. 여기서 정부와 민간이 머리를 맞대고 지혜를 모아 통일과정과 통합과정을 착실하게 준비하고자 합니다. 선 한반도의 안전과 평화를 보장하는 '평화공동체'를 구축해야 합니다. 그러려면 무엇보다 한반도의 비핵화가 이루어져야 합니다. 나아가 남북 간의 포괄적인 교류·협력을 통해 북한 경제를 획기적으로 발전시키고 남북한 경제의 통합을 준비하는 '경제공동체'를 이루어야 합니다. 이를 토대로 궁극적으로는 제도의 장벽을 허물고 한민족 모두의존엄과 자유 삶의 기본권을 보장하는 '민족공동체'를 향해 나아가야 합니다.

약어

BWC   Biological Weapons Convention (생물무기금지협약)

CSCE   Conference on Security and Cooperation in Europe (유럽안보협력회의)

CTBTO   Comprehensive Nuclear Test Ban Treaty Organization (포괄적 핵실험
금지조약기구)

CTR   Cooperative Threat Reduction (협력적 위협감소)

CWC   Chemical Weapons Convention (화학무기금지협약)

EURATOM European Atomic Energy Community (유럽원자력공동체)

IAEA   International Atomic Energy Agency (국제원자력기구)

IRGC   Iran's National Guard Corps (이란혁명수비대)

MTCR   Missile Technology Control Regime (미사일기술통제체제)

NATO   The North Atlantic Treaty Organization (북대서양조약기구)

NPT   Nuclear Non-proliferation Treaty (핵비확산조약)

OPCW   Organization for the Prohibition of Chemical Weapons (화학무기금지기구)

OSCE   Organization for Security and Cooperation in Europe (유럽안보협력기구)

PSI   Proliferation Security Initiative (대량살상무기확산방지구상)

SCM   Security Consultative Meeting (한·미안보협의회)

SIPRI   Stockholm International Peace Research Institute (스톡홀름국제평화
문제연구소)

WMD   Weapons of Mass Destruction (대량살상무기)

WTO   Warsaw Treaty Organization (바르샤바조약기구)

참고문헌

1. 북한 문헌

가. 단행본

김일성.『남조선혁명과 조국통일에 대하여』. 평양: 조선로동당출판사. 1969.

김태영.『애국애족의 통일방안』. 평양: 평양출판사. 2001.

사회과학출판사.『경제사전1』. 평양: 사회과학출판사. 1985.

사회과학원 력사연구소.『조선전사』제24권. 평양: 과학, 백과사전출판사. 1981.

_____.『조선전사』제25권. 평양: 과학, 백과사전출판사. 1981.

철학연구소.『사회주의 강성대국 건설사상』. 평양: 사회과학출판사. 2000.

나. 논문 및 기타 자료

김일성.「당 단체들의 조직사업에 있어서 몇 가지 결함들에 대하여: 조선로동당
중앙위원회 제4차 전원회의에서 한 보고 1951년 11월 1일」.『김일성 저
작집』제6권. 평양: 조선로동당출판사. 1980.

_____.「당원들 속에서 계급 교양사업을 더욱 강화할 데 대하여: 조선로동당 중
앙위원회 전원회의에서 한 보고 1955년 4월 1일」.『김일성 저작집』제9권.
평양: 조선로동당출판사. 1980.

_____.「당을 질적으로 공고히 하며 공업생산에 대한 당적지도를 개선할 데 대
하여: 조선로동당 중앙위원회 정치위원회에서 한 결론 1953년 6월 4일」.
『김일성 저작집』제7권. 평양: 조선로동당출판사. 1980.

_____.「미국「워싱턴포스트」지 기자와 한 담화」.『김일성 저작집』제27권. 평양:
조선로동당출판사. 1984.

_____. 「민족의 분렬을 방지하고 조국을 통일하자: 체스꼬슬로벤스꼬사회주의공화국 당 및 정부 대표단을 환영하는 평양시군중대회에서 한 연설 1973년 6월 23일」. 『김일성 저작집』 제28권. 평양: 조선로동당출판사. 1984.

_____. 「병기공업을 더욱 발전시키기 위하여: 전국 병기공업부문 당열성자 회의에서 한 연설 1961년 5월 28일」. 『김일성 저작집』 제15권. 평양: 조선로동당출판사. 1981.

_____. 「사회주의의 완전한 승리를 위하여: 조선민주주의인민공화국 최고인민회의 제8기 제1차 회의에서 한 시정연설 1986년 12월 30일」. 『김일성 저작집』 제40권. 평양: 조선로동당출판사. 1994.

_____. 「생산합작사를 조직할 데 대하여: 북조선로동당 중앙위원회 상무위원회에서 한 연설 1947년 9월 1일」. 『김일성 저작집』 제3권. 평양: 조선로동당출판사. 1979.

_____. 「석탄공업부문에서 기술혁명을 힘있게 밀고 나갈 데 대하여: 조선로동당 중앙위원회 정치국 확대회의에서 한 연설 1980년 12월 1일」. 『김일성 저작집』 제35권. 평양: 조선로동당출판사. 1987.

_____. 「수단정부기관지 《알 싸하파》 책임주필이 제기한 질문에 대한 대답 1974년 4월 25일」. 『김일성 저작집』 제29권. 평양: 조선로동당출판사. 1985.

_____. 「아세아, 아프리카, 라틴아메리카 인민들의 위대한 반제혁명위업은 필승불패이다: 체 게바라 전사 한돐에 즈음하여 아세아아프리카라틴아메리카인민단결기구 기관리론잡지 《뜨리꼰띠넨딸》 제8호에 발표한 론문 1968년 10월 8일」. 『김일성 저작집』 제23권. 평양: 조선로동당출판사. 1983.

_____. 「우리나라 과학을 발전시키기 위하여: 과학자대회에서 한 연설 1952년 4월 27일」. 『김일성 저작집』 제7권. 평양: 조선로동당출판사. 1980.

_____. 「우리나라의 정세와 몇 가지 군사과업에 대하여: 조선로동당 인민군위원회 제2기 제2차 전원회의 확대회의에서 한 연설 1961년 12월 25일」. 『김일성 저작집』 제15권. 평양: 조선로동당출판사. 1981.

_____. 「우리의 인민군대는 로동계급의 군대, 혁명의 군대이다. 계급적 정치교양사업을 계속 강화하여야 한다: 인민군부대 정치부련대장이상 간부들 및 현지 당, 정권기관 일군들앞에서 한 연설 1963년 2월 8일」. 『김일성 저작집』 제17권. 평양: 조선로동당출판사. 1982.

_____. 「인민군대내에서 정치사업을 강화할 데 대하여: 조선로동당 인민군위원회 전원회의 확대회의에서 한 연설 1960년 9월 8일」. 『김일성 저작집』 제14권. 평양: 조선로동당출판사. 1981.

_____. 「인민군대내에 조선로동당 단체를 조직할 데 대하여: 조선로동당 중앙위원회 정치위원회에서 한 결론 1950년 10월 21일」. 『김일성 저작집』 제6권. 평양: 조선로동당출판사. 1980.

_____. 「인민군대를 강화하자: 조선인민군 고급군관회의에서 한 연설 1952년 12월 24일」. 『김일성 저작집』 제7권. 평양: 조선로동당출판사. 1980.

_____. 「인민군대의 간부화와 군종, 병종의 발전전망에 대하여: 인민군 군정간부회의에서 한 연설 1954년 12월 23일」. 『김일성 저작집』 제9권. 1980.

_____. 「전인민적, 전국가적 방위체계의 수립 : 조선로동당 제5차 당대회에서 한 중앙위원회 사업총화보고 1970년 11월 2일」. 『김일성 저작집』 제25권. 평양: 조선로동당출판사. 1983.

_____. 「정치 사업을 잘하여 인민군대의 위력을 더욱 강화하자: 조선인민군 제7차 선동원대회에서 한 연설 1977년 11월 30일」. 『김일성 저작집』 제32권. 평양: 조선로동당출판사. 1986.

_____. 「조선로동당 중앙위원회 제3차 전원회의에서 한 결론 1950년 12월 23일」. 『김일성 저작집』 제6권. 평양: 조선로동당출판사. 1980.

_____. 「조선로동당 제4차 대회에서 한 중앙위원회 사업총화보고 1961년 9월 11일」. 『김일성 저작집』 제15권. 평양: 조선로동당출판사. 1981.

_____. 「조선로동당 제5차 대회에서 한 중앙위원회 사업총화보고 1970년 11월 2일」. 『김일성 저작집』 제25권. 평양: 조선로동당출판사. 1983.

_____. 「조선로동당 제6차 대회에서 한 중앙위원회 사업총화보고 1980년 10월 10일」. 『김일성 저작집』 제35권. 평양: 조선로동당출판사. 1987.

_____. 「조선민족은 누구나 조국통일에 모든 것을 복종시켜야 한다」. 『김일성 저작집』 제44권. 평양: 조선로동당출판사. 1996.

_____. 「조선민주주의 인민공화국에서 사회주의 건설과 남조선 혁명에 대하여」. 『김일성 저작집』. 평양: 조선로동당출판사. 1965.

_____. 「조선민주주의인민공화국 정부의 당면과업에 대하여: 최고인민회의 제3기 제1차 회의에서 한 연설 1962년 10월 23일」. 『김일성 저작집』 제16권. 평양: 조선로동당출판사. 1982.

_____. 「조선인민군은 항일무장투쟁의 계승자이다: 조선인민군 제324군부대관하 장병들 앞에서 한 연설 1958년 2월 8일」. 『김일성 저작집』 제12권. 평양: 조선로동당 출판사. 1981.

_____. 「조선인민군창건에 즈음하여: 조선인민군열병식에서 한 연설 1948년 2월 8일」. 『김일성 저작집』 제4권. 평양: 조선로동당출판사. 1979.

_____. 「조선인민의 민족적 명절 8·15해방 15돐 경축기념대회에서 한 보고」. 『김일성 저작집』 제14권. 평양: 조선로동당출판사. 1981.

_____. 「함경북도당위원회 앞에 나서는 몇 가지 과업에 대하여: 함경북도당위원회 전원회의 확대회의에서 한 연설 1992년 9월 4일」. 『김일성 저작집』 제43권. 평양: 조선로동당출판사. 1996.

_____. 「현정세와 당면과업: 조선로동당 중앙위원회 제3차 전원회의에서 한 보고 1950년 12월 21일」. 『김일성 저작집』 제6권. 평양: 조선로동당출판사. 1980.

김정일. 「맑스-레닌주의와 주체사상의 기치를 높이 들고 나아가자」. 『김정일 주체사상에 대하여』. 평양: 조선로동당출판사. 1991.

_____. 「선군혁명로선은 우리 시대의 위대한 혁명로선이며 우리 혁명의 백전백승의 기치이다: 조선로동당 중앙위원회 책임일군들과 한 담화 2003년 1월 29일」. 『김정일 선집』 제15권. 평양: 조선로동당출판사. 2005.

_____. 「인민대중 중심의 우리식 사회주의는 필승불패이다: 조선로동당 중앙위원회 책임일군들과 한 담화 1991년 5월 5일」. 『김정일 선집』 제11권. 평양: 조선로동당출판사. 1997.

_____. 「주체사상교양에서 제기되는 몇 가지 문제에 대하여: 조선로동당 중앙위원회 책임일군들과 한 담화 1986년 7월 15일」. 『김정일 주체사상에 대하여』. 평양: 조선로동당 출판사. 1991.

당중앙군사위원회. 「《전시사업세칙》을 내옴에 대하여」. 2004.

심철룡. "Stern, Hard Blow at Traitorous Maneuver". 『로동신문』(인터넷판). 2011년 6월 5일.

안경호. 「고려민연방공화국 창립방안 제시 20주년기념 평양시 보고회」. 『조선중앙통신』. 2000년 10월 6일.

조선로동당출판사. 「위대한 수령 김일성 동지의 조국통일 유훈을 철저히 관철하자」. 『김정일 선집 제14권』. 평양. 2000.

한응식. 「고려민주연방공화국을 창립하는 것은 조국통일의 가장 합리적 방도」. 『근로자』. 평양: 근로자사. 1980.
「조선민주주의인민공화국 사회주의 헌법」, 2012, 2013.
「로동신문」. 1971. 4. 13; 1989. 9. 14; 1990. 5. 25; 1990. 6. 2; 1991. 1. 1; 1993. 3. 13; 1998. 8. 20; 1998. 10. 19; 2000. 12. 15; 2001. 11. 22; 2003. 4. 3; 2007. 1. 1; 2009. 4. 19.
「조선중앙통신」. 1999. 8. 17.

2. 국내 문헌

가. 단행본

강광식. 『통일한국의 체제 구상』. 서울: 백산서당. 2008.
고일동. 『북한의 재정위기와 재정안정화를 위한 과제』. 서울: 한국개발연구원. 2004.
고재홍. 『북한군 최고사령관 위상 연구』. 서울: 통일연구원. 2006.
공용득. 『북한연방제 연구』. 서울: 청목출판사. 2004.
국방부전사편찬위원회. 『한국전쟁사』 제1권. 1967.
권양주. 『남북한 군사통합 구상』. 서울: 한국국방연구원, 2009.
_____. 『남북한 군사통합 구상(증보판)』. 서울: KIDA Press. 2014.
_____. 『정치와 전쟁』. 서울: 21세기군사연구소. 1995.
권양주·박영택·함형필·김환청. 『남북한 군사통합시 대량살상무기 처리방안연구』. 서울: 한국국방연구원. 2008.
기무라 미쓰히코·아베 게이지. 차문석·박정진 역. 『북한의 군사공업화』. 서울: 미지북스. 2009.
김국후. 『평양의 소련 군정』. 경기: 도서출판 한울. 2008.
김경수. 『국제 대량살상무기 규제체계 연구』. 서울: 한국국방연구원. 1995.
김계동. 『남북한 체제통합론』. 서울: 명인문화사. 2006.
김계동 외. 『한반도의 평화와 통일』. 서울: 백산서당. 2005.
김대중. 『김대중의 3단계 통일론-남북연합을 중심으로』. 서울: 아태평화출판사. 1995.

김동규. 『북한학 총론』. 서울: 교육과학사. 1999.

김세균 외. 『북한체제의 형성과 한반도 국제정치』. 서울: 서울대학교출판부. 2006.

김용욱. 『한민족 통일과 분단국 통합론』. 서울: 전예원. 2007.

김용제. 『한반도 통일론』. 서울: 박영사. 2009.

김창희. 『북한 정치사회의 이해』. 서울: 법문사. 1998.

김태우 외. 『한반도 평화체제 구축을 위한 신뢰구축 방안 연구』. 서울: 한국국방연구원. 2003.

남만권. 『군비통제 이론과 실제』. 서울: 한국국방연구원. 2004.

남만권 편. 『북한 군사체제』. 서울: 한국국방연구원. 2006.

문정인 외. 『남북한 정치 갈등과 통일』. 서울: 도서출판 오름. 2002.

민족통일연구원. 『남북한 국력추세비교연구』. 서울: 민족통일연구원. 1992.

박종철 외. 『민족공동체통일방안의 새로운 접근과 추진방안: 3대 공동체 통일구상 중심』. 서울: 통일연구원. 2010.

박종철·허문영·김보근. 『남북연합 형성·운영의 거버넌스』. 서울: 통일연구원. 2008.

북한학연구소. 『북한총람(1945-1982)』. 1994.

서동만. 『북조선 사회주의 체제 성립사』. 서울: 선인. 2005.

서재진. 『주체사상의 이반』. 서울: 박영사. 2006.

시모토마이 노부오. 이혁재 역. 『북한 정권탄생의 진실』. 서울: 기파랑. 2005.

심지연. 『남북한 통일방안의 전개와 수렴』. 서울: 돌베개. 2001.

안재성. 『박헌영 평전』. 서울: 실천문학사. 2009.

양문수 외. 『경제분야 통일인프라 구축 및 개선방안』. 서울: 통일연구원. 2004.

양영식. 『통일정책론』. 서울: 박영사. 1997.

연합뉴스. 『북한어휘사전』. 서울: 연합뉴스 민족뉴스취재본부. 2002.

유영옥. 『한반도 통일 정책론』. 서울: 학문사. 1996.

육군사관학교. 『북한학』. 서울: 황금알. 2006.

이민룡. 『김정일 체제의 북한군대 해부』. 서울 : 황금알. 2004.

이서행 외. 『통일시대 남북공동체-기본 구상과 실천방안』. 서울: 백산서당. 2008.

이정연. 『북한군에는 건빵이 없다?』. 서울: 플래닛미디어. 2007.

이종석. 『분단시대의 통일학』. 서울: 한울 아카데미. 1998.

이종석.『조선로동당 연구』. 서울: 역사비평사. 1995.

이창욱.『남북한 군사통합과 통일국군의 역할』. 세종연구소. 1998.

이희옥.『중국의 국가 대전략 연구』. 서울: 폴리테이아. 2007.

임강택.『북한의 군수산업 정책이 경제에 미치는 효과 분석』. 서울: 통일연구원. 2000.

임강택 · 박형중.『2008년 북 · 중 무역의 주요 특징』. 서울: 통일연구원. 2009.

임동원.『피스 메이커』. 서울: 중앙북스. 2008.

장명봉.『2008 북한 법령집』. 서울: 북한법연구회. 2008.

장명순.『북한군사연구』. 서울: 팔복원. 1999.

장준익.『북한 인민군대사』. 서울: 서문당. 1991.

전득주 · 최의철 · 신현기.『남북한 통일정책 비교』. 서울: 숭실대학교 출판부. 2000.

제성호.『한반도 평화체제의 모색』. 서울: 지평서원. 2000.

조 민.『평화통일의 이상과 현실』. 서울: 백산서당. 2004.

주봉호.『남북관계와 한반도 통일』. 부산: 세종출판사. 2009.

천상덕.『유럽연합의 이론과 연방 건설』. 서울: 동국대학교출판부. 2005.

최명해.『중국 · 북한 동맹관계 : 불편한 동거의 역사』. 서울: 도서출판 오름. 2009.

최 성.『북한 정치사』. 서울: 풀빛. 1997.

최성빈 · 유재문 · 곽시우.『북한 군수산업 개황』. 서울: 한국국방연구원. 2005.

한용섭.『한반도 평화와 군비통제』. 서울: 박영사. 2004.

한용원.『남북한의 창군: 미 · 소의 역할을 중심으로』. 서울: 도서출판 오름. 2008.

함형필.『김정일 체제의 핵전략 딜레마』. 서울: 한국국방연구원. 2009.

허문영 · 이정우.『통일한국의 정치체제』. 서울: 통일연구원. 2010.

황진환.『북한의 군사혁신: 패턴과 전망』. 서울: 육군사관학교 화랑대연구소. 2000.

나. 논문

고유환.「김정일의 주체사상과 사회주의론」.『주체사상연구 자료집』. 서울: 동국 대학교.

고재홍.「북한의 국방위원장과 최고사령관의 비교 및 시사점(요약)」. 국가안보전 략연구소 연구보고서. 2008.

권영성. 「남북통합과 국가형태·국가체제 문제」. 『공법연구』 제21집. 서울: 한국
　　　공법학회. 1993.

권양주. 「김정은 시대 북한의 WMD 정책 변화 및 확산 전망」. 『군사논단』 통권 제
　　　72호. 서울: 한국군사학회. 2012.

＿＿＿. 「남북한 군축실현 가능성 전망」. 『국가전략문제연구』 통권 163호. 서울:
　　　국가안보전략연구소. 2009.

＿＿＿. 「남북한 합의통일 시 군사통합 적정시기 및 절차에 관한 연구」. 『국방정
　　　책연구』 제24권 제2호. 2008.

＿＿＿. 「북한 선군정치 평가와 북한군 역할 전망」. 『주간국방논단』 제1148호. 서울:
　　　한국국방연구원. 2007.

＿＿＿. 「북한군 지휘체계의 특징과 취약점」. 『주간국방논단』 제1100호. 2006.

＿＿＿. 「북한 최고사령관의 위상과 역할 재조명」. 『주간국방논단』 제1256호. 서울:
　　　한국국방연구원, 2009.

＿＿＿. 「통일 논의와 바람직한 남북한 통일방식」. 『주간국방논단』 제1357호. 서울:
　　　한국국방연구원. 2011.

김길선. 「북한의 국방과학연구기지: 제2자연과학원」. 『북한조사연구』 제3권 1호.
　　　서울: 북한문제조사연구소. 1999.

김병욱·김영희. 「'민간인 중심 지역방위체계' 형성을 위한 당(중앙) 군사위원회
　　　활동」. 『현대북한연구』 제12권 3호. 서울: 북한대학원대학교. 2009.

＿＿＿＿＿＿. 「90년대 북한의 '민간인 중심 지역방위체계' 수립에 관한 연구」.
　　　『국방정책연구』 제24권 제2호. 서울: 한국국방연구원. 2008.

김선호. 「북한군 보위사령부의 임무 및 역할 검토」. 2007.

김영윤. 「남북연합과 경제공동체 형성방안」. 『국가연합 사례와 남북한 통일과정』.
　　　서울: 도서출판 한울. 2004.

김용현. 「북한의 군사국가화에 관한 연구」. 동국대학교 대학원 박사학위논문.
　　　2001.

김재홍. 「남북한 간 군비통제 및 군축제의 경과」. 『군비통제』 제38호. 2005.

김종일. 「북한의 헌법 개정, 무엇을 뜻하는가?」 『북한』 통권 제455호. 서울: 북한
　　　연구소. 2009.

김창순. 「북한인민군의 창설과 그 실체」. 『현대사속의 국군』. 전쟁기념사업회.
　　　1990.

김창순. 「연안파의 입국과 공·신합당의 내막」. 『북한』 제196호. 1988.

김 혁. 「한반도 통일을 위한 대안적 이론체계의 모색 : 인식론과 방법론을 중심
으로」. 『통일경제』 제27호. 서울: 현대한국경제사회연구원. 1997.

노병만. 「남북한의 통일방법모델과 통일방안의 재검토」. 『한국동북아논총』 제25
집. 2002.

류길재. 「통일방안의 새로운 모색」. 『남북화해와 민족통일』. 서울: 을유문화사.
2001.

문성묵. 「4자 회담과 한반도 평화체제 구축」. 『대한정치학회보』 제7집 1호 별쇄.
1999.

민주평화통일자문회의. 「청년층 통일의식 조사결과」. 2009.

박광기. 「한국의 통일정책 : 통일인가, 통합인가?」 『남북한 통합론』. 서울: 대왕사.
1998.

박영호. 「한국의 한반도 통일을 위한 외교전략」. 『한반도 통일과 동북아 4국의
입장 및 역할』. 서울: 통일연구원. 2011.

_____. 「통일한국의 정치사회적 갈등양태와 해소 방안」. 『세계질서의 변화와 한
반도 통일』. 서울: 한국정치학회. 1994.

박종철. 「남북기본합의서 체제의 평가와 유산」. 남북기본합의서 20주년 기념 학
술회의 발표자료. Konas. 2012년 2월 17일.

서재진·김창근. 「김정일 정권의 체제유지 전략: 사회부문」. 『통일연구논총』 제5
권 2호. 1996.

안병욱·정병준. 「남북한의 통일정책과 통일의 과제」. 『역사와 현실』 제16권. 1995.

양동안. 「남북한 공동체 형성을 위한 정치통합」. 『통일시대 남북 공동체』. 서울:
백산서당. 2008.

양문수. 「2000년대 북한경제의 구조적 변화」. 『KDI 북한경제리뷰』 2007년 5월.

양문수 외. 『경제분야 통일인프라 구축 및 개선방안』. 서울: 통일연구원. 2004.

엄종식 통일부 차관이 '민족통일중앙협의회 영등포구협의회 정기총회'에서 한 강
연 내용, 『연합뉴스』, 2011. 3. 22.

이달희. 「북한경제와 군사비」. 『북한경제의 전개과정』. 서울: 경남대 극동문제연
구소. 1990.

이대근. 「당·군관계와 선군정치」. 『북한군사문제의 재조명』. 경기 파주: 도서출
판 한울. 2006.

_____. 「북한군 총정치국」. 『북한의 군사』. 서울: 경인문화사. 2006.

이서항. 「남북한 군비통제 방안 비교」. 『통일문제연구』 8권. 서울: 국토통일원. 1990.

이완범. 「남북 간의 정치적 통합문제에 관한 일 연구: '낮은 단계의 연방제'를 통해서 본 남북 통일방안의 상호침투와 수렴」. 『남북한 문화공동체의 지속과 변동』. 서울: 교육인적자원부. 2000.

이철기. 「남북한의 적정 군사력과 통일국가의 군사력 수준」. 『남북한 군사력평가와 적정군사력 수준』. 아시아사회과학연구원 학술포럼시리즈 99-2. 1999.

정광민. 「조선로동당 '당경제'의 성격에 관한 일고찰」. 『시대정신』 제40호. 서울: 뉴라이트재단. 2008.

정성임. 「조선인민군: 위상·편제·역할」. 『북한의 당·국가기구·군대』. 경기 파주: 도서출판 한울. 2007.

정용길. 「통일로 가는 과도체제의 제 형태」. 『한국정치학회 통일문제 특별 심포지움 발제문』. 서울: 한국정치학회. 1989.

정유진. 「북한의 전·평시 동원체계연구」. 『북한조사연구』 제1권 2호. 서울: 통일정책연구소. 1998.

_____. 「북한 군수산업의 실태와 운영」. 『북한조사연구』 제1권 1호. 서울: 북한문제조사연구소. 1997.

_____. 「탈냉전기 북한의 군비증강 요인」. 『북한조사연구』 제3권 1호. 서울: 통일정책연구소. 1999.

최완규. 「조선인민군의 형성과 발전」. 『북한의 군사』. 서울: 경인문화사. 2006.

최주활. 「북한군의 외화벌이 실태와 전투력에 미치는 영향」. 『북한조사연구』 제2권 2호. 서울: 통일정책연구소. 1999.

_____. 「북한군의 후방사업이 전투력에 미치는 영향」. 『북한조사연구』 제1권 2호. 서울: 통일정책연구소. 1998.

한기범. 「북한 정책 결정과정에서의 조직행태와 관료정치」. 북한대학원대학교 박사학위논문. 2009.

한홍구. 「무정과 화북조선독립동맹」. 『역사비평』 제16호. 1991.

황진환·정성임·박희진. 「1990년대 이후 남북 군사분야회담 연구: 패턴과 정향」. 『통일정책연구』 제19권 1호. 통일연구원. 2010.

다. 정부간행물 및 기타 자료

국방부. 『2008 국방백서』. 2008.

_____. 『2009년 남북군사회담 자료집』. 2009.

_____. 『군비통제란?』. 1990.

_____. 『군비통제 이해와 남북군비통제의 방향』. 1999.

_____. 「'정예화된 선진강군' 육성을 위한 국방개혁기본계획(2009~2020)」. 2009.

국토통일원. 『한민족공동체통일방안』. 1989.

대통령비서실. 『김영삼 대통령 연설문집』 제2권. 1994.

대한광업진흥공사. 「북한자원정보」. http://www.kores.or.kr (검색일: 2010. 4. 20).

「두산백과」(Naver.com 검색일: 2013. 5. 15).

「방위사업법 시행령(대통령령 제25003호)」 제28조.

병무청. 「현역병 복무제도」. http://www.mma.go.kr (검색일: 2009. 7. 10).

연합뉴스. 『2006 북한연감』; 『2010 북한연감』.

한국은행. 「남북한의 주요경제지표 비교」(검색일: 2014. 6. 10.

통계청. 『북한의 주요 통계지표 2009』. 2009.

통일부. 『북한기관·단체별 인명집』. 2010. 2011. 2012. 2013. 2014.

통일부. 『통일백서 2001』.

통일부 통일교육원. 『북한이해 2010』. 2010.

통일부 통일교육원. 『통일문제 이해』. 1999. 2007. 2010.

통일연구원. 『2009 북한개요』. 2009.

『노컷뉴스』. 2010. 3. 30.

『뉴데일리』. 2012. 11. 12.

『동아일보』. 1991. 9. 26; 2000. 10. 7.

『문화일보』. 2013. 5. 30.

『연합뉴스』. 2001. 2. 20; 2004. 8. 17; 2003. 3. 26; 2012. 11. 8; 2004. 12. 16; 2005. 4. 11; 2006. 7. 12; 2008. 4. 22; 2009. 5. 16; 2009. 9. 4; 2009. 11. 4; 2009. 11. 9; 2010. 3. 9; 2010. 3. 17; 2010. 4. 12; 2012. 6. 12; 2013. 6. 21; 2013. 6. 24.

『오마이뉴스』. 2002. 11. 5; 2003. 2. 7.

『자유북한방송』. 2008. 4. 22; 2010. 3. 18.

『조선일보』. 2006. 7. 10; 2009. 10. 8; 2013. 7. 1; 2013. 7. 3; 2013. 8. 7; 2013. 9.
        22; 2013. 10. 25; 2014. 7. 3; 2014. 7. 24.

『중앙일보』. 1991. 12. 19; 1997. 11. 13; 2010. 4. 27; 2010. 5. 17.

『조선닷컴』. 2009. 10. 5; 2010. 2. 3; 2014. 2. 5; 2014. 5. 22.

『ChosunBiz.com』. 2013. 11. 20.

『Daily.com』. 2006. 5. 17: 2010. 1. 28; 2010. 2. 2.

『DailyNK.com』. 2007. 3. 18; 2009. 1. 22; 2010. 1. 24; 2010. 4. 14.

『Heraldm.com』. 2010. 3. 31.

『NAVER 지식백과』(검색일: 2014. 6. 16).

『NKchosun.com』. 2000. 9. 4; 2009. 9. 11; 2010. 1. 21; 2010. 3. 18.

『SBS』. 2010. 3. 19.

『WP』. 2009. 11. 3.

3. 외국 문헌

기무라 미쓰히코 · 아베 게이지. 차문석 · 박정진 역. 『전쟁이 만든 나라, 북한의
        군사공업화』. 서울: 미지북스. 2009.

막스 임보덴. 홍성방 옮김. 『국가형태』. 서울: 유로서적. 2011.

Bela Balassa. *The Theory of Economic Integration*. London: George Allen & Unwin
        Ltd. Fourth Impression. 1973.

David Hale and Hugbes Hale. "China Takes Off". Foreign Affairs. Vol.82. No.6. 2003.

Ralph Hassig and Kongdan Oh. 「한국통일과 미국」. 『한반도 통일과 동북아 4국의
        입장 및 역할』. 서울: 통일연구원. 2011.

Rudolph J. Rummel. "Libertarianism and International Violence". Journal of Conflict
        Resolution. Vol.27. No. 1. 1983.

Stanley Hoffmann. *Gulliver's Troubles; Or the setting of American Foreign Policy*.
        New York: McGraw-Hill. 1968.

Terry Boswell · Christopher Chase-Dunn. 이수훈 · 이광근 옮김. 『자본주의와 사회

주의의 나선형-전 지구적 민주주의를 위하여』. 서울: 도서출판 한울. 2004.

U.S. Department of State Bureau of Verification and Compliance. "World Military Expenditures and Arms Transfers 2005". www.state.gov/t/vci/ris/rpt/wmeat (검색일: 2010. 5. 27).

You Ji. 「궁극적인 한반도 통일을 향한 경로 관리: 중국적 방법」. 『한반도 통일과 동북아 4국의 입장 및 역할』. 서울: 통일연구원. 2011.

I.I.S.S. *The Military Balance.* 2005 · 2006 · 2009 · 2010.

SIPRI. *SIPRI YEARBOOK 2009.* OXFORD UNIVERSITY PRESS. 2009.

저자소개

권양주 (權良周)

주요 경력
육군사관학교 34기 졸업, 미 오하이오(Ohio) 대학교 대학원 석사(국제문제 연구, 경제학 전공), 동국대학교 대학원 박사 (북한학)
前 한국국방연구원 통일대비연구실장, 대북정책연구실장, 북한군사연구센터장
現 한국국방연구원 책임연구위원

주요 저서
『정치와 전쟁』, 『남북한 군사통합 구상』, 『북한 군사의 이해』, 『남북한 군사력의 현재와 미래(공저)』, 『남북한 군사통합 구상(증보판)』(2014), 『김정은 시대 북한 군사의 이해(증보판)』(2014) 등

주요 연구물 및 논문논단
『남북한 군사통합방안 연구』, 『남북한 군사통합 시 대량살상무기 처리방안 연구』, 『남북한 군사통합 시 무기·장비·탄약·물자 통합방안 연구』, 『남북한 군사통합 시 부대 및 인력 통합방안』(2010), 『남북한 통일 시 군사통합비용 연구』(2011) 등의 연구보고서와 「남북한 합의 통일시 군사통합 적정 시기 및 절차에 관한 연구」, 「남북 군축 실현 가능성 전망」, 「김정은 시대 북한의 WMD 정책 변화 및 확산 전망」 등 수십 편.